Ilícito

Ilícito

Cómo traficantes, contrabandistas y piratas están cambiando el mundo

MOISÉS NAÍM

Naím, Moisés
Ilícito - 1ª ed. - Buenos Aires : Debate, 2006.
424 p. ; 23x15 cm. (Arena abierta)

Traducido por: Francisco Ramos

ISBN 987-1117-19-1

1. Ensayo Venezolano. I. Francisco Ramos, trad. II. Título
CDD V864

Primera edición en la Argentina bajo este sello: diciembre de 2006

Título original: *Ilicit*
Publicado originariamente por Doubleday, Nueva York, 2005

Publicado por Editorial Sudamericana S.A.® bajo el sello Debate
con acuerdo de Random House Mondadori

Impreso en la Argentina.
ISBN 10: 987-1117-19-1
ISBN 13: 978-987-1117-19-2
Queda hecho el depósito que previene la ley 11.723.

Compuesto en: Fotocomposición 2000, S.A.

www.sudamericanalibros.com.ar

A Susana, Adriana, Claudia y Andrés

Índice

Agradecimientos

Escribí este libro mientras trabajaba como director a tiempo completo de la revista *Foreign Policy*. Por lo tanto, mis primeras palabras de gratitud son para Jessica Mathews, presidenta de la Fundación Carnegie para la Paz Internacional. La amplia autonomía que tanto ella como el consejo de administración de la fundación me han permitido tener para dirigir la revista es un privilegio por el que siempre les estaré agradecido. Los lectores familiarizados con los innovadores escritos de la propia Dra. Mathews reconocerán su influencia intelectual en este libro, a la que hay que añadir sus valiosas observaciones en las primeras etapas del manuscrito.

Debo especial gratitud a los colegas de *Foreign Policy*, que supieron mantener firmemente a la revista en su exitosa trayectoria durante mis ausencias: Will Dobson, Travis Daub, Mark Strauss, Carlos Lozada y James Gibney. James también tuvo la amabilidad de revisar algunos capítulos. Mi agradecimiento a ellos, así como a mis otros colegas actuales y pasados de *FP*: David Bosco, Laura Peterson, Mike Boyer, James Forsyth, Kate Palmer, Amy Russell, Jai Singh, Jeff Marn, Sarah Schumacher, Kelly Peterson, Jen Kelley, Elizabeth Daigneau, Melinda Brouwer y Leslie Palti. Eben Kaplan localizó referencias y preparó el índice con inteligencia y dedicación.

Debo especial agradecimiento a Siddhartha Mitter. Sus contribuciones a este libro como editor e interlocutor intelectual fueron esenciales. Siddhartha desplegó su considerable talento en el rápido dominio de las ideas y los datos en los que se basa el libro, y con ello se convirtió en un interlocutor indispensable.

AGRADECIMIENTOS

Las primeras versiones del texto se vieron sustancialmente mejoradas gracias a las observaciones y sugerencias de un grupo de personas inteligentes y bien informadas que generosamente buscaron el tiempo en sus apretadas agendas para leer los borradores preliminares. Doy las gracias a David Beal, John Deutch, Bill Emmott, Thomas L. Friedman, Francis Fukuyama, Jamie Gorelick, Ethan Nadelmann, Demetrios Papademetriou, George Perkovich, Strobe Talbott, Stephen Walt, Phil Williams, Jonathan Winer y Fareed Zakaria. Gracias también a los ex presidentes Ernesto Zedillo, de México, y César Gaviria, de Colombia, que también leyeron el manuscrito y me ofrecieron valiosas observaciones.

Me he beneficiado asimismo de diversas conversaciones con un gran número de personas que compartieron conmigo su experiencia, su información y sus ideas, o me ayudaron a acceder a otras que disponían de la información que necesitaba. Deseo dar las gracias en particular a Mort Abramowitz, Mahsud Ahmed, Fouad Ajami, Jean-Jacques Albin, Eduardo Amadeo, Diego Arria, Anders Åslund, Ricardo Ávila, Maureen Baginski, Daniel Bradlow, Clara Brillembourg, Matt Burrows, Nick Butler, Antonio Carlucci, Lucio Carraciolo, Miguel Ángel Carranza, María Cristina Chirolla, Roberto Dañino, Kemal Dervis, Karen DeYoung, Thomas Fingar, Christo Gradev, Lou Goodman, Richard Haas, Victor Halberstadt, Husain Haqqani, Diego Hidalgo, Michael Hirsch, Rudolph Hommes, Robert Hutchings, Adnan Ibrahim, Stephen Jukes, Ellis Juan, Ray Kendall, Stephen Kobrin, Caio Koch-Weser, Michael Kortan, Paul Laudicina, Dimitri Lazarescu, Viktor Magunin, Doris Meissner, Jim Moody, Luis Alberto Moreno, Andrés Ortega, Nelson Ortiz, Soli Ozel, Ana Palacio, Andrés Pastrana, Guy Pfeffermann, Gianni Riotta, David Rothkopf, Gonzalo Sánchez de Lozada, Alberto Slezynger, Somchai Supakar, Peter Schwartz, Zhang Tai, Vito Tanzi, Dimitri Trenin, Ted Truman, Martin Wolf y Daniel Yergin.

Tengo asimismo una deuda de gratitud con mi agente, Rafe Sagalyn, y con mis editores Gerry Howard y Rakesh Satyal, en Doubleday, Nueva York; Ravi Mirchandani, en Wm., Heinemann, Londres; Gianni Ferrari, en Mondadori, Milán, y Cristóbal Pera, en

Random House Mondadori, Barcelona. Mi hermano Giuseppe Naím ha sido siempre una fuente de buen humor y de apoyo incondicional, así como su esposa Isabel y su familia, Deborah, Daniel, Patricia y Sofía.

Por último, este libro está dedicado a quienes configuran el núcleo de mi propia red personal, el grupo de personas que hacen tantas cosas posibles y valiosas: mi esposa Susana y nuestros hijos Adriana, Claudia y Andrés.

1
Las guerras que estamos perdiendo

El famoso ex presidente de Estados Unidos, y durante ocho años el hombre más poderoso de la Tierra, nació en un pequeño pueblo con «muy buen *feng shui*». De adolescente, cuando luchaba por sobresalir a pesar de sus modestas raíces rurales, «admiraba la ambición de Gu Yanwu, que decía que deberíamos andar diez mil millas y leer diez mil libros». A lo largo de toda su carrera política, a menudo buscó guía y consejo en los aforismos del presidente Mao. Y hablando de la joven e impresionable becaria con quien tuvo una aventura que estuvo a punto de costarle la presidencia, lo único que se le ocurrió decir fue: «Estaba muy gorda».

La versión china de la autobiografía de Bill Clinton, *Mi vida*, que salió a la calle en julio de 2004 —unos meses antes de que se publicara la versión oficial autorizada—, era, evidentemente, una grotesca falsificación.[1] Su aparición fue una especie de bienvenida que hacía partícipe al ex presidente de uno de los más dudosos honores de la fama literaria contemporánea. En Colombia, por ejemplo, existe toda una industria especializada en producir copias no autorizadas de las obras del gran novelista del país, Gabriel García Márquez.[2] En 2004, el original de la que constituía la primera novela del premio Nobel después de diez años desapareció de la imprenta sin dejar rastro. Al cabo de unos días se podía encontrar una edición pirata en las aceras de Bogotá, cuyo texto era completamente fiel al original, salvo por las últimas correcciones que García Márquez, siempre perfeccionista, añadió en el último momento.

Por risibles que puedan parecer, no es tan grande la distancia que separa estos fraudes de otros de consecuencias mucho más funestas.

Esos mismos «mercados de imitación» no solo venden libros y DVD piratas, sino también software pirateado de Microsoft y de Adobe; no solo bolsos falsos de Gucci y Chanel, sino también maquinaria de marca falsificada con piezas de inferior calidad que puede provocar accidentes industriales; no solo Viagra placebo para crédulos compradores por correo, sino también medicamentos caducados y adulterados que en lugar de curar matan. Desafiando reglamentos e impuestos, tratados y leyes, en el actual mercado global se pone a la venta prácticamente cualquier cosa que tenga algún valor, incluyendo drogas ilegales, especies protegidas, seres humanos para la esclavitud sexual y la explotación laboral, cadáveres y órganos vivos para trasplantes, ametralladoras y lanzacohetes, y centrifugadoras y precursores químicos utilizados en la fabricación de armas nucleares.

Se trata del tráfico ilícito, un tráfico que rompe las reglas: las leyes, reglamentos, licencias, impuestos, embargos y todos los procedimientos que los distintos países emplean para organizar el comercio, proteger a sus ciudadanos, aumentar los ingresos fiscales y velar por la aplicación de los códigos éticos. Incluye compras y ventas que son completamente ilegales en todas partes, y otras que pueden ser ilegales en algunos países y aceptadas en otros. Obviamente, el comercio ilícito es extremadamente perjudicial para los negocios legítimos. Excepto cuando no lo es. Como veremos, existe una enorme zona gris entre las transacciones legales y las ilegales, una zona gris de la que los comerciantes ilícitos extraen enormes ganancias.

No es que los canales de comercialización y distribución que transportan todo este contrabando —y los circuitos financieros que mueven los cientos de miles de millones de dólares que genera cada año— estén precisamente ocultos. Algunos de los mercados donde se lleva a cabo se pueden localizar en guías turísticas de las grandes ciudades del mundo: el Mercado de la Seda en Pekín, la calle Charoen Krung en Bangkok o Canal Street en Nueva York. Otros, como la ciudad-bazar de armas y drogas de Darra Adam Khel, en el noroeste de Pakistán, o el centro de tráfico multiproducto y blanqueo de dinero de Ciudad del Este, en Paraguay, que abastece a los mercados argentino y brasileño, no son precisamente lugares de recreo, aunque no por ello resultan menos conocidos. Las fábricas filipinas o chinas que producen bienes manufacturados con autorización pueden muy bien estar haciendo paralelamente segundos turnos en los que se fabrica ilegalmente utilizando componentes de mala calidad. Los envíos de anfetaminas, vídeos piratas y falsos binoculares militares de visión nocturna suelen viajar en los mismos contenedores y bodegas que los cargamentos de semiconductores, pescado congelado y pomelo. Los ingresos del comercio ilícito se difuminan con la mayor facilidad en el inmenso flujo diario de las transacciones interbancarias y las transferencias de dinero a través de Western Union. La aparición de Internet no solo ha potenciado la rapidez y la eficacia de todo este comercio, sino que ha multiplicado sus posibilidades, por ejemplo, al albergar mercados online de prostitutas de Moldavia y Ucrania destinados a Gran Bretaña, Francia, Alemania, Japón y Estados Unidos.

Quienes se benefician del comercio ilícito no siempre tienen cuidado de ocultarse en la sombra. Muchos ejercen su tráfico abiertamente, desafiando a las autoridades a tomar medidas enérgicas contra ellos, o invitándolas a la complicidad. En Tailandia, por ejemplo, el dueño de varias salas de masajes se presentó a unas elecciones locales en 2003 con una campaña basada en las críticas a la policía; en realidad, pretendía defender sus propios intereses en el tráfico de seres humanos explotando el descontento generalizado de la opinión pública.[3] En la vecina Camboya, la policía nacional colabora con los organismos de control internacionales para tomar medidas enérgicas contra el tráfico de niños con fines sexuales; pero mientras tanto, los agentes locales reciben sobornos de conocidos traficantes a la vista de todos.[4] Puede que los comerciantes ilícitos hayan abandonado los grandes gestos —en su momento de mayor apogeo, Pablo Escobar Gaviria, el célebre capo de la droga, se ofreció a saldar íntegramente la deuda nacional de Colombia—, pero se han vuelto cada vez más sofisticados a la hora de crear empresas con complejas estructuras financieras que se extienden a través de numerosos países, borrando tan bien su rastro que pueden operar abiertamente sin riesgo alguno. Eso significa que no solo el comercio ilícito está en auge, sino que su interrelación con crisis sociales —conflicto, corrupción, explotación— es más compleja que nunca.

Tres malas ideas

Sin embargo, y pese a todas las evidencias, hay al menos tres grandes ideas falsas que persisten en el modo en que todos nosotros —tanto la opinión pública como los políticos en los que depositamos nuestra confianza— abordamos la cuestión del comercio ilícito global.

La primera es la ilusión de que no hay nada nuevo. El comercio ilícito representa una antigua y permanente faceta y un inevitable efecto secundario de las economías de mercado o del comercio en general. Su precursor, el contrabando, se remonta a tiempos antiguos, y en todas las grandes ciudades existen «mercados de ladrones». Así las cosas, los escépticos proponen que, dado que el contrabando ha sido siempre más una molestia que un verdadero azote, se trata de una amenaza con la que podemos aprender a convivir, como siempre se ha hecho.

Pero este escepticismo ignora las importantes transformaciones que tuvieron lugar en la década de 1990. Cambios en la vida política y económica, junto con tecnologías revolucionarias en manos de civiles, han debilitado las barreras que tradicionalmente utilizaban los gobiernos para sellar las fronteras nacionales. Al mismo tiempo, las reformas para promover la economía de mercado que se popularizaron en todo el mundo durante esa década también aumentaron las posibilidades y los incentivos para los traficantes. No solo se debilitó el control de los gobiernos sobre las fronteras, sino que las reformas amplificaron las compensaciones que aguardaban a quienes estaban dispuestos a romper las reglas.

La tecnología amplió el mercado, no solo en términos geográficos al abaratar los costes de transporte, sino también por el hecho de hacer posible el comercio en toda una gama de productos que antes no existían, como el software pirateado o la marihuana genéticamente modificada. Las nuevas tecnologías posibilitan asimismo el comercio internacional de productos que en el pasado resultaban difíciles o imposibles de transportar o de «inventariar», como, por ejemplo, riñones humanos. Obviamente, los mercados también se ampliaron cuando los diversos gobiernos liberalizaron economías previamente cerradas o estrictamente controladas, permitiendo a los extranjeros viajar, comerciar e invertir con mayor libertad.

El traspaso masivo a manos privadas de bienes y equipos antes bajo el control exclusivo de los ejércitos nacionales introdujo en el mercado productos que van desde los lanzacohetes a los diseños y maquinaria nucleares, pasando por los misiles Scud. Además, los propios gobiernos también potenciaron el comercio ilícito al criminalizar una serie de nuevas actividades. Intercambiar archivos a través de Internet, por ejemplo, es una nueva actividad ilegal que ha venido a sumar a millones de personas a las filas de los comerciantes ilícitos.

Un indicio de la explosión del comercio ilícito se encuentra en el constante auge del blanqueo de dinero. Con el tiempo, todo negocio ilícito genera un dinero que debe blanquearse. Y existen amplias evidencias de que, pese a todas las precauciones y medidas legales y en vigor, actualmente hay más dinero negro flotando en el sistema financiero internacional que nunca.

Y sin embargo, hasta hoy, con la excepción de las drogas, el comercio ilícito sencillamente no ha sido una prioridad en el derecho ni en la firma de tratados internacionales, como tampoco en la labor policial internacional ni en la cooperación entre las diversas fuerzas del orden. La ONU no diseñó un lenguaje común para describir este fenómeno hasta el año 2000, y la mayoría de los países tienen que recorrer aún un largo camino para adaptar sus leyes a las normativas internacionales, y no digamos para aplicarlas. Hizo falta la aparición de la piratería informática y el nacimiento de los «delitos contra la propiedad intelectual» para añadir nuevos estímulos en la lucha contra la falsificación. Y el tráfico de personas —moralmente la más monstruosa de todas las formas de comercio ilícito—, que en la década de 1990 solo se definió en círculos académicos y de activistas, hasta el año 2000 no fue objeto de una legislación concreta y exhaustiva en Estados Unidos. (Solo otros diecisiete países más han hecho lo mismo.)[5]

La segunda idea falsa es que el comercio ilícito no es más que delincuencia. Es cierto que en la década de 1990 las actividades delictivas aumentaron y se globalizaron. Pero pensar en el comercio ilícito internacional como una manifestación más de un comportamiento delictivo equivale a ignorar un hecho mayor y más importante: las actividades delictivas globales están *transformando el sistema internacional*, invirtiendo las reglas, creando nuevos agentes y reconfigurando el poder en la política y la economía internacionales. Estados Unidos atacó Irak porque temía que Sadam Husein hubiera adquirido armas de destrucción masiva; pero al mismo tiempo, una sigilosa red dirigida por A. Q. Khan, un ingeniero paquistaní, ganaba dinero vendiendo tecnología para la fabricación de bombas atómicas a cualquiera que pudiera pagarla.

Durante todo el siglo XX, y en la medida en que los gobiernos prestaron atención al comercio ilícito, lo etiquetaron —para su opinión pública y para sí mismos— como la obra de organizaciones criminales. Conscientemente o no, los investigadores de todo el mundo tomaron el modelo de la mafia siciliana y estadounidense como punto de partida. Partiendo de esa concepción, la búsqueda de traficantes —casi siempre de drogas— conducía a lo que los investigadores consideraban que solo podían ser organizaciones pseudoempresariales: estructuradas, disciplinadas y jerárquicas. Los cárteles colombianos, los *tongs* chinos, las tríadas de Hong Kong, las *yakuza* japonesas, y finalmente, a partir de 1989, la mafia rusa, se abordaron de ese modo: primero como organizaciones criminales, y solo más tarde como comerciantes. En la mayoría de los países, las leyes empleadas para perseguir a los comerciantes ilícitos siguen siendo las que surgieron en la lucha contra el crimen organizado, como es el caso, por ejemplo, de la Ley de Organizaciones Mafiosas y Corruptas (RICO) en Estados Unidos.

Solo en fecha reciente ha empezado a cambiar esta concepción. Gracias a al-Qaeda, hoy el mundo sabe lo que puede hacer una red de individuos fuertemente motivados, no vinculados por lealtad a ningún país concreto, y potenciados por la globalización. El problema es que el mundo sigue pensando en tales redes mayoritariamente en términos de terrorismo. Sin embargo, y como mostrarán las páginas siguientes, el afán de beneficios puede constituir un elemento motivador tan potente como Dios. Las redes de apátridas comerciantes en productos ilícitos están cambiando el mundo tanto como los terroristas, y probablemente incluso más. Pero este mundo, obsesionado con los terroristas, aún no se ha dado cuenta de ello.

La tercera idea falsa es la concepción del comercio ilícito como un fenómeno «sumergido». Incluso aceptando que el tráfico ha aumentado en volumen y complejidad, muchos —especialmente los políticos— tratan de relegarlo a un mundo distinto al de los ciudadanos y electores honestos y corrientes. El lenguaje que utilizamos para describir el comercio ilícito y para enmarcar nuestros esfuerzos por contenerlo traiciona el persistente poder de esta ilusión. Así, por ejemplo, el término inglés *offshore* —que significa «extraterritorial», pero que en un contexto económico significa también «paraíso fiscal»— capta vívidamente este sentimiento de que el comercio ilícito se produce en algún otro lugar. Algo parecido ocurre con la expresión *mercado negro*, o la distinción supuestamente clara entre *dinero negro* y *dinero blanco*. Todo ello alude a la claridad, a la capacidad de trazar líneas económicas y morales, y patrullar unas fronteras que en la práctica se confunden. Es esta la más peligrosa de las tres ideas falsas, puesto que pisotea fundamentos morales y provoca engañosamente en los ciudadanos —y, por ende, en la opinión pública— un sentimiento de gran rectitud y falsa seguridad.

Esto no tiene nada que ver con el relativismo moral. Un ladrón es un ladrón. Pero ¿cómo calificaríamos a una mujer que consigue proporcionar cierto bienestar material a su necesitada familia en Albania o en Nigeria entrando en otro país ilegalmente y trabajando en la calle como prostituta o como vendedora ambulante de productos falsificados? ¿Y a los empleados de banco de Manhattan o de Londres que reciben sustanciosas gratificaciones a fin de año por haber llenado las bóvedas de sus bancos con los depósitos de acaudalados clientes cuyo único trabajo conocido ha sido ocupar un cargo público en otro país? A muchos adolescentes estadounidenses les resulta más fácil conseguir un cigarrillo de marihuana que comprar una botella de vodka o un paquete de tabaco, y saben que, al hacerlo, en realidad no corren un riesgo grave. Mientras tanto, honestos jueces o policías colombianos son acribillados constantemente en una guerra contra la droga que el gobierno estadounidense financia nada menos que con 40.000 millones de dólares anuales. No se trata solo de contradicciones exasperantes, de injustas muestras de doble moral o de interesantes paradojas. Se trata de claros indicios de que ciertos hábitos humanos han adquirido hoy nuevos matices.

Escurridizos y poderosos

Desde comienzos de la década de 1990, el comercio ilícito global ha experimentado una gran mutación. Es la misma mutación que la de las organizaciones terroristas internacionales como al-Qaeda o la Yihad Islámica; o, para el caso, de los activistas en favor del bien de la humanidad, como el movimiento medioambiental o el Foro Social Mundial. Todos ellos se han distanciado de las jerarquías rígidas para estructurarse en redes descentralizadas; se han distanciado del control en manos de determinados líderes concretos para aproximarse a un funcionamiento basado en agentes y células dispersos y nebulosamente conectados; se han distanciado de las rígidas líneas de control e intercambio para optar por transacciones constantemente cambiantes según dicte la oportunidad de cada momento. Es esta una mutación que en la década de 1990 los diversos gobiernos apenas reconocían, y que en ningún caso podían tratar de emular.

La primera señal inequívoca en todo el mundo de esta transformación se produjo el 11 de septiembre de 2001. Los políticos dirían posteriormente que aquel día «el mundo cambió». Quizá resultaría más adecuado decir que aquel día se reveló algo sobre el mundo: como mínimo, el increíble poder que hoy reside en las manos de una clase de entidad internacional completamente nueva, intrínsecamente apátrida y profundamente escurridiza. Como demostrarían los acontecimientos posteriores, incluso los expertos fueron incapaces de ponerse de acuerdo sobre lo que estaban observando, y acerca de si podía o no tener que ver con estados y regímenes concretos.

Sin control alguno, el comercio ilícito no puede hacer más que continuar su mutación, ya bien avanzada. Hay pruebas suficientes de que ofrece a los terroristas y a otros truhanes medios de supervivencia y métodos de transferencia e intercambio financiero. Su efecto en la geopolítica llegará más lejos. En los países en vías de desarrollo, y en los que están en fase de transición del comunismo, las redes delictivas a menudo constituyen los más poderosos grupos de intereses creados a los que se enfrenta el gobierno. En algunos países, sus recursos y medios superan incluso a los de los gobiernos. Y tales medios con frecuencia se traducen en influencia política. Los traficantes y sus cómplices controlan partidos políticos, poseen importantes empresas mediáticas, o son los principales filántropos que se ocultan tras las organizaciones no gubernamentales. Este es el resultado natural en los países donde no hay otra actividad económica que pueda compararse al comercio ilícito, ni en volumen ni en beneficios, y donde, por tanto, los traficantes se convierten en los «grandes empresarios» de la nación. Y cuando sus negocios llegan a ser grandes y estables, las redes de tráfico hacen lo que tienden a hacer las grandes empresas en todas partes: diversificarse en otras empresas e invertir en política. Al fin y al cabo, obtener acceso al poder e influencia, y buscar la protección del gobierno, ha sido siempre algo consustancial a las grandes empresas.

Así, las redes ilícitas no solo se hallan estrechamente interrelacionadas con las actividades lícitas del sector privado, sino que se hallan también profundamente implicadas en el sector público y el sistema político. Y una vez que se han extendido a las empresas privadas legales, los partidos políticos, los parlamentos, las administraciones locales, los grupos mediáticos, los tribunales, el ejército y las entidades sin ánimo de lucro, las redes de tráfico llegan a adquirir una poderosa influencia —en algunos países sin parangón— en los asuntos de Estado.

De manera perversa, la conciencia de los devastadores efectos del comercio ilícito suele generar impulsos nacionalistas y reacciones aislacionistas. Irónicamente, tales reacciones acaban por beneficiar a los propios traficantes, ya que, cuanto más se esfuercen los estados en levantar barreras para frenar el flujo de productos, servicios y mano de obra ilícitos, más probabilidades tendrán los traficantes de obtener rentabilidad de su comercio. Las fronteras nacionales constituyen una ventaja para los delincuentes del mismo modo que representan un obstáculo para las fuerzas del orden. Las fronteras crean oportunidades de obtener beneficios para las redes de contrabandistas a la vez que debilitan a los estados-nación al limitar su capacidad de frenar las embestidas de las redes globales que dañan a sus economías, corrompen a sus policías y socavan sus instituciones.

Ya no se trata solo de una historia de delincuencia. Tiene que ver también con una nueva forma de política propia del siglo XXI, y con las nuevas realidades económicas que han sacado a la palestra a toda una serie de agentes políticos cuyos valores posiblemente chocan con los del autor y los de los lectores, y cuyas intenciones nos amenazan a todos.

Puntos ciegos

Mi interés en el comercio ilícito surgió tras seguir de cerca durante toda una década las sorpresas que depara la globalización. Como director de la revista *Foreign Policy*, me he dedicado a detectar y comprender las consecuencias imprevistas de los nuevos vínculos entre la política y la economía mundiales. A medida que he ido descubriendo tales sorpresas y conociendo sus historias —a menudo incluso he tenido la oportunidad de conocer a sus protagonistas—, este interés profesional se ha ido convirtiendo en una fascinación personal. He escrito sobre crisis financieras en un continente que sacuden a países situados a océanos de distancia, y sobre el modo en que las nuevas pautas de derechos humanos desarrolladas en Europa acabaron por transformar la política de América Latina. He estudiado cómo la corrupción se convirtió en un pararrayos político de manera más o menos simultánea en todo el mundo, y no precisamente porque la corrupción hubiera nacido en la década de 1990. Lo que más me ha sorprendido, sin embargo, ha sido la frecuencia con la que mis investigaciones sobre toda una serie de temas aparentemente sin relación entre sí han acabado llevándome al mundo del comercio ilícito y la delincuencia global.

No provengo del mundo de las fuerzas del orden ni de la criminología. Pero cuando he investigado los efectos de la globalización en la economía, las finanzas y la política internacionales —tanto en los países ricos como en los pobres—, me he visto inexorablemente empujado hacia ese ámbito. Mis viajes a Rusia, China, Europa oriental y América Latina me han convencido de que existen numerosas situaciones en estas áreas geográficas —y en todo el mundo— que jamás podremos entender a menos que prestemos más atención al papel de las actividades delictivas a la hora de configurar decisiones, instituciones y resultados.

Mi trabajo en *Foreign Policy* también me ha proporcionado una privilegiada ventana panorámica a los cambios que el mundo estaba experimentando y la oportunidad de hablar con algunos de los analistas y expertos más perspicaces del mundo acerca de cómo interpretaban ellos dichos cambios.

También adquirí el hábito, no obstante, de dedicar en todas partes algo de tiempo a buscar a policías, fiscales, periodistas y académicos que pudieran darme una idea de la situación del comercio ilícito en su país. De inmediato se me hizo evidente que incluso en países tan diversos como Tailandia, Colombia, Grecia, México y China, esas conversaciones mostraban una asombrosa semejanza. El comercio ilícito resultaba ser mucho mayor, más omnipresente y menos comprendido de lo que la mayoría de la gente percibía, incluido yo mismo. De cerca, sus consecuencias políticas eran evidentes y aterradoras. Pero su análisis era, en el mejor de los casos, marginal. Cuanto más buscaba, más especialistas encontraba que sabían mucho de un aspecto de la delincuencia global, pero apenas nada de los otros o de los vínculos que los relacionaban. Empecé a confeccionar mi propia lista de perplejidades, anécdotas, datos, fuentes, pensadores, expertos y hechos sorprendentes sobre cada uno de los distintos mercados ilícitos.

Pronto descubrí que resultaba imposible leer el periódico un día cualquiera en cualquier lugar del mundo sin encontrar alguna noticia que hablara del comercio ilícito. Casi siempre se presentaba como una noticia sobre un tema distinto, pero para mí todas ellas se habían convertido en manifestaciones de un solo fenómeno global único, impulsado por la misma combinación improbable de viejos impulsos humanos, nuevas tecnologías y políticas transformadas. También se me hizo evidente que ni los periodistas ni los académicos otorgaban a las consecuencias políticas de los acontecimientos sobre los que escribían la importancia que quienes estaban en primera línea en esos frentes no dejaban de recalcarme que tenían. Me intrigaba asimismo la escasa atención que dedicaban los especialistas en relaciones internacionales y política mundial a las consecuencias del comercio ilícito en sus objetos de estudio. Y sobre todo, me desconcertaba por qué un fenómeno intrínsecamente económico se trataba habitualmente con denuncias morales y soluciones policiales.

A principios de 2002, la Sociedad Estadounidense de Derecho Internacional me invitó a pronunciar su «Conferencia Anual Grotius»,* en la que me centré en mis opiniones sobre el comercio ilícito. La titulé «Las cinco guerras de la globalización» —aludiendo a los mercados ilícitos de armas, drogas, seres humanos, propiedad intelectual y dinero—, y posteriormente apareció publicada en versiones ligeramente distintas en la *American University International Law Review* y, al año siguiente, en *Foreign Policy*. El artículo fue reproducido en muchas otras publicaciones, y disfrutó de una amplia difusión en todo el mundo. La publicación de las «Cinco guerras» alentó a muchos estudiosos, jueces, fiscales, policías y agentes de los servicios de inteligencia, periodistas, e incluso víctimas del tráfico de todo el mundo, a compartir conmigo sus opiniones y experiencias.

* Denominada así en honor del jurista y humanista holandés Hugo Grocio (1583-1645). *(N. del T.)*

De nuevo, descubrí historias sobre distintos comercios, diferentes países, continentes diversos y contextos variados. Pero las pautas de dichas historias, e incluso sus detalles, mostraban extraordinarias similitudes. Y lo que es más importante: iluminaban aún más claramente los puntos ciegos reinantes, tanto en la óptica que utilizamos para dar sentido a lo que ocurre como en las políticas públicas que los diversos gobiernos han elegido para abordar este problema. También esos puntos ciegos resultaban asombrosamente similares. Así nació la idea de este libro.

Una nota sobre los datos utilizados: el volumen de los diversos comercios ilícitos y los beneficios derivados de ellos son, en el mejor de los casos, burdas aproximaciones. Todas las cifras que se dan en este libro proceden de las fuentes más fiables posibles: normalmente organizaciones internacionales y gobiernos, o bien organizaciones no gubernamentales cuyo trabajo se considera en general serio y fiable. Cada uno de los datos, cifras y acontecimientos mencionados en el texto viene acompañado de la correspondiente referencia en las notas. A la mayoría de las personas a las que he entrevistado también se las menciona en dichas notas, exceptuando, obviamente, las que solo hablaron conmigo a condición de mantenerse en el anonimato.

Sin embargo, y aunque las cifras aquí utilizadas son las mejores disponibles, es importante recordar que se trata de estimaciones sobre actividades clandestinas. Es posible, pues, que subestimen o sobrestimen la realidad. Aun así, todas las pruebas disponibles respaldan el argumento empírico central del libro: que hoy el volumen de esos diversos comercios es mayor, y sus operaciones mucho más complejas y sofisticadas que en 1990; y como mostrarán los capítulos siguientes, estamos empezando a entender cómo funcionan realmente y cuáles son sus efectos.

2

Los contrabandistas globales están cambiando el mundo

Está la historia que conocemos. Pero también hay otra.

Lo que sabemos es esto: la última década del siglo XX cambió el mundo. Una repentina e inesperada erupción de nuevas ideas y nuevas tecnologías cambió la política y la economía en todas partes. Miles de millones de vidas se vieron transformadas. La desaparición de la Unión Soviética desacreditó al comunismo, otorgando a la democracia y al libre mercado una popularidad sin precedentes. Como resultado, la década de 1990 pasará a la historia como ejemplo de un período en el que el poder de las ideas se hizo evidente para todo el mundo.

Esos años se recordarán también como otro período en el que el ritmo del cambio tecnológico cogió por sorpresa a todo el mundo. Las nuevas tecnologías hicieron el mundo más pequeño y consiguieron que la distancia y la geografía fuesen menos importantes que nunca. Durante la década de 1990, lo único que parecía bajar con mayor rapidez que el coste de enviar un cargamento de Shanghai a Los Ángeles era el coste de hacer una llamada telefónica de un extremo del mundo a otro.[1] Viajar a lugares antaño exorbitantemente caros o políticamente prohibidos pasó a convertirse de repente en una experiencia normal para millones de personas. Las consecuencias políticas de todo esto fueron tan importantes como las económicas. La democracia se diseminó, y durante la década de 1990 el número de países en los que se celebraron elecciones alcanzó un máximo histórico. Y lo mismo ocurrió con los mercados de valores, el comercio internacional, los flujos de capital internacionales, y el número de películas, libros, mensajes y llamadas telefónicas que cruzaron las fronteras.

Esa es la parte que conocemos. Es una historia en la que todos hemos participado, y que ha sido el tema de un montón de libros y objeto de una amplia cobertura mediática. Pero hay otra historia que discurre paralela a esta. Y esa otra historia resulta igual de importante, aunque mucho menos conocida.

Se trata de una historia de contrabando, y, en términos más generales, de delincuencia. Durante la década de 1990, los contrabandistas se hicieron más internacionales, más ricos y políticamente más influyentes que nunca. La delincuencia global no solo ha experimentado un espectacular aumento de volumen, sino que, debido a su capacidad para amasar colosales beneficios, se ha convertido además en una poderosa fuerza *política*. Y las ideas a través de las que interpretamos la política y la economía mundiales deben ajustarse a este cambio... urgentemente.

Las fuerzas que impulsan el auge económico y político de las redes mundiales de contrabandistas son las mismas que motorizan la globalización. Estas fuerzas constituyen el tema de este capítulo: cómo los cambios de la década de 1990 no solo potenciaron la delincuencia, sino que, al mismo tiempo, debilitaron a los organismos encargados de combatirla. Las redes delictivas crecen con la movilidad internacional y con su capacidad para aprovechar las oportunidades que emanan de la separación de los mercados en estados soberanos con fronteras. Para los delincuentes, las fronteras crean oportunidades comerciales al tiempo que convenientes escudos protectores. Pero para los funcionarios públicos encargados de darles caza, las fronteras suelen constituir obstáculos insuperables. Los privilegios de la soberanía nacional se están convirtiendo, pues, en una carga y una restricción para los gobiernos. Debido a esta asimetría, están perdiendo las batallas contra los delincuentes. En todas partes.

Los indicios están a nuestro alrededor: visibles, reconocibles, con efectos tangibles en nuestra vida cotidiana. Hoy, el comercio ilícito impregna tanto a las sociedades ricas como a las pobres. Los tradicionales objetos de tráfico y contrabando se han revitalizado, y surgen líneas de negocio totalmente nuevas. Formas de comercio ilícito que creíamos desaparecidas para siempre —del mismo modo que la medicina había erradicado la viruela—, hoy están de nuevo a la orden del día.

Consideremos, por ejemplo, la esclavitud. Se suponía que había desaparecido, pero, en cambio, está proliferando bajo la forma del sexo forzoso, el trabajo doméstico y las labores agrícolas a que se ven abocados los inmigrantes ilegales para saldar las impagables deudas contraídas con los traficantes. Sí, es cierto que muchos de los trabajadores extranjeros que nos rodean han elegido voluntariamente su situación de inmigrantes ilegales. Pero hay muchos otros para quienes sus actuales condiciones son fruto de la coacción, que son víctimas de la explotación ejercida por delincuentes que se benefician de un mercado ilícito que mueve miles de millones. La esclavitud no es más que una faceta de un comercio global de seres humanos que afecta como mínimo a cuatro millones de personas cada año, la mayoría de ellas mujeres y niños, por un valor estimado de entre 7.000 y 10.000 millones de dólares. Se han abierto rutas comerciales completamente nuevas que unen las repúblicas de la antigua Unión Soviética, el sur y el sudeste asiático, África occidental, América Latina, Europa oriental y Estados Unidos en complejas redes de reclutadores, revendedores, extorsionadores, matones a sueldo, transportistas, y expedidores online que pueden conseguir un «trabajador» de cualquier edad, nacionalidad o características físicas y enviarlo a otro continente en cuarenta y ocho horas.[2]

O tomemos, por ejemplo, el narcotráfico. Todavía hablamos de «cárteles» de la droga, pero hoy el negocio de los narcóticos ha eliminado en gran medida los operativos criminales fuertemente organizados del pasado, y opera de un modo más ágil y menos fácil de rastrear. Y se trata de un gran negocio. En Afganistán, tras la guerra que expulsó del poder a los talibanes, estalló un nuevo y frenético auge de la amapola, la materia prima de la heroína, cuya producción ha despegado también en lugares donde antes era desconocida, como Colombia. Al mismo tiempo han aflorado al mercado las anfetaminas y drogas como la ketamina o el éxtasis. El volumen de incautaciones de droga en todo el mundo casi se duplicó entre 1990 y 2002, sin que hubiera evidencias de descenso en el consumo.[3] De hecho, el sudeste asiático ha presenciado un gran aumento de las drogas químicas; países como Brasil, Nigeria y Uzbekistán, que antes eran solo puntos de transbordo, se han convertido en importantes consumidores; y en Estados Unidos, el consumo de heroína y anfetaminas está alcanzando las críticas proporciones del crack a finales de la década de 1980. Y todo ello a pesar de la guerra a la droga: nunca antes se había visto un despliegue similar de dinero, tecnología y personal destinado a impedir que las drogas crucen las fronteras.

Paralelamente, el tráfico internacional de armas ha experimentado una mutación y en gran medida ha pasado a la clandestinidad, con terribles consecuencias. Durante la época de la guerra fría, el comercio de armamento estaba asociado a los esfuerzos de poderosos gobiernos —junto con algunas empresas conocidas— por comprar la lealtad de estados clientes dándoles aviones de combate, fragatas o municiones. Esa parte del comercio de armas sigue siendo muy considerable, pero actualmente va acompañado de un próspero comercio privado de armas cortas y armamento ligero, como, por ejemplo, misiles portátiles, fusiles de asalto AK-47 y cohetes lanzagranadas o RPG. Según las Naciones Unidas, desde 1990 el tráfico de armas cortas ha alimentado cerca de cincuenta guerras en todo el mundo, especialmente (aunque no solo) en África. Enormes cantidades de armas sobrantes de la guerra fría han invadido el mercado. Miles de comerciantes extraoficiales, y a menudo invisibles, realizan hoy día un negocio antes reservado a las grandes empresas que abastecían a los gobiernos. Hoy día, ejércitos privados, milicias extraoficiales, grupos guerrilleros y toda clase de nuevas organizaciones —incluidas las empresas privadas de seguridad que están expandiéndose por todo el mundo como resultado del aumento de los índices de delincuencia— alimentan el auge del negocio de las armas cortas.[4] Detrás de todo esto acecha algo todavía más preocupante: el tráfico internacional de los conocimientos, equipos y materiales utilizados para producir armas nucleares.

Y aunque no es probable que aparezcan «bombas atómicas» en cada esquina, eso sí está ocurriendo cada vez más con los falsificadores, que representan otro mercado ilícito que ha experimentado un inmenso crecimiento. Ropa, cosméticos, discos compactos e incluso motocicletas y automóviles copiados ilegalmente se producen y consumen en una escala sin precedentes en todo el mundo. La música y las películas copiadas o bajadas de Internet en condiciones dudosas constituyen un artículo básico para un incontable número de consumidores en todo el mundo. Los fabricantes de software temen el efecto denominado «unidisco», un fenómeno por el que una sola copia falsificada podría propagarse hasta cubrir toda la extensión de un país, desplazando al producto legítimo. Sin embargo, incluso en aquellos países con elevados estándares de propiedad intelectual, como Estados Unidos o la Unión Europea, son comunes unos índices de piratería que llegan a la cuarta parte de los programas y sistemas operativos más populares.

Ningún producto está a salvo. Los medicamentos falsificados van desde los genéricos de primeros auxilios que deberían salvar la vida hasta los que conllevan el riesgo de perderla, como el falso medicamento contra la tos que mató a cerca de cien niños en Haití debido a que contenía anticongelante para automóviles.[5] En todos estos negocios, la complicidad de funcionarios públicos y altos mandos militares no solo resulta evidente, sino también indispensable.

La industria financiera, que experimentó un vertiginoso ascenso en la década de 1990, no se ha salvado del ataque. Más bien todo lo contrario: el blanqueo de dinero y la evasión de impuestos han crecido en proporción al tamaño del sistema financiero internacional, o incluso más rápido. En 1998, el entonces director del Fondo Monetario Internacional, Michel Camdessus, estimaba que el flujo global de dinero negro representaba entre el 2 y el 5 por ciento de la economía mundial, una cifra que consideraba que «superaba lo imaginable».[6] Sin embargo, otras estimaciones más recientes sitúan el flujo de dinero negro hasta en un 10 por ciento del PIB mundial.[7] Es evidente que ha llegado el momento de aumentar el alcance de nuestra imaginación: el dinero negro es hoy una parte fundamental de la economía mundial. Lejos de ser ya algo que solo ocurre en exóticos «paraísos fiscales» como las Caimán o la isla de Man, el blanqueo de dinero se ha abierto paso hasta los pilares mismos del sistema financiero. La elevada velocidad, la interconexión y el alcance global de las transacciones han hecho que resulten comunes las prácticas de manipular la contabilidad, crear empresas «de papel», canalizar fondos a través de complejas redes de intermediarios y combinar los usos legítimos e ilegítimos. La isla de Manhattan o la City londinense constituyen hoy la primera línea del frente en la lucha contra el blanqueo de dinero tanto como Vanuatu o Curaçao.

La lista de negocios de contrabando en alza es amplia: marfil procedente de colmillos de elefantes cazados ilegalmente en Sudáfrica y Zimbabwe que se vende abiertamente en Cantón, China; riñones humanos vendidos por donantes vivos, que son transportados desde Brasil hasta Sudáfrica y trasplantados a clientes alemanes reclutados online por intermediarios israelíes; antigüedades incas o iraníes robadas en espacios protegidos y vendidas en las galerías de arte de París y Londres; animales exóticos, como pangolines y pitones; productos químicos que dañan la capa de ozono; cuadros de Matisse y de Renoir desaparecidos hace mucho tiempo; piezas de ordenador desechadas, saturadas de mercurio, enviadas a vertederos situados en lugares donde pueden eludirse las leyes de protección medioambiental; diamantes «sangrientos» o «de guerra» extraídos de forma ilegal y sacados clandestinamente de zonas en conflicto. Y todo ello a la venta en un floreciente mercado global que ha resultado muy fácil de obviar a causa de la eficaz e imperceptible manera en que se ha fusionado con el mercado legítimo, utilizando los mismos instrumentos y, con frecuencia, implicando a las mismas personas, ya sea como proveedores, transportistas, financieros, mayoristas, intermediarios o clientes finales como cualquiera de nosotros.

El comercio ilícito ha traspasado sus límites históricos y ha irrumpido en nuestras vidas. Ya ni siquiera podemos estar seguros:

seguros de quién se beneficia de nuestras compras, seguros de a quién respaldan nuestras inversiones, seguros de qué conexiones materiales o financieras podrían vincular nuestro propio trabajo y nuestro propio consumo con fines o prácticas que aborrecemos. Para los traficantes, eso es un triunfo: un triunfo que adopta la forma de incalculables beneficios y una influencia política sin precedentes.

La globalización

¿Y cómo ha ocurrido esto? Pues gracias a la globalización. Es obvio que la globalización no constituye una explicación por sí misma: es un concepto vago y flexible, dotado de múltiples significados. Pero entonces, ¿cómo denominar, si no, a la rápida integración de las economías, las políticas y las culturas del mundo que define a nuestro tiempo? ¿Y cómo calificar lo que tiene de nuevo esta época nuestra que, con frecuencia, nos hace percibir ya la década de 1980 como algo remoto y antiguo?

Un importante cambio que esta reciente oleada de globalización suele traer a la mente es la revolución producida en la política, una revolución tan profunda y transformadora como la que ha tenido lugar en la tecnología. Dicha revolución dio lugar a la primacía del sistema político y económico occidental, o al menos de cierta versión de este. Se inició con la caída del muro de Berlín y la disolución del imperio soviético, y se tradujo en una serie de reformas económicas que diversos países de todo el mundo, ricos y pobres, aplicaron en mayor o menor medida. En los círculos políticos, la denominación «consenso de Washington», con la que pasaría a conocerse esta serie de reformas, se convertiría en una de las marcas reconocibles de la década de 1990.[8] Pero su conveniente utilización para referirse a los cambios radicales producidos en las diversas políticas económicas pasaba por alto las enormes diferencias en el modo en que los distintos países aplicaron realmente dichas reformas.

Aun así, todas las reformas de la década de 1990 apuntaban a una dirección común y generalizada: hacia lo que los economistas denominan una «economía abierta». Desde esta perspectiva, las barreras al comercio o a la inversión internacional deben ser lo más reducidas posible; las reglas, que se conocen por adelantado, han de ser transparentes y coherentes, y aplicarse de manera uniforme; y las intervenciones del Estado son limitadas, lo que significa que los gobiernos no fijan ningún precio, o casi ninguno, y que el peso económico del Estado se ve reducido a través del equilibrio presupuestario y de la privatización de las empresas públicas. Fomentar las exportaciones y el libre comercio es mejor que proteger a la industria local con barreras arancelarias que limiten las importaciones. Durante la década de 1990, estas ideas constituyeron la brújula que guió a los responsables de las políticas económicas en todo el mundo.

La globalización ha producido nuevos hábitos, nuevas costumbres, nuevas expectativas, nuevas posibilidades y nuevos problemas. Eso lo sabemos. Pero lo que es mucho menos conocido es cómo la globalización ha transformado y potenciado a los traficantes ilegales. El mundo interconectado ha abierto nuevos y lucrativos horizontes para el comercio ilícito. Y lo que los traficantes y sus cómplices están encontrando en esos nuevos horizontes no es solo dinero, sino también poder político.

Reforma = oportunidad

El comercio de toda clase se expandió vertiginosamente en la década de 1990 a medida que un país tras otro reducía sus barreras a las importaciones y las exportaciones, y eliminaba las regulaciones que inhibían la inversión extranjera. El cambio fue espectacular. En 1980, el arancel medio —la tarifa con que los gobiernos gravan las importaciones y exportaciones— era del 26,1 por ciento; en el año 2000 había descendido al 10,4 por ciento.[9] Entre los acontecimientos culminantes en esta tendencia figuran la aprobación en 1994 del Tratado de Libre Comercio (TLC), firmado por Estados Unidos,

Canadá y México; la fundación en 1995 de la Organización Mundial del Comercio, a la que en el año 2000, tras largas negociaciones, se uniría China; la ampliación de la Unión Europea de 15 a 25 estados miembros en la primavera de 2004, y la oleada de tratados orientados a facilitar el comercio que se firmaron entre países o incluso regiones geográficas de todos los continentes. En 1990 había en el mundo cincuenta tratados de libre comercio. Hoy día hay doscientos cincuenta. Con cada uno de estos tratados los países participantes aceptan consensuar sus reglas comerciales, siempre apuntando hacia la bajada de los aranceles, la eliminación de obstáculos y la búsqueda de maneras más sencillas de resolver las disputas comerciales en caso de que se produzcan.

La espectacular expansión del comercio mundial durante dicha década —entre 1990 y 2000 creció a una media de más del 6 por ciento— vendría a crear además un amplio espacio para el tráfico ilícito,[10] puesto que quedaban aún un montón de reglas que el comercio legítimo debía obedecer mientras seguía creciendo el apetito de los mercados y de los consumidores por toda una serie de productos cuyo comercio restringían los diversos países. Pronto se hizo evidente que las medidas que los países adoptaron para fomentar el comercio legítimo en provecho propio facilitaban también las actividades de los comerciantes ilícitos. Uno de dichos beneficios fue la reducción de los controles fronterizos, ya fuera en número o en rigor; en algunos lugares, como en los países del denominado «espacio Schengen», en la Unión Europea, los controles fronterizos prácticamente desaparecieron. Y los controles que se mantuvieron sencillamente tendían a verse desbordados por el masivo flujo de mercancías. Incluso después del 11-S y de las subsiguientes medidas que se aplicaron en las fronteras estadounidenses, los principales puestos fronterizos entre México y Estados Unidos apenas pueden inspeccionar una pequeña parte de los camiones que los cruzan —y como mucho, durante unos minutos— por temor a provocar lentas filas de varios kilómetros. Más problemática aún resulta la situación de los muelles de carga de los puertos. En todas partes, el aumento del tráfico, las medidas para agilizar los trámites aduaneros, la difusión de zonas francas industriales, la ubicuidad del transporte aéreo y la imposibilidad de revisar todos los paquetes que transportan empresas internacionales como FedEx o DHL, proporcionan a los contrabandistas nuevas vías para cruzar fronteras.

La aglomeración de mercancías en los congestionados puestos fronterizos ilustra muy claramente el hecho de que los mercados se han integrado con mucha más rapidez que los sistemas políticos. Y los comerciantes ilícitos han convertido esta realidad en una ventaja competitiva crucial, que viene a reforzar su posición tanto frente a sus competidores legítimos como en el juego del gato y el ratón que mantienen con las autoridades. Por más que los bienes cruzan las fronteras más rápidamente, es evidente que estas todavía importan: a cada lado existe una jurisdicción distinta, con su propia policía y sus propios agentes de aduanas, leyes y regulaciones, y por lo tanto con distintos precios para el mismo producto. Esta diferencia de precios es la que genera las lucrativas oportunidades para los contrabandistas. Los comerciantes ilícitos pueden saltar de un lado a otro entre diferentes jurisdicciones, o extender sus negocios a través de ellas, gracias a los numerosos nuevos instrumentos de que hoy dispone el comercio. Con tecnologías de la información que permiten que tareas como el control de inventarios y el seguimiento de envíos se realicen a distancia, el comerciante y los bienes ya no tienen por qué estar en el mismo sitio al mismo tiempo. Esa flexibilidad supone una ventaja fundamental del comercio ilícito frente a los gobiernos, ya que proporciona a los traficantes un incentivo para organizarse de manera que el enredo jurisdiccional se maximice.

La privatización y la desregularización de empresas han desempeñado también un papel importante en esta situación. En las antiguas economías cerradas o controladas por el Estado, la venta o el cierre de empresas públicas acabó con muchos monopolios industriales, obligando a las fábricas a renovarse para sobrevivir. Para muchas de ellas, eso significaba vender armas y municiones prestando poca atención a quién podía ser el comprador, o ser poco escrupulosas con las marcas y patentes. Obviamente, la propiedad pública no es un seguro contra las prácticas comerciales ilícitas; más bien al contrario, como muestra el caso de China, donde las empresas controladas por el gobierno o por el ejército se han visto implicadas una y otra vez en casos de falsificación y piratería. Paralelamente, la tendencia a flexibilizar las reglamentaciones de la actividad empresarial ha multiplicado las oportunidades para crear empresas criminales pero cuasilegales y blanquear dinero, al mismo tiempo que ha reducido los costes del negocio en términos generales.

De manera crucial, las reformas económicas han beneficiado a los comerciantes ilícitos debilitando a su enemigo. Los gobiernos gozan ahora de menos libertad para actuar, para gastar dinero y para imponer la ley a discreción. La restricción del gasto público se ha convertido en el parámetro primordial con el que evaluar el rendimiento de un determinado gobierno. Atrapados en lo que el columnista del *New York Times* Thomas Friedman denominó la «camisa de fuerza dorada» de los mercados de capital, pocos países pueden permitirse que los inversionistas mundiales y los «money managers» los pongan en su lista negra por tener grandes déficits.[11] Resulta probable que un déficit presupuestario elevado e insostenible, especialmente en los países pobres o en los denominados «mercados emergentes», provoque masivas fugas de capital, y el resultado es aumentar los costes crediticios para financiar la función pública. Esto, a su vez, puede dar al traste con la capacidad de los gobiernos para llevar a cabo las obras públicas y los programas sociales que sus ciudadanos esperan. La respuesta en la mayoría de los países emergentes en los que resultaba difícil subir los impuestos (e incluso recaudarlos) ha sido recortar el gasto. Y a menudo resulta más fácil hacerlo reduciendo el presupuesto destinado a orden público, cárceles y justicia que recortando los fondos destinados a programas sociales políticamente más delicados. Esta fue la norma en muchos países durante la década de 1990. Así, mientras los traficantes veían cómo sus mercados se globalizaban y sus ingresos aumentaban, los fondos destinados a los organismos encargados de combatir sus actividades se veían reducidos o congelados.

En los países más pobres, estos efectos han tenido repercusiones aún más graves. Con frecuencia, los gobiernos obligados a reducir el gasto público han tenido problemas para remunerar adecuadamente a sus funcionarios públicos, o incluso para pagarles su sueldo de forma regular, todo lo cual, en la práctica, viene a garantizar la corrupción. Pocos gobiernos tienen la capacidad de sortear todos estos peligros sin que se les escape algún punto vulnerable. Y los traficantes tienen enormes incentivos económicos para descubrir y explotar estas vulnerabilidades, algo que casi siempre logran.

Las nuevas tecnologías del contrabando

No ha sido solo la reforma económica lo que ha estimulado el auge del comercio mundial. Las nuevas tecnologías también han desempeñado un importante papel: buques más eficientes, cargueros portacontenedores, nuevos sistemas para facilitar la carga y descarga, mejor gestión portuaria, logística mejorada, avances en la refrigeración, nuevos materiales de empaquetado, gestión instantánea de inventarios, navegación y seguimiento vía satélite, etcétera. A estas nuevas tecnologías —que benefician por igual a todas las formas de comercio, legítimo o no—, los traficantes han añadido sus propias y muy creativas aplicaciones. La generalización de los condones de látex de alta calidad, por ejemplo, reduce el riesgo de ruptura (a menudo letal) asociado a lo que se ha convertido en el contenedor universalmente preferido para pasar alijos de droga dentro del aparato digestivo de personas, las denominadas «mulas». La agresiva e imaginativa adopción de nuevas tecnologías ha ayudado a los traficantes a reducir los riesgos, aumentar la productividad y racionalizar su negocio. Como me dijo César Gaviria, ex presidente de Colombia: «El cártel de Cali ya utilizaba sofisticadas técnicas de codificación a principios de la década de 1990. Iba muy por delante de los métodos de los que disponíamos en el gobierno».[12]

Al mismo tiempo, la liberalización financiera ha aumentado la flexibilidad de los traficantes para invertir sus beneficios y el abanico de usos que pueden dar a su capital, además de generar numerosos instrumentos nuevos con los que mover su dinero por el mundo. El libre movimiento de capitales constituye precisamente un rasgo distintivo de la globalización. En la época anterior a las reformas, la mayoría de los países prohibían o limitaban de un modo estricto las transacciones monetarias internacionales. La inversión extranjera era minuciosamente controlada y regulada, y la «exportación de capitales» era un delito. Pero en la década de 1990, los países descubrieron que necesitaban el dinero, la tecnología y el conocimiento de los mercados de las empresas multinacionales, así que empezaron a fomentar la inversión extranjera en lugar de restringirla. El pensamiento y la investigación económica predominantes vinieron a confirmar asimismo que un país estaba mejor con más inversión extranjera que con menos, especialmente si se podía persuadir a los inversores para quedarse en el país a largo plazo. Abrir los mercados de valores locales al dinero extranjero hizo que estos se expandieran, y el hecho de que las empresas locales cotizaran en las bolsas extranjeras, en Nueva York o Londres, se convirtió en un símbolo de éxito.

No obstante, nada de esto resultaba fácil, por no decir posible, si el país mantenía los controles sobre las operaciones con divisas extranjeras.[13] Así, la década de 1990 presenció una modificación sustancial de la regulación cambiaria. La libre compraventa de moneda se convirtió en la nueva pauta mundial. Y el mercado experimentó un auge. En 1989, las transacciones diarias en el mercado global de divisas totalizaban 590.000 millones de dólares; en 2004, esa cifra había llegado a 1,88 billones. La tecnología vino a echar más leña al fuego. Una vez que los gobiernos permitieron las transacciones con divisas, las redes bancarias globales informatizadas hicieron que dichas transacciones se produjeran a la velocidad de la luz, y desde cualquier sitio a cualquier otro.

De repente, los blanqueadores de dinero se encontraron en el paraíso. Los comerciantes ilícitos obtuvieron oportunidades y métodos para ocultar y blanquear sus ingresos. Los bancos legítimos, compitiendo entre sí por los vastos y nuevos caudales de fondos, tenían fuertes incentivos para no hacer demasiadas preguntas cuando trataban con clientes «inusuales». Para muchos banqueros que trabajaban a comisión, atraer a individuos acaudalados para que depositaran sus fondos en su banco pasó a ser más importante que averiguar de dónde procedían las riquezas. Algunos países cedieron a la tentación de convertirse en paraísos fiscales, considerando que el nuevo entorno podía favorecer la competencia con otros paraísos ya establecidos, como Mónaco o las islas Caimán. Lugares tan oscuros como Nauru, Niue y las islas Cook se especializaron en dar servicios financieros sin hacer preguntas, pero hubo otros países más «respetables» que hicieron lo mismo. E incluso los más agresivos esfuerzos globales para imponer y aplicar normativas bancarias uniformes se estrellaron contra los intereses de los bancos y las autoridades nacionales.

Algunas de las tecnologías financieras que han beneficiado a los comerciantes ilícitos resultan bastante comunes y corrientes. Una de ellas es la humilde tarjeta de crédito o de débito, hasta no hace mucho exclusiva de unos pocos países desarrollados, pero que hoy se utiliza casi en todas partes. La tarjeta, inimaginable sin una estructura global de comunicaciones, constituye uno de los instrumentos más básicos y esenciales de nuestra vida cotidiana, y también de la de los traficantes. El auge del dinero electrónico y virtual —por ejemplo, tarjetas inteligentes que almacenan el valor en un chip— ofrece comodidad a la par que anonimato. Otra muestra de la integración financiera mundial que resulta útil para los comerciantes ilícitos es la industria de los giros y remesas de dinero, que hoy se encuentra en franca expansión. Esenciales en la actual vida cotidiana de los emigrantes, las empresas como Western Union y otras similares, pese a sus esfuerzos, casi inevitablemente ponen en circulación cierta cantidad de ganancias adquiridas de forma deshonesta.

El hecho de descubrir que fueron estos los instrumentos que utilizaron Mohamed Atta y sus cómplices terroristas para financiar los actos homicidas del 11-S llevó a distintos gobiernos a dedicar grandes esfuerzos a limitar su facilidad de uso con fines ilegales. Pero aunque dichos esfuerzos han aumentado los costes, los riesgos y los inconvenientes de su uso para los delincuentes, el comercio de dinero ilícito sigue siendo una amplia y amenazadora realidad global.

Además, está Internet. Su valor para los traficantes es inmenso, y sus usos concretos resultan demasiado numerosos para enumerarlos aquí. Quienes participan en las transacciones ilícitas se comunican entre sí desde la privacidad y el anonimato de cuentas de correo electrónico, que cambian frecuentemente y a las que acceden desde cibercafés y lugares discretos. Realizan el seguimiento de sus envíos utilizando los servicios de rastreo que proporcionan las empresas de mensajería como FedEx y similares, y ponen sus productos a la venta utilizando portales online. Hoy la subasta de esclavas es una subasta electrónica, en la que los chulos locales pueden examinar por correo electrónico a mujeres y niñas y comprárselas a mayoristas de otros países, y donde los consumidores finales pueden pedir la prostituta que elijan. A través de Internet se recluta a mercenarios, se anuncian compañías de transporte poco escrupulosas; Internet alberga sitios web de aspecto profesional que no son más que la versión electrónica de empresas fraudulentas. Y las loterías, apuestas y casinos de la red —una inmensa y caótica industria que se calcula que movió 5.000 millones de dólares en 2003— constituyen un magnífico entorno para que el dinero negro cambie continuamente de lugar.[14] «Internet se ha convertido en un botiquín abierto, un autoservicio de medicamentos para hacerte sentir bien», declaraba en 2005 Karin P. Tandy, jefe de la DEA, la agencia antidroga de Estados Unidos, al anunciar la desarticulación de una red de narcotráfico que utilizaba doscientos sitios web localizados en Estados Unidos, Costa Rica, Canadá y Australia para vender anfetaminas y otras drogas fabricadas en la India y que eran enviadas ilegalmente a cualquier lugar del mundo.

La potencial convergencia del tráfico y la ciberdelincuencia, tanto en un futuro próximo como más a largo plazo, parece ilimitada.

Internet permite a los traficantes comunicarse de manera privada y eficiente, realizar el máximo número posible de transacciones en un espacio virtual más que geográfico y crear nuevas formas de transferir u ocultar fondos. Y todo ello sin preocuparse por la localización física, lo que posibilita que los traficantes traspasen fronteras y oculten su rastro sin obstaculizar el flujo real de productos.[15]

Nuevas geografías, nuevas rutas

El mundo virtual no fue el único nuevo territorio que la década de 1990 abrió al comercio ilícito. Con el final de la guerra fría, países que previamente se habían mantenido apartados del sistema comercial mundial empezaron a reincorporarse a él, y los que habían reglamentado (o al menos habían tratado de reglamentar) el flujo de productos y de dinero en su territorio comenzaron a relajar el control. Obviamente, los sistemas que se flexibilizaban o que se derrumbaban —las versiones soviética y china del comunismo, el duro «capitalismo de Estado» vigente en la India y en otros países en vías de desarrollo, e incluso la economía fuertemente dirigida de Corea del Sur y Taiwan, entre otros— diferían ampliamente en sus métodos y resultados. Pero todos ellos tenían en común el principio de que era el gobierno el que mejor sabía gestionar la economía. Y en todas partes la reducción de la economía planificada, del control de precios, de los permisos de importación, de los subsidios industriales, de las restricciones monetarias, etcétera, reveló la existencia de nuevos mercados potenciales, algunos de ellos ya bastante desarrollados, con sus empresarios y prestamistas listos para entrar en acción. Y lo mismo cabe decir de los comerciantes, legítimos o no. Cuando estos mercados potenciales se unieron al mercado mundial, la economía del planeta se hizo auténticamente global.

Y lo mismo sucedió con el comercio ilícito.

Esta apertura produjo una cascada de beneficios para el comercio ilícito. El más inmediato fue un enorme aumento de la oferta de todo tipo de productos prohibidos. La caída del bloque soviético y de sus aliados hizo afluir al mercado toda una serie de nuevos productos de interés para los comerciantes ilícitos, algunos de ellos a precio de ganga. Entre ellos se incluían armas y material militar sobrantes de los hipertrofiados ejércitos del Pacto de Varsovia y de las fábricas estatales encargadas de abastecerlos; materiales y técnicas nucleares liberados por el rápido y desordenado final de la Unión Soviética; aviones y vehículos militares y civiles; una amplia gama de recursos naturales, que iban desde el níquel y el cobre hasta el uranio y los diamantes; pero también mano de obra emigrante, niños para la adopción, mujeres para la prostitución e incluso cuerpos humanos, vivos y muertos, para la venta de órganos. La reforma política y económica también posibilitó que se dispusiera de una vasta infraestructura de plantas industriales que los gobiernos habían desarrollado bajo la protección de las restricciones comerciales, y que ahora necesitaban dedicarse a nuevas actividades para poder sobrevivir. En fin, una oportunidad perfecta para los fabricantes de productos destinados al comercio ilícito.

Cuando cayeron todos los muros de Berlín del planeta, las posibilidades para los traficantes se multiplicaron, y lo mismo ocurrió con las nuevas especializaciones comerciales nacionales. Países como Ucrania y Serbia no tardaron en pasar a ser conocidos por fabricar discos compactos o municiones destinados al contrabando. Moldavia, encajada entre Rumanía y Ucrania, pasó de repente a ser noticia en todo el mundo como centro productor y comercial del tráfico de seres humanos, punto de escala de cargamentos de drogas y armas y sede de matriculaciones falsas de aviones, entre otras cosas ilegales. El Transdniéster, una región disidente de Moldavia que pretende ser un país, aunque en realidad no es más que una empresa ilegal de carácter familiar, se convirtió en un importante eje del contrabando de armas. Bielorrusia floreció como centro del tráfico de seres humanos. Rumanía, con su eficaz sistema de enseñanza técnica y su elevada tasa de paro, se convirtió en uno de los primeros líderes mundiales de la ciberdelincuencia y el fraude a través de Internet. Las repúblicas de Asia central y los Balcanes recuperaron un papel destacado en el comercio de opio entre Afganistán y Europa; una reminiscencia de la antigua Ruta de la Seda, aunque dedicada ahora al tráfico de drogas y al contrabando de emigrantes. La provincia china de Yunnan adoptó un papel similar con relación a Birmania. Estas transiciones se produjeron con relativa facilidad, tanto por necesidad como por iniciativa.

Todo esto ocurrió muy rápido; tanto, que el mundo aún no ha tenido tiempo de darse plena cuenta de este nuevo reto y reaccionar adecuadamente. Además, se trataba de dinámicas muy difíciles de detener. Jim Moody, ex agente del FBI que en la década de 1990 fue uno de los responsables de la respuesta de este organismo a la oleada de delincuencia global, me decía con frustración: «Aún hoy no sabemos qué nos ocurrió en la década de 1990. Jamás sabremos lo que [los delincuentes] nos hicieron. ¿Adónde fue a parar todo ese dinero? Creo que una parte está aquí, en Estados Unidos, y en muchos otros países desarrollados, invertido en empresas legítimas controladas por ladrones de alto nivel».[16]

Estados alterados

Detrás de estos cambios acechaba otra dinámica política más profunda: la proliferación en todo el mundo de estados débiles y fallidos, listos para ser colonizados por los traficantes. Durante la guerra fría, los diversos estados se situaron en la «esfera de influencia» de una de las superpotencias a cambio de protección militar y ayuda económica. Cuando esta protección se desvaneció, también lo hizo la red de seguridad que evitaba que los estados con gobiernos débiles o ineptos perdieran el control de su territorio o de sus recursos. Ya desde la década de 1960, los politólogos habían utilizado expresiones como «estados fuertes» y «estados débiles» para definir las diferencias en la capacidad de un gobierno a la hora de desempeñar sus funciones básicas. Pero la década de 1990 presenciaría la acuñación de una nueva expresión, la de «Estado fallido»: prácticamente una cáscara vacía, con una capital, un gobierno nominal y el esqueleto de algunas instituciones, pero en realidad sin control gubernamental legítimo y con muy poca capacidad de influir en la economía y en las vidas de los ciudadanos.[17] Los estados débiles en general, y este subconjunto extremo en particular, proliferaron.

En estos países, las redes de comercio ilícito pueden «capturar» fácilmente organismos públicos clave: aduanas, tribunales, bancos, puertos, policía... Además, raramente se olvidan de reclutar periodistas, políticos y líderes empresariales. Estas redes no tardan mucho en pasar a empresas legítimas que hacen que su arraigo en la sociedad sea aún más profundo: ser dueño de emisoras de radio o periódicos locales suele representar con frecuencia un coste tan necesario para poder hacer negocios como «ser dueño» de un juez o del jefe de policía. Del mismo modo que al-Qaeda fue capaz de «capturar» —y por no mucho dinero— al gobierno talibán de Afganistán, los objetivos y necesidades de los traficantes internacionales han moldeado profundamente la política y la vida económica de muchos países. Esta criminalización del interés nacional se ha convertido en una importante característica de nuestra época. Lamentablemente, poco reconocida como tal.

Tomemos, por ejemplo, el caso de Corea del Norte. Su implicación en el tráfico internacional de drogas, armas, personas y especies protegidas, además de toda clase de actividades delictivas, no constituye una especie de proyecto secundario de grupos de individuos que casualmente también ostentan altos cargos públicos. Por el contrario, y según la mayoría de los expertos entrevistados para la elaboración de este libro, la delincuencia internacional constituye una actividad central que define de manera fundamental la naturaleza del Estado norcoreano. Nauru, un diminuto Estado insular del Pacífico, es bien conocido como destino del dinero blanqueado en Rusia. El pequeño país de Surinam (con una población de medio millón de habitantes), en la costa septentrional de América del Sur, se ha convertido en puerto de transbordo para los traficantes de drogas, y no hay ninguna otra actividad económica en Surinam capaz de competir en beneficios con esta. Es difícil imaginar que su gobierno pueda ser inmune a la seducción o las amenazas de los poderosos agentes extranjeros que operan desde allí. De hecho, en 2004 el hijo y el hermanastro del antiguo dictador Desi Bouterse fueron acusados de pertenecer a una de las más importantes organizaciones de narcotráfico, que utilizaba Surinam como base para exportar cocaína a los Países Bajos.[18] La producción económica anual total de Tayikistán es de alrededor de 7.000 millones de dólares. Según algunas estimaciones de la ONU, en el año 2003 el valor de venta en una capital europea solo de las drogas *incautadas* en Tayikistán equivalía aproximadamente a la mitad del valor total de los bienes y servicios producidos en dicho país.[19]

En Perú, durante la segunda mitad de la década de 1990, Vladimiro Montesinos era el todopoderoso jefe de los servicios de inteligencia nacionales y un poderoso traficante de influencias entre bastidores que controlaba a parlamentarios, grandes banqueros y propietarios de medios de comunicación peruanos. Al mismo tiempo, dirigía una extensa red que traficaba con drogas y armamento, y blanqueaba dinero en todo el mundo. Como me dijo el ex primer ministro peruano Roberto Dañino: «Tanto el interés nacional de Perú como determinadas decisiones importantes de política exterior solían definirse, o configurarse en gran medida, unilateralmente por los intereses de Montesinos».[20] Hoy sabemos que dichos intereses solían ser de índole delictiva. Un alto oficial de la inteligencia británica confirmaría también que esa era la opinión que tienen muchos de sus compañeros sobre Alexandr Lukashenko, presidente de la antigua república soviética de Bielorrusia, o sobre Ígor Smirnov, líder del Transdniéster.[21] En el caso de países como estos, tratar de entender los «intereses nacionales» sin hacer referencia al comercio ilícito global equivale a pasar por alto un motor fundamental tanto de sus políticas como de las acciones y omisiones de sus gobiernos.

El efecto puede ser aún más marcado en el ámbito regional, especialmente en las regiones remotas o en las que cruzan fronteras. En muchos países, los gobiernos locales resultan presa fácil para las redes delictivas que buscan una base de operaciones cómoda y flexible. Cuando Colombia descentralizó la autoridad del gobierno en favor de las administraciones locales a principios de la década de 1990, este hecho se convirtió en una gran ventaja para las redes de traficantes, que ahora sencillamente podían nombrar a sus propios alcaldes, gobernadores y jueces. En Afganistán, el auge de la amapola beneficia a los señores de la guerra locales, y en México, las redes delictivas se han apoderado de algunas de las ciudades y estados más virulentamente criminales del país. El «Triángulo de Oro» de Tailandia, Birmania y Laos, así como la tierra de nadie situada entre Pakistán y Afganistán, constituyen conocidos ejemplos de regiones transfronterizas en las que ha prosperado el comercio ilícito. De hecho, es raro encontrar hoy un país en el que no haya espacios de ilegalidad bien integrados en redes globales de mayor envergadura. En su informe anual de 2004 al Congreso estadounidense, la CIA anunció que había identificado cincuenta regiones en todo el mundo sobre las que los gobiernos centrales ejercían poco o ningún control, y donde los terroristas, contrabandistas y delincuentes transnacionales disfrutaban de un entorno acogedor.[22]

Estos lugares constituyen mercados perfectos para los traficantes de armas y representan una fuente de puntos de transbordo para cualquier otra cosa. De este modo, los rebeldes se convierten en comerciantes; por ejemplo, las organizaciones guerrilleras colombianas FARC y AUC ya no se limitan a vender protección al tráfico de drogas, sino que se han convertido ellas mismas en intermediarias en el negocio de la cocaína, comerciando con agricultores, laboratorios, transportistas y mayoristas de México y Estados Unidos.[23] El gobierno colombiano calcula que en 2003 las FARC ingresaron 783 millones de dólares procedentes de la cocaína. En África occidental, a finales de la década de 1990, los rebeldes del Frente Revolucionario Unido (RUF) de Sierra Leona y la facción de Charles Taylor de Liberia se asociaron con traficantes de armas para sacar de la región diamantes y madera, haciendo entrar a cambio dinero, drogas, armamento y otros productos. Según el informe del periodista Doug Farah, incluso al-Qaeda participó en la operación, convirtiendo en efectivo diamantes de Sierra Leona a través de intermediarios liberianos, todo ello en el marco de la preparación del 11-S.[24]

Estas tendencias resultan aún más extremas en los estados fallidos o débiles. Sus fronteras son difíciles de patrullar y sus funcionarios, fáciles de corromper. Así, por ejemplo, Nigeria se ha convertido en un importante centro en el comercio de la heroína en ruta desde Oriente Próximo hasta Europa y América del Norte. Puede que esta ruta no parezca demasiado directa, y ni siquiera la propia Nigeria es (hasta ahora) una importante productora o consumidora de dicha droga. Pero los puntos vulnerables del Estado nigeriano ofrecen a los traficantes toda una serie de ventajas que hacen que este rodeo valga la pena. Del mismo modo, Haití y otros países caribeños se convirtieron en apeaderos de los envíos de droga a Estados Unidos cuando otras rutas estaban demasiado vigiladas. La precariedad de los sucesivos gobiernos haitianos y el hecho de que la costa del país estuviera muy poco patrullada lo convirtieron en una elección obvia. Hoy día, la política de Haití no se puede comprender si no se toma en cuenta la influencia que en ella tienen los narcotraficantes colombianos y mexicanos. Haití es un importante centro de transbordo de drogas hacia Estados Unidos.

Otros estados débiles ofrecen distintas especialidades. Los certificados de destinatario final «falsos a medias», por ejemplo, son especialmente apreciados en el negocio del contrabando de armas. Se trata de certificados oficiales que garantizan que un determinado cargamento va a parar a un comprador legítimo —que son falsos porque las armas en realidad van a otra parte, pero no lo son en tanto que el membrete y la firma son auténticos—, y que se compran por una pequeña cantidad. El Chad, Panamá, Bolivia, Ghana, Costa de Marfil y muchos otros países se han convertido en proveedores de documentos de este tipo. Y en Rumanía, Albania, Eslovaquia y Grecia, donde los traficantes de seres humanos retienen a mujeres atraídas desde diferentes lugares de toda la zona para violentamente convertirlas en prostitutas, la policía fronteriza sella pasaportes que sabe que son falsos y hace la vista gorda mientras esas modernas esclavas son trasladadas hacia Europa occidental.

Los nuevos empresarios

Una importante contribución de las economías cerradas y dominadas por el Estado al auge del tráfico ilegal que ocurrió en la década de 1990 fue el «capital humano» que exportaron al resto del mundo; es decir, los criminales y contrabandistas que surgen naturalmente en estados totalitarios y economías cerradas. Los cambios hicieron afluir al mercado a un ejército de traficantes altamente cualificados, experimentados y violentos que se convertirían en la columna vertebral de los nuevos negocios delictivos y semidelictivos cuyo volumen se dispararía gracias a las posibilidades generadas por la tecnología a la apertura de los mercados y la liberalización de las políticas.

Al fin y al cabo, esas economías tenían empresarios que no se ajustaban del todo al patrón estándar. Consideremos el caso de los nuevos capitalistas rusos. El típico magnate postsoviético no se formó precisamente en la Escuela de Negocios de Harvard.[25] Lo usual es que pasara sus años de formación en el gobierno, el ejército o la KGB, y que acumulara su experiencia laboral no en un elegante banco de inversiones o en una empresa multinacional, sino participando en las oscuras transacciones que se llevaban a cabo cuando el racionamiento y los controles estatales son la norma. Bajo el comunismo, el contrabando no constituía una transacción internacional ilegal realizada por unos cuantos delincuentes, sino una cotidiana estrategia de supervivencia. Las ganancias personales siempre estaban al otro lado de las barreras que el gobierno imponía al intercambio de bienes y servicios; no en el extranjero, sino dentro del propio país. La prosperidad, obviamente en términos relativos, dependía de que se encontrara el modo —nunca legal— de proporcionar a los acosados directores de las fábricas las materias primas que necesitaban para cumplir con sus cuotas de producción, o de «desviar» —es decir, robar— bienes de consumo al Estado y venderlos en el mercado negro. Significaba, asimismo, acceder a unos stocks de pantalones tejanos extranjeros que podían venderse discretamente a los jóvenes, así como al vodka que utilizaban los más adultos como salvavidas.

Durante más de seis décadas, esos fueron los incentivos que ofrecía el sistema, así que los espíritus emprendedores no tuvieron otra salida que encontrar el modo de infringir la ley. Inevitablemente, la actividad mercantil era ilegal y requería la ayuda y la colaboración de alguien del gobierno. Cuando estas sencillas alianzas o la corrupción no funcionaban, el uso de la violencia, las amenazas o el chantaje eran la manera de obtener la cooperación. Varias décadas de vivir en este entorno dieron como resultado una amplia oferta de organizaciones capaces y experimentadas, bandas implacables, individuos con talento y matones sin miedo.

Puede que para el resto del mundo la *perestroika*, la reestructuración de la Unión Soviética, significara la victoria del espíritu del libre mercado, pero para los empresarios engendrados por el sistema soviético significó de hecho más libertad para aplicar su experiencia a la hora de socavar los esfuerzos del gobierno, infringir la ley y corromper a los funcionarios. Pronto descubrirían que, gracias a la globalización, podían operar en el ámbito internacional, y que el mundo entero ofrecía también amplias oportunidades de lucro para las organizaciones con sus habilidades e intereses. Una vez que se abolieron los controles estatales, se permitió la propiedad privada, se abrieron las fronteras, se privatizaron las fábricas, se eliminó el racionamiento y se legalizaron las cuentas en bancos extranjeros, las redes de traficantes que solían operar ilegalmente bajo el antiguo sistema se adaptaron a las nuevas condiciones con mayor rapidez que casi cualquier otro grupo de la sociedad. Este no fue un fenómeno exclusivamente soviético. En todo el mundo, de China a Argentina y de Italia a la India, los talentos desarrollados gracias a las oportunidades que ofrecían los sistemas donde violar las normas era la única manera de hacer mucho dinero rápidamente descubrieron que estas capacidades también se podían exportar.

Se acabó la clandestinidad

Pocas industrias podrían experimentar una expansión tan acelerada sin pasar por una profunda reestructuración. En este sentido, el comercio ilícito no es una excepción. Este ya no se asemeja a ninguna de las dos imágenes que todavía dominan la imaginación popular: el curtido contrabandista solitario o el «sindicato» del crimen organizado.

Una de las razones para esto es que tanto el contrabandista tradicional como el «capo» de la mafia ya no tienen las ventajas competitivas para sobrevivir en el nuevo ambiente global. El rápido ritmo del comercio mundial y la infinita combinación de posibilidades de suministros, almacenamientos, transportes, gestiones bancarias, giros y transferencias, operadoras de telefonía móvil, cuentas de correo web, software codificado, trámites para la creación de empresas artificiales y comercialización a clientes de todo el mundo han extendido las capacidades del crimen organizado más allá del confortable terreno en que se movía el mafioso típico. Las rígidas jerarquías en las que estaba centralizada la autoridad no funcionan bien en un mercado global extraordinariamente dinámico en el que las oportunidades y los riesgos cambian con demasiada rapidez. Cuanto más se asemejen a empresas tradicionales las bandas del crimen organizado, tanto más sus jerarquías y sus rutinas les impedirán optimizar sus actividades. El nuevo entorno proporciona una ventaja a las organizaciones capaces de responder y adaptarse con rapidez a las nuevas oportunidades y, asimismo, de cambiar constantemente de emplazamientos, de tácticas y de medios para ganar la mayor cantidad de dinero posible. Como resultado de esto, el propio «crimen organizado» está cambiando, haciéndose cada vez menos organizado —en el sentido tradicional de basarse en estructuras rígidas y verticales de control y mando— y más descentralizado.

Igualmente obsoleta resulta la suposición de que los diferentes traficantes se especializan en distintos tipos de mercancía. Obviamente, en un momento dado puede parecer que un determinado grupo étnico o banda local controla el mercado de la heroína, o de mano de obra infantil, o de Kaláshnikovs, o de coches robados, o de tabaco, especialmente en una ciudad o región concretas. Pero esa es solo la parte visible del sistema. De hecho, las posibilidades técnicas y económicas generadas por la globalización hacen que a los traficantes les resulte más fácil que nunca combinar sus cargamentos o pasar de uno a otro, y que controlar de principio a fin el canal de producción y distribución de un producto concreto haya dejado de representar una ventaja. Por lo tanto, han experimentado una mutación, centrándose en las técnicas en lugar de hacerlo en las mercancías. Tal como me dijo la subdirectora del FBI, Maureen Baginski: «La especialidad de estos criminales es el control de la logística y los medios de transporte ilegal. El lucro está en su capacidad para obtener, transportar y distribuir mercancía ilegal a través de distintos países. De qué mercancía se trate se ha convertido en algo casi irrelevante».[26]

Industrias enteras —finanzas, computación, entretenimiento, libros, viajes, productos farmacéuticos, moda— se han visto reconfiguradas por el auge de las redes de tráfico que han irrumpido en ellas y que influyen tanto en sus operaciones como en sus ganancias. Citicorp y Deutsche Bank, Wal-Mart y Cartier, Microsoft y Phillips, Pfizer y Nestlé, Sony y Bertelsmann, General Motors y Nissan, Tommy Hilfiger y Armani son solo algunas de las empresas más conocidas que ya no pueden ignorar los desafíos del tráfico global. Sus prácticas comerciales, canales de distribución, estrategias de compra, emplazamientos fabriles, gestión de recursos humanos, sistemas de información y prácticas financieras se han visto afectados. Hasta en las grandes empresas se producen a menudo lapsus de vigilancia. En el año 2003, Wal-Mart, la mayor cadena de establecimientos de venta al detalle del mundo, fue acusada por el gobierno de Estados Unidos de emplear como personal de limpieza a inmigrantes ilegales de dieciocho países distintos.[27]

Pero las empresas no son las únicas afectadas. El auge de las redes globales también ha alterado nuestro entorno. Milán, Barcelona, San Diego e incluso la ordenada Zurich han visto su paisaje urbano transformado por las improvisadas viviendas que han brotado para albergar a los inmigrantes ilegales «importados» masivamente por los traficantes de personas. Desde Río de Janeiro hasta Detroit, el uso de los espacios públicos en los barrios devastados por las guerras del narcotráfico se ha visto profundamente alterado por las reglas —no escritas, pero rigurosamente aplicadas— impuestas por los traficantes y sus cómplices. Del mismo modo, en las escuelas de secundaria —sean pobres o ricas—, las drogas, la música, el software o la ropa pirateados, o, en menor medida, las armas cortas, forman parte de la experiencia cotidiana tanto como las pizarras o los libros.

Cambiar el mundo

En última instancia, lo que está en juego es el tejido social mismo. El comercio ilícito global está hundiendo sectores industriales enteros al tiempo que potencia a otros; está asolando países y desencadenando expansiones económicas; está haciendo y deshaciendo carreras políticas, desestabilizando o apuntalando gobiernos. En el extremo se hallan los países donde las rutas del contrabando, las fábricas clandestinas, el robo de los recursos naturales y las transacciones con dinero negro ya no pueden diferenciarse de la economía y el gobierno oficiales. Pero la confortable vida de las clases medias en los países ricos está mucho más vinculada al tráfico ilícito —y a sus efectos globales— de lo que la mayoría imagina.

Esta transformación se ha producido pese a que en todas partes —especialmente en Estados Unidos y en algunos países europeos— los gobiernos están derrochando ingentes recursos en el intento de contener el comercio ilícito global. A pesar de asignar cada vez más recursos económicos, de aplicar leyes más estrictas y de disponer de mejor tecnología, lo cierto es que ningún gobierno puede mostrar un progreso significativo y duradero en la lucha contra las redes de traficantes.

Esta lucha se ve dificultada por el hecho de que dichas redes son a la vez globales y locales. Su capacidad para explotar rápidamente su movilidad internacional y su profundo arraigo en las estructuras de poder locales les proporciona una enorme ventaja sobre los gobiernos locales o nacionales que tratan de contenerlas. Estas redes son capaces de eludir la persecución gubernamental trasladándose a otra jurisdicción, utilizando su influencia política para rechazar a sus perseguidores, o mediante ambos métodos. Cuando surge una nueva oportunidad, responden con increíble rapidez. Su supervivencia depende de su capacidad para recombinarse, establecer colaboraciones y disolverlas con igual facilidad, forjando nuevos mercados y conservando siempre la ventaja. Los comerciantes ilícitos son extremadamente creativos, y su ingenio se ve incentivado por unos beneficios difíciles de encontrar en otro negocio.

En las próximas décadas, las actividades de las redes mundiales de traficantes y sus socios tendrán un enorme impacto en las relaciones internacionales, las estrategias de desarrollo, el fomento de la democracia, los negocios y las finanzas, la emigración, la seguridad global, y la guerra y la paz. Habrá demasiados países en los que los miembros de la élite política, militar y empresarial juzgarán más importante defender los lucrativos comercios ilícitos de los que se benefician ellos y sus familias y amigos que conseguir que su país se una a la Organización Mundial del Comercio, coopere con el Fondo Monetario Internacional, o participe en cualquier coalición que se precise para solucionar la crisis mundial de turno. Tratar el comercio ilícito como mero «contrabando» y a quienes participan en él como a simples «criminales», reduciendo la solución a su aspecto «policial», constituye un error. Estos términos, todos ciertos, solo definen una parte de la historia; y no la más importante. En los próximos años, el comercio ilícito global será cada vez mayor y más complejo, al tiempo que estas categorías resultan cada vez menos adecuadas para transmitir la naturaleza de un fenómeno que cambiará el mundo de mil maneras.

Uno de esos efectos ya es muy visible. El terrorismo internacional, por lo que empezamos a saber, sigue los pasos del comercio ilícito mundial y emplea los mismos instrumentos y servicios de la nueva economía global para difuminarse, y así ocultarse, en las ciudades y los países. Desde el 11-S (e incluso antes), diversas células terroristas, de Manila a Hamburgo, de Londres a Nueva Jersey, han revelado tras ser descubiertas que tenían en común cierto uso del comercio ilícito como medio de sustentarse y de financiar sus actividades. Será imposible entender los instrumentos, las tácticas y las posibilidades de los terroristas si no se comprende antes cómo las redes de traficantes han sido pioneras en el uso de las nuevas tecnologías y tácticas del comercio mundial ilícito. Evidentemente, y consideradas por separado, la posibilidad de un atentado suicida en una ciudad superpoblada mediante el empleo de armas de destrucción masiva, y la de que varias toneladas de cocaína o numerosos contenedores de discos compactos ilegalmente fabricados inunden el mercado son amenazas distintas. La primera muy grave y la segunda quizá menos. Pero precisamente nuestra tendencia a considerar por separado ambas posibilidades forma también parte del problema.

El terrorismo internacional, la difusión de armas terribles, el acceso al poder de «regímenes forajidos», el surgimiento y persistencia de guerras civiles y episodios de violencia étnica, la amenaza de la degradación medioambiental, la inestabilidad del sistema financiero mundial, las presiones de la emigración internacional: todo esto, y más, encuentra su salida, su manifestación y, a menudo, su respaldo en el comercio ilícito global.

Los ejemplos surgen por todas partes en cuanto uno empieza a buscarlos. Los problemas de África occidental, de Asia central o de los Balcanes —por citar solo algunos— no pueden entenderse sin considerar el inmenso peso que tienen los traficantes en la vida política y económica de estas áreas geográficas. ¿Es posible comprender adecuadamente el modo de actuar de China o de Rusia, dos de los países más importantes para el futuro de la humanidad, sin tener en cuenta la enorme influencia del comercio ilícito global en las decisiones de sus gobiernos? ¿Puede una empresa mercantil legítima que opera en el ámbito internacional decidir una estrategia sin sopesar el impacto de los traficantes? ¿Es posible fomentar la democracia en países en los que las redes delictivas constituyen los agentes políticos más poderosos? Está claro que no. Lo sorprendente es lo fácil que ha resultado para los políticos, los estrategas militares, los periodistas y los académicos ignorar esta realidad.

¿El paraíso del traficante?

A su burda y sórdida manera, el comercio ilícito nos muestra algunos aspectos de hacia dónde se dirige la globalización.

Los traficantes llevan ventaja sobre los gobiernos. Cada vez les resulta más fácil iniciar, organizar y disimular su trabajo, y se han adaptado para sacar el máximo provecho de esas nuevas posibilidades. Son flexibles, receptivos y rápidos: ningún itinerario resulta demasiado complicado; ningún plazo de entrega demasiado urgente. Cada uno de los distintos tráficos, sea de drogas, de armas, de seres humanos, de falsificaciones, de dinero o de cualquiera de las mercancías ilícitas de que se tratará en los capítulos siguientes, presenta su propia historia y su propia dinámica. Pero todos ellos tienen en común esa misma transformación; están fusionándose cada vez más, por lo que resulta muy difícil diferenciar, tanto conceptualmente como en la práctica, unos de otros, así como de la economía legítima.

¿Significa lo anterior que el mundo globalizado se ha convertido en el paraíso del traficante? Por ahora, las evidencias señalan de forma abrumadora que sí.

Al fin y al cabo, nos lo hemos buscado: el éxito actual del comercio ilícito es, en gran medida, el resultado de unas políticas deliberadas, orientadas a la integración global y a unas economías y sociedades abiertas. En realidad, no debería sorprendernos que el comercio legal y el tráfico ilícito hayan crecido de manera conjunta.

Examinemos más de cerca la cuestión. ¿Por qué ha ocurrido? ¿Por qué el comercio legal no ha desplazado al ilegal? ¿Por qué los valores democráticos no han condenado al ostracismo a los traficantes y educado a sus clientes? ¿Por qué la innovación tecnológica no ha ayudado a que las fuerzas del orden se impusieran de una vez por todas a los malos? ¿Hacia dónde nos dirigimos?

En los próximos capítulos encontraremos las respuestas a estas preguntas.

3

El supermercado de armas cortas y bombas grandes

Fue una entrega fallida lo que puso al descubierto el oscuro mundo del comercio nuclear clandestino. Un día de octubre de 2003, buques de guerra italianos y alemanes abordaron a un carguero sospechoso en el Mediterráneo oriental. El barco, el *BBC China*, navegaba rumbo a Libia procedente del puerto de Dubai, en los Emiratos Árabes Unidos. Las investigaciones realizadas por varios servicios de inteligencia durante meses hacían pensar que en la bodega llevaba algo distinto del «equipamiento industrial» que mencionaba lacónicamente la partida de mercancías. Y de hecho, cuando los italianos escoltaron al *BBC China* hasta el puerto de Taranto e inspeccionaron su cargamento, se encontraron exactamente con lo que esperaban: piezas específicas para construir una centrifugadora, más concretamente una centrifugadora nuclear destinada a enriquecer uranio hasta obtener su isótopo 235, la materia prima de las bombas atómicas.

Los investigadores sabían que el viaje del *BBC China* (que a pesar de su nombre, se había matriculado en Alemania a nombre de una naviera del puerto de Leer) solo representaba una más de una serie de entregas rutinarias realizadas por una red de ventas clandestinas basada en Islamabad, Pakistán, y dirigida por Abdul Qadir Khan.[1] Prácticamente desconocido para el resto del mundo, el «Doctor A. Q.» era un personaje muy notorio en su propio país, casi un héroe popular. El atildado metalúrgico de sesenta y ocho años de edad era el venerado arquitecto del programa nacional de armamento nuclear del país, el «padre de la bomba islámica», un símbolo viviente del orgullo nacional.[2] Pero sin que la opinión pública paquistaní lo supiera, y por completo al margen de la atención internacional, hacía mucho tiempo que Khan se había convertido en objeto de interés para los expertos que controlan la proliferación de armas de destrucción masiva. Para esta pequeña comunidad profesional de analistas y espías, Khan era mucho más que un científico cercano a la jubilación que descansaba sobre sus patrióticos laureles. Lejos de ello, ahora se hacía evidente que era algo distinto; algo más banal, pero también más siniestro: un empresario importador y exportador dedicado a una línea de productos extremadamente peculiar.

Entre Khan y sus clientes se extendía una compleja trama comercial internacional. En el envío de la centrifugadora a Libia, por ejemplo, estaban implicadas empresas y personas de al menos media docena de países europeos y asiáticos. Una firma de maquinaria de Malaisia llamada Scomi había fabricado los componentes, bajo la atenta mirada de un ingeniero suizo que controlaba el proceso de fabricación al tiempo que supervisaba estrechamente los planos. Luego las piezas se enviaron a Dubai, donde quedaron al cuidado de una compañía llamada Gulf Technical Industries, parte de la cual pertenecía a dos británicos que eran padre e hijo, Peter y Paul Griffin.[3] Un intermediario clave, un srilanqués llamado B. S. A. Tahir, repartía su tiempo entre Dubai y Malaisia. En Dubai operaba a través de una empresa de productos y servicios informáticos, SMB Computers, que había fundado junto con su hermano. En Malaisia, era íntimo amigo de dos de los propietarios del fondo de inversión que controlaba Scomi.[4] Incluso estaba relacionado con uno de ellos a través de su esposa malaya, con quien recientemente había formado parte del consejo de administración del fondo. (El tercer propietario, Kamaluddin Abdallah, era hijo de Abdallah Badawi, el primer ministro de Malaisia.) Tahir era quien había hecho el pedido de la centrifugadora en nombre de su aparente comprador en Dubai.

Todos los implicados en la transacción mantenían vínculos con Khan. El diseño de la centrifugadora era exactamente igual al que había elaborado en Pakistán. El mayor de los Griffin había hecho negocios —oficiales— con Khan varios años antes, al amparo del programa nuclear paquistaní. Por su parte, el caballero suizo que llevaba los planos era también hijo de otro ingeniero que compartía con Khan la misma especialización técnica, y, al parecer, al igual que este se había formado en Europa en la década de 1970. Todos estos elementos revelaban los signos de una intrincada trama basada tanto en intereses comerciales como en estrechos vínculos personales. En el centro de dicha trama, los servicios de inteligencia estaban convencidos de que Tahir y Khan mantenían una cercana colaboración: Tahir, como agente comercial clave; y Khan, no solo como el corazón de la trama desde el punto de vista técnico, sino también como la fuente de una gran parte del espíritu empresarial y la astucia comercial que impulsaba todo el proceso.

El negocio de la centrifugadora no era un hecho aislado. Las investigaciones de los servicios de inteligencia, ayudados por los nuevos intentos de Libia para «salir del aislamiento» cooperando con los servicios occidentales, estaban revelando un negocio recurrente de suministro de bienes de equipo y conocimientos técnicos nucleares, así como de lo necesario para obtener el diseño y las instrucciones para montar una bomba atómica. La lista de clientes era inquietante: aparte de Libia, incluía a Irán y también a Corea del Norte. Por otra parte, los orígenes de los productos apenas se ocultaban.[5] Entre los materiales que entregó Libia figuraban algunos documentos escritos en chino, lo que apenas dejaba lugar a dudas acerca de su procedencia original. El equipamiento industrial iba marcado con «KRL», las siglas de Khan Research Laboratories. Y los libios proporcionaron también una serie de planos de bombas en sus envoltorios originales: bolsas de plástico para ropa con la etiqueta «Good Looks Tailors» y una dirección de Islamabad.[6] Según un alto funcionario de la inteligencia estadounidense, el papel desestabilizador de Khan en el siglo XXI «crecerá» hasta igualar el impacto de Hitler y Stalin en el XX.[7]

Tras su descubrimiento, la red de A. Q. Khan se convirtió en la más visible, pero ciertamente no en la única dedicada en privado al comercio nuclear. Las inmensas ganancias que se pueden obtener al satisfacer el apetito mundial por la tecnología y los equipos nucleares son un incentivo irresistible. Humayun Khan, otro ciudadano paquistaní, supo detectar las mismas oportunidades que su homónimo, con quien al parecer no guarda relación alguna. «Humayun Khan es un traficante del mercado negro implicado en la proliferación de armas nucleares, y vamos a encontrar una trama de la misma envergadura que la de A. Q. Khan», decía un funcionario del Departamento de Comercio estadounidense cuando a mediados de 2005 se anunció que la fiscalía federal preparaba una acusación contra el segundo señor Khan.[8] De nuevo, la pauta que revelaban las investigaciones resultaba misteriosamente similar: una operación de alcance global con múltiples localizaciones geográficas —Pakistán, Sudáfrica, Emiratos Árabes Unidos y Estados Unidos—, dirigida por un equipo multinacional que en este caso incluía al socio israelí del señor Khan, Asher Karni. Sus clientes tenían dos cosas en común: querían tecnología nuclear y estaban dispuestos a pagar a los comerciantes ilícitos un montón de dinero por ella. Una vez más, no se trataba tanto de una cuestión de política como de lucro.

Si bien el supermercado atómico del doctor Khan saltó a los titulares, el tráfico de componentes nucleares representa solo un segmento especializado de un lucrativo mercado mundial de toda clase de armas ilícitas: minas y granadas, lanzamisiles de segunda mano, fusiles de asalto AK-47 falsificados y helicópteros de combate reciclados, por no mencionar los miles de millones de balas e incluso el recurso humano necesario (pilotos, instructores y soldados que van de guerra en guerra sin hacer caso del derecho internacional, los embargos, las fronteras, la política o la ética). Todos estos bienes y servicios han proliferado desde que el final de la guerra fría volcó sus excedentes en el mercado, que respondió ansiosamente con una explosión de conflictos internos, insurgencias, guerras civiles y todo tipo de empresas criminales armadas. Por supuesto, la repentina aparición de estas armas no provocó por sí sola las guerras, pero el acceso relativamente libre a grandes cantidades de armas de toda clase ciertamente alimentó la imaginación y las ambiciones de gobiernos y grupos que, sin ellas, se habrían mostrado menos motivados a ir a la guerra. La nueva disponibilidad de armamento abrió nuevas posibilidades para los insurgentes, los movimientos guerrilleros y las bandas de delincuentes. La guerra se convirtió en una opción más barata y atractiva en la medida en que el acceso a toda una serie de armas sofisticadas hacía que aumentasen las probabilidades de victoria.

Sin embargo, ¿qué tiene todo lo mencionado de *auténticamente* nuevo? El tráfico de armas es un fenómeno muy antiguo, y el contrabando siempre ha formado parte integrante del mercado de armamento. Entonces, ¿qué es lo que ha cambiado?

En una palabra: todo.

Empecemos por la composición del mercado: un comercio en otro tiempo dominado por gobiernos que hacían compras masivas a otros gobiernos o a sus propias empresas públicas se compone en la actualidad de redes mucho más amplias y diversas integradas por intermediarios y miles de productores nuevos e independientes. Los vínculos que unen a productores, financieros, intermediarios y clientes son fluidos, globales y escurridizos. Como siempre, los intermediarios siguen siendo inmensamente creativos, políticamente bien relacionados y muy ricos. Hoy, sin embargo, ya no constituyen un pequeño club exclusivo de sinvergüenzas, sino una extensa comunidad global de traficantes. Esos miles de agentes producen, compran, cambian, financian y venden a toda una serie de empresas reales y ficticias que ya no se encuentran bajo el control directo de los gobiernos. Muchos de esos nuevos agentes ni siquiera tienen una nacionalidad permanente; o bien tienen varias entre las que elegir. De hecho, la mayoría son apátridas.

A medida que el negocio ilícito de armas se construye y reconstruye, lo hace fusionándose con otros tráficos ilegales, sustentando las ambiciones tanto de los delincuentes comunes como de los terroristas. Y mientras el número de muertos aumenta, los gobiernos se esfuerzan por igualar un partido en el que llevan las de perder.

Negocios. Simplemente negocios

¿Por qué lo hizo? ¿Qué pudo llevar a A. Q. Khan —un héroe nacional, el ciudadano más condecorado de su país— a arriesgar su reputación y exponerse al oprobio internacional dirigiendo una red de contrabandistas especializados en los productos más mortíferos que existen? Sin duda no fue solo la ideología. Fabricar una «bomba islámica» capaz de inclinar la balanza de poder regional, o incluso mundial, fue sin duda uno de los motivos; pero la posibilidad de conseguir enormes cantidades de dinero para sí, para sus cómplices y para sus patrocinadores en los altos niveles del gobierno paquistaní y de otros gobiernos, constituía un motivo tan poderoso como cualquiera de las justificaciones geopolíticas o ideológicas de Khan.

De hecho, su lista de clientes —incluyendo a Corea del Norte, que no es precisamente un país islámico—, y, sobre todo, sus métodos comerciales, hacen pensar que el orgullo musulmán difícilmente constituía su principal interés. Es posible encontrar un indicio más fiable de sus motivos en la lista de las propiedades que fue adquiriendo con los años. Khan construyó varias mansiones en Pakistán y compró varios pisos en Londres. Era propietario de un restaurante en Islamabad, de una bolera, y, lo que resultaba no menos incongruente, de un hotel de lujo en Tombuctú, al que puso el nombre de su esposa holandesa (el recargado mobiliario del hotel fue transportado primero a Libia en un avión de las fuerzas aéreas y luego llevado por tierra a través del Sahara). Además, los hábitos de Khan eran los característicos del exitoso hombre de negocios corrupto. Dirigía su empresa dedicada a la investigación, Khan Research Laboratories —que contaban con autorización oficial—, sin hacer apenas distinción entre las finanzas de la firma y las suyas propias. Amañaba contratos preferentes para sus parientes y amigos. Fundó una sociedad benéfica dedicada a sanidad y educación. Y limpiaba su imagen mediante donaciones, eventos públicos, una ubicua presencia en los círculos sociales más encumbrados e incluso organizaba su propio desfile de automóviles.[9]

En definitiva: Khan lo hizo por dinero. Las propiedades inmobiliarias le eran más importantes que la ideología. La codicia venció a la geopolítica. Khan encontró su propio segmento del mercado y así pasó de ingeniero a empresario. Se aprovechó de una rara oportunidad, casi accidental —su papel de guardián del programa nuclear paquistaní—, para crear un torrente de ingresos personales. Y para ello desplegó lo que constituye el activo y la habilidad del hombre de negocios, sus relaciones, aprovechando los vínculos forjados décadas atrás cuando era un joven ingeniero en Europa y sus relaciones con altos cargos, fáciles de conseguir para un hombre de su talla pública. Identificó asimismo una rica fuente de demanda: los «estados forajidos», y quizá también otros grupos sin acceso a la tecnología nuclear. Para cada etapa del proceso —fabricación, transporte y financiación— encontró socios dispuestos a cooperar con entusiasmo, y de manera brillante disimuló sus transacciones en el funcionamiento ordinario del comercio global, produciendo en fábricas legales, transportando en cargamentos ordinarios y realizando las entregas a través de una laberíntica red de intermediarios.

Dando muestras de agilidad y oportunismo, Khan hizo pleno uso de las ventajas de la época, desde la facilidad para crear empresas falsas en jurisdicciones maleables hasta la flexibilidad de las comunicaciones y los viajes, y la rapidez y el anonimato de las transferencias financieras internacionales. Este consumado uso del mercado distinguía las actividades de la red de las de un Estado, incluso de un Estado como el de Pakistán, donde era evidente que Khan contaba con protectores, socios comerciales, cómplices y, hasta cierto punto, un refugio seguro. El gobierno de su país natal sencillamente formaba parte del entorno comercial: Khan conocía —como todo empresario avispado— la importancia de saber comprar la aprobación gubernamental haciendo tratos con personajes clave dentro del sistema, como jueces, generales, ministros... Obstaculizado por el derecho internacional, por las fronteras y por su propia burocracia, Pakistán no estaba en posición de adoptar como política estatal la de la proliferación de armas nucleares. Pero un científico paquistaní convertido en empresario, libre de operar en el mercado global, podía reclutar fácilmente a protectores oficiales para su red a cambio de un porcentaje de las ganancias. Lo único que hacía falta, de hecho, era un empresario y una oportunidad. Lógicamente, expresar estas actividades en términos de geopolítica, ideología, soberanía nacional e islam constituía la «plataforma de marketing» perfecta para justificar esas actividades ante quienes quisieran saber más o necesitaran una buena excusa.

Esta combinación de papeles públicos y privados —producida por el ansia de beneficios, no por la política pública— constituía una realidad infinitamente más sutil de lo que jamás podría describir el tosco léxico de los «aliados en la guerra contra el terrorismo» *versus* los «estados forajidos». Resultaba que Pakistán era ambas cosas, o quizá ninguna de ellas. Khan y sus cómplices no constituían ni un Estado ni un régimen, sino una red comercial con extensas ramificaciones que alcanzaban a más de un país. Y en cuanto a las tristemente célebres armas de destrucción masiva, estuvieran o no acechando en las cámaras acorazadas de algún Estado malintencionado, lo cierto era que circulaban libremente, apenas ocultas, en el tumultuoso flujo del comercio internacional.

Sin embargo, la historia de A. Q. Khan no es simplemente una historia sobre comercio. Es también un relato sobre política, en el que el interés nacional de un Estado soberano acaba entrelazándose de manera inextricable con las motivaciones delictivas de una camarilla que capta y manipula importantes sectores del gobierno para respaldar una empresa ilícita. Ilustra asimismo el modo en que organizaciones furtivas y dotadas de una extraordinaria cantidad de recursos pueden hacer que los intereses geopolíticos jueguen a su favor. Un miembro de la comisión estadounidense que investigó los atentados del 11-S me dijo: «Desde hacía mucho tiempo, el gobierno de Estados Unidos disponía de mucha información sobre A. Q. Khan. Sin embargo —prosiguió—, se consideró que apretarle los tornillos a Khan desestabilizaría al régimen de Musharraf en Pakistán. Estados Unidos necesitaba el apoyo de Pakistán, primero para que colaborase en la invasión de Afganistán, y luego para capturar a Osama bin Laden, y al gobierno estadounidense le resultaba difícil pedir la deportación o el encarcelamiento de un auténtico héroe nacional».[10]

Khan y sus cómplices en el gobierno paquistaní lo sabían. Hussain Haqqani, que ejerció de principal consejero de varios primeros ministros paquistaníes, me explicó que Khan y sus socios «creían que podían ser nacionalistas paquistaníes al servicio del Estado por las mañanas, y deshonestos hombres de negocios internacionales por las tardes, y que nadie estaba en condiciones de tocarles. Sabían que los estadounidenses lo sabían, y que no podían hacer nada al respecto».[11]

Dispuesto a todo[12]

Khan no era más que un miembro de una fraternidad de traficantes de armas internacionales de nuevo cuño: empresarios tan implacables como dotados de talento, que operaban a través de complejas y ágiles redes que sacaban todo el provecho posible de la situación actual. En el rígido orden mundial impuesto por la guerra fría habían sido enormes empresas vinculadas al poder estatal las que se habían ganado el desagradable mote de «mercaderes de la muerte»: leviatanes de complejos militares-industriales con nombres como Lockheed, Dassault, Bofors o Northrop Grunman. Los agentes e intermediarios actuaban en los márgenes, ayudando a sobornar a alguien, a facilitar un trato o a transferir un envío a algún destino oscuro. Pero el actual mercado de armas es algo muy distinto. Las especializaciones —como facilitar armamento a rebeldes e insurgentes, pese a los embargos y fuera del alcance de la ley— se han multiplicado, y con ellas las oportunidades para una nueva clase de cerebros, intermediarios que han renunciado a las pesadas estructuras de los estados y las corporaciones a cambio de la libertad y la flexibilidad del nuevo mercado global.

No todo el mundo puede llevar esa clase de vida. Así, por ejemplo, cuando en agosto de 2000 se consiguió arrestar por fin a Leonid Minin en las afueras de Milán, se hallaba en compañía de cuatro mujeres jóvenes, metiéndose cincuenta y ocho gramos de cocaína. También tenía en su poder diamantes y una gran suma de dinero. Llevaba encima varios pasaportes, en los que figuraba bajo diversos nombres, de países como Israel, Rusia, Alemania y Bolivia. Su historial delictivo, que incluía investigaciones en curso en cinco países, abarcaba toda Europa y se remontaba a tres décadas, e incluía delitos como estafa, suplantación de identidad, drogas y blanqueo de dinero.

No obstante, Minin, de cincuenta y dos años de edad, prefería el más reciente y lucrativo tráfico de armas; en concreto, dos cargamentos de misiles, lanzagranadas M93 y cohetes, y al menos cinco millones de cargas de munición, todo ello destinado al Frente Revolucionario Unido (RUF), el perverso ejército rebelde de Sierra Leona, conocido sobre todo por cortarles las manos a los civiles con machetes. Tal como detallaba un informe del Consorcio Internacional de Periodistas de Investigación, Minin hizo los pedidos a una empresa llamada Aviatrend, propiedad de un tal Valery Cherny. Este, a su vez, compró las armas a fabricantes de Ucrania y las envió desde Bulgaria, en una ocasión en un Antonov 124 ucraniano fletado por una empresa de transportes británica, y en otra en el BAC-111 del propio Minin. En los certificados oficiales que identifican el destino final de un cargamento de armas —y sin los cuales los fabricantes no están autorizados a vender— figuraban Costa de Marfil y Burkina Faso. Pero en realidad los cargamentos fueron a parar a Liberia, país que el RUF utilizaba como base de operaciones y desde el que se eludía fácilmente el embargo impuesto por las Naciones Unidas.

Minin organizó la operación y ocultó el consiguiente movimiento financiero, disfrazándolo como compra de bienes de equipo para la industria maderera; algo bastante sencillo, ya que casualmente era propietario de una empresa de maderas tropicales en Liberia, donde había establecido lazos con los miembros adecuados del régimen de Charles Taylor, incluido el mismísimo hijo del presidente.[13] Los liberianos financiaban al RUF; y Minin, por su parte, ordenó el pago a Aviatrend mediante una sencilla transferencia de su banco en Suiza al de Cherny en Chipre. En comparación con los habituales montajes financieros relacionados con la compraventa ilícita de armas, este era relativamente sencillo: no requería una larga lista de cartas de crédito, ni la elaboración de contratos «internos» y «externos» en los que se delinearan dos estructuras completamente distintas para el mismo acuerdo comercial. Pero sí resultaba bastante típico en el sentido de que manejaba suficientes compañías legales y transacciones, cruzaba bastantes fronteras y afectaba al número adecuado de jurisdicciones como para hacer que resultara difícil de desentrañar. De hecho, no fueron esas operaciones de compraventa de armas las que propiciaron la captura de Minin, sino, de manera más prosaica, su afición a la juerga. Pasaron varios días antes de que se descubriera que el sórdido empresario detenido por posesión de drogas en un hotel de las afueras de Milán y el bandido internacional perseguido por numerosos servicios de inteligencia eran la misma persona.

La captura de Minin ilustraba la naturaleza descoordinada de la respuesta de las fuerzas del orden al auge de los nuevos cerebros del tráfico de armas, y mostraba la manera en que la estructura reticular y descentralizada de sus transacciones deja escapar a toda una serie de agentes clave aun cuando se produzca un arresto masivo. En 2002, con ocasión del arresto en Estambul de otro importante traficante de la década de 1990, el belga Jacques Monsieur, un elevado número de cómplices, corresponsales y colegas en Francia, Bélgica, Irán, los dos Congos, y no cabe duda de que también en otros lugares, consiguió escapar. Algunos de ellos contaban con protección: Monsieur, que ayudaba a Irán a comprar armas desde la revolución de 1979, se había valido de sus fuertes vínculos en Teherán para hacer un lucrativo negocio reciclando armas iraníes y enviándolas a zonas en conflicto de los países de África sometidos a embargo. Y al suministrárselas en 1997 al régimen de Lissouba, en el Congo, Monsieur había tratado con las ocultas estructuras financieras en África central de la petrolera estatal francesa Elf. Esta organizó los canales financieros para que Lissouba comprara armas ligeras a Irán y helicópteros a Rusia por valor de 61,3 millones de dólares, junto a los servicios de cuarenta técnicos rusos. (De todos modos, Lissouba perdió la guerra civil y no pagó sus deudas, lo que hizo que Monsieur se viera en serios apuros con sus proveedores.) Otras piezas del rompecabezas, no obstante, seguirían siendo un completo misterio, especialmente la identidad de un tal «CH», que figuraba como principal beneficiario de los pagos de clientes de la red de Monsieur.[14]

Pero si existe una figura representativa del nuevo comercio ilícito de armas, esta es sin duda alguna Victor Bout, un hombre que ha logrado por sí solo redefinir lo que se ha dado en llamar un «mercader de la muerte».[15] Nacido en 1967, Bout es un canoso veterano del nuevo tráfico de armas, que prácticamente inventó tras la caída de la Unión Soviética, cuando era un joven piloto militar desmovilizado que supo ver nuevas y lucrativas oportunidades en el sector privado. Con veinte años recién cumplidos, Bout empezó a acaparar viejos aviones de carga soviéticos, fuertes y robustos Iliushin y Antonov adaptados a las más duras condiciones. Y mientras su flota crecía hasta llegar a unos sesenta aviones matriculados en toda una serie de jurisdicciones permisivas —Ucrania, Liberia, Suazilandia, República Centroafricana, Guinea Ecuatorial—, Bout construía en torno a ella una trama de empresas tapadera, compañías fantasma y subsidiarias de una complejidad extraordinaria.

Dichas entidades servían de máscara que ocultaba un número insólito de actividades. Utilizando aeropuertos de segundo orden como Ostende en Bélgica, Burgas en Bulgaria y Pietersburg en Sudáfrica, la red de Bout enviaba morteros, fusiles de asalto, lanzacohetes, misiles antitanque y antiaéreos y millones de cargas de munición al movimiento rebelde angoleño UNITA, así como al RUF y a las milicias hutus ruandesas establecidas en el Congo occidental. Los Antonov de Bout se podían ver en aeropuertos como el de Jartum, la capital de Sudán, donde se cargaban con «cajas verdes» —el embalaje distintivo de las armas cortas— recién desembarcadas de otros aviones con destino desconocido.[16] En el viaje de vuelta, Bout ayudaba a sacar diamantes de zonas devastadas por conflictos civiles, los tristemente célebres «diamantes de la guerra». Transportaba asimismo otros cargamentos más anodinos, entre los que se incluían verduras frescas y pescado congelado de África, e incluso trasladaba soldados franceses al Congo y fuerzas de pacificación de las Naciones Unidas a Timor Oriental. En lo que al transporte aéreo se refería, Bout estaba dispuesto a todo.

Perseguido por la justicia en varios países, Bout se las ingeniaba para ir siempre un paso por delante, cerrando sus empresas fantasma y volviendo a abrirlas, rematriculando sus aviones y desplazando su base de operaciones de un país a otro. En 1993 sus aviones partían de ash-Shariqah, en los Emiratos Árabes Unidos, que constituía una base conveniente para abastecer a unos clientes especialmente delicados, los talibanes. El primer encuentro de Bout con la milicia afgana no había resultado precisamente placentero: en 1995-1996, un avión que había fletado para entregar armas israelíes procedentes de Albania al entonces gobierno afgano de Burhanuddin Rabbani fue interceptado e inmovilizado por los talibanes durante un año entero. Al negociar con el *mullah* Omar la entrega del avión y de su tripulación, Bout descubrió que valía la pena mantener aquel contacto; así, cuando los talibanes tomaron el poder en 1998, encargaron el mantenimiento de la flota aérea afgana a Bout, que también contribuyó a organizar múltiples vuelos semanales a Kandahar, el centro de operaciones de los talibanes, desde su propia base en los Emiratos Árabes Unidos, que casualmente era uno de los pocos países que habían reconocido al régimen talibán. Las armas que transportó entonces —con un beneficio estimado de cincuenta millones de dólares— iban destinadas en parte a al-Qaeda.

A principios de 2002, la red de Bout se vio sometida a cierta presión debido al creciente número de investigaciones en distintos países, a causa del nuevo sentimiento de alarma tras los atentados terroristas del 11 de septiembre de 2001. En febrero de 2002, un socio de Bout, Sanjivan Ruprah —un keniata de origen asiático que lo representaba en muchos de los negocios que hacía en África—, fue arrestado en Bélgica.[17] Poco después, los belgas emitieron una orden de búsqueda contra Bout, alertando a la Interpol. Pero para entonces Bout ya no estaba en los Emiratos, sino que había regresado a Moscú, donde las autoridades se negaron a detenerle.[18] El mismo día en que la policía rusa afirmaba que resultaba muy improbable que se encontrara en su territorio, Bout se presentaba en una emisora de radio moscovita para proclamar su inocencia. Desde entonces, unos cuantos periodistas occidentales han seguido su rastro para entrevistarle, siempre en Moscú y bajo estrictas medidas de seguridad. Siempre ha negado todas las acusaciones. Bout, a quien se ha calificado del Bill Gates o Donald Trump del moderno tráfico de armas, prefiere definirse como un simple empresario del transporte aéreo, un hombre de negocios como tantos en busca de oportunidades.

Hasta ahora, el astuto Bout se ha revelado especialmente hábil a la hora de encontrar el modo de hacer que la realidad encaje con la descripción que ha dado de sí mismo. En 2004, sus empresas, y otras sospechosamente vinculadas a él, aparecían en los registros de los aeropuertos iraquíes, subcontratadas y sub-subcontratadas por empresas estadounidenses que proporcionaban apoyo logístico al ejército de su país y a las autoridades de ocupación.[19] Las enormes necesidades de transporte de la operación militar en Irak, y su dependencia de contratistas privados, proporcionaron a Bout la oportunidad de aprovecharse del presupuesto militar del mismo país que le había puesto en la lista negra. El director de una de las empresas relacionadas con Bout declaró a un periodista de *Los Angeles Times* que había recibido autorización para abastecer sus aviones gratuitamente de combustible de las reservas militares estadounidenses. Las épocas difíciles engendran asociaciones difíciles: «Cuando algo se necesita con urgencia, hay que conseguirlo», declaró un oficial a los periodistas. Así, una vez más, Victor Bout renació como empresario gracias al mismo gobierno que lo perseguía.

Los intermediarios mandan

Al combinar los papeles de intermediario y transportista, Victor Bout goza de una situación ventajosa, así como de la mejor posición para ganar dinero en un mercado armamentístico que desde 1990 se ha visto radicalmente reconfigurado. Las fuentes de suministro de armas se han descentralizado e incluso proliferado. Y lo mismo ha ocurrido con la demanda, ya que los «estados forajidos» y los movimientos rebeldes han desestabilizado regiones enteras, desatando carreras armamentísticas y embargos que, lejos de interrumpir el tráfico, han hecho que aumenten los precios y los beneficios. En definitiva, el sueño de todo intermediario.

No es que la producción de armas haya aumentado tanto, al menos en volumen bruto. Los enormes presupuestos de defensa de la época de la guerra fría se redujeron en la década de 1990, y, con ellos, el número de contratos de suministro de aviones de combate, misiles y tanques. Y pese a que el uso cotidiano de armas de menor calibre es hoy mucho más frecuente —ya sea por las fuerzas del orden, por empresas de seguridad, en actividades de ocio o en conflictos bélicos—, la producción de estas no es mayor que hace diez años. Según las mejores estimaciones (y no olvidemos que hablamos de una ciencia sumamente inexacta), la producción oficial de armas cortas y armamento ligero —es decir, las armas diseñadas para ser empleadas por un individuo o grupo, desde fusiles y ametralladoras hasta granadas y lanzamisiles portátiles— se mantiene constante en una cifra aproximada de ocho millones de unidades anuales.[20] De ellas, siete millones son armas de fuego comerciales, la mayor parte de las cuales se fabrica y se vende en Estados Unidos. El otro millón lo integran las armas militares; asimismo, cada año se fabrican al menos diez mil millones de unidades de munición de calibre militar.

Sin embargo, las cifras totales suelen resultar engañosas, especialmente en este caso. Es posible que la producción de armas se mantenga estable, pero está lejos de estancarse. En realidad, la industria está recomponiéndose, al tiempo que se produce una consolidación y una descentralización.[21] En 2003, Rusia constituyó una empresa llamada CAST con el fin de absorber a todos sus fabricantes de armas cortas. En 1998, las fábricas de munición escandinavas se fusionaron en la empresa Nammo AS. En 2002, la empresa suiza RUAG y la alemana Dynamit Nobel se unieron para formar RUAG Ammotec. Estos nuevos nombres venían a completar la lista de los principales productores: Sturm Ruger, Remington, Smith & Wesson, Colt, Beretta, la empresa china Norinco y la israelí IMI. Sin embargo, aunque es posible que haya menos grandes fabricantes que antes, el número de pequeños fabricantes ha aumentado.[22] Oficialmente, en 2004 existían 1.249 empresas autorizadas a fabricar armas cortas con sede en noventa países.[23]

Tanto la tecnología como los intereses comerciales ayudan a explicar esta proliferación. Dado que las técnicas de fabricación de armas cortas apenas han cambiado en las últimas décadas, resulta relativamente sencillo crear plantas de producción en lugares donde la mano de obra es más barata y transferir allí los conocimientos necesarios. Abundan las licencias comerciales, y todavía más las falsificaciones, con la intervención de los países en vías de desarrollo más industrializados. La empresa turca MKEK y la Fábrica de Artillería de Pakistán (POF), por ejemplo, producen fusiles de asalto y metralletas con licencia de la alemana Heckler & Koch. Entre los beneficios que esto representa para ambas partes, las armas fabricadas con licencia de Heckler pueden venderse a países a los que la ley alemana prohíbe exportar directamente. También abunda la transferencia ilegal de tecnología. En una redada policial realizada en São Paulo en 2002, se cerró un taller técnicamente muy avanzado que fabricaba unas cincuenta metralletas falsificadas al mes. Las organizaciones rebeldes y criminales suelen fabricar al menos una parte de sus arsenales. Y aunque la expresión «producción artesanal» hace pensar en un equipamiento tosco y poco fiable, a veces incluso imaginativamente ensamblado, esta idea es cada vez más obsoleta. Desde el tristemente célebre «bazar de armamentos» de Darra Adam Khel, en el noroeste de Pakistán, hasta otros lugares más sorprendentes, como Ghana (que pese a su imagen pacífica se ha convertido en un significativo —aunque extraoficial— proveedor de armas a la inestable África occidental), la producción informal está poniéndose rápidamente a la altura de la autorizada.[24] En Ghana existen actualmente 2.500 pequeños y medianos fabricantes que ofrecen desde copias perfectamente funcionales de modernas armas de asalto hasta pistolas baratas a seis dólares la unidad.[25]

Quizá el factor más importante a la hora de incentivar la oferta de armamento ilícito desde el final de la guerra fría ha sido la transformación del antiguo bloque soviético y su efecto en sus fabricantes de armas. Prácticamente todos los países de Europa oriental y central cuentan con una industria de armas cortas, con una mayoría de empresas creadas en el apogeo del complejo militar industrial de la guerra fría, pero también con otras, como Ceska Zbrojovka y Sellier & Bellot, de la República Checa, que antes de la era comunista ya contaban con un prestigioso historial.[26] Al igual que ocurrió con otras industrias, en la década de 1990 estas empresas hipertrofiadas y a menudo ineficaces tuvieron que enfrentarse a una drástica reducción de los presupuestos de defensa por parte de su tradicional cartera de clientes. Otros problemas típicos —plantillas sobredimensionadas, importantes obligaciones asistenciales, etcétera— acentuarían aún más la disyuntiva entre privatización o cierre. Como resultado, estas empresas se han volcado en los mercados de exportación, a veces con el respaldo gubernamental y otras por iniciativa propia. En 2001, el 8 por ciento de las pistolas y el 20 por ciento de los rifles importados por Estados Unidos provenían de esta área geográfica, incluyendo más de 40.000 armas de fuego de la República Checa y otras tantas de Rumanía.[27] Ese mismo año se produjeron las primeras exportaciones de armas de fuego a Estados Unidos de Polonia, Serbia y Ucrania.[28] Pero ese impulso exportador significa asimismo que a algunas empresas de Europa oriental no les importa demasiado cuando se trata de suministrar a otros clientes más dudosos, como países o movimientos sometidos a embargos, o cualquiera a quien represente un determinado intermediario.[29]

Las mismas fuerzas que impulsaron las exportaciones del antiguo bloque soviético comenzaron a alimentar también un floreciente mercado de segunda mano basado en equipamiento de desecho o excedentes de los ejércitos de la era comunista, ahora diseminado por toda Europa oriental y los antiguos estados satélite de la Unión Soviética. En 2002, investigadores de la ONU documentaron que una serie de seis cargamentos aéreos enviados a Liberia, entonces sometida a embargo, transportaron 210 toneladas de excedentes militares yugoslavos, entre los que se incluían 350 lanzamisiles, 4.500 fusiles automáticos, 6.500 granadas y millones de cargas de munición.[30] El ejército yugoslavo había vendido ese equipamiento a través de una empresa de Belgrado llamada TEMEX, y una serie de intermediarios se encargaron de la entrega, todo ello bajo la cobertura de un certificado falso en el que figuraba Nigeria como cliente final.

Recientemente, Irak ha sido testigo de otra importante inyección al mercado de armas cortas procedentes de un arsenal gubernamental. Tras la caída del régimen de Sadam Husein, se calcula que se han repartido en todo el país, y probablemente también en países vecinos, entre siete y ocho *millones* de armas ligeras. Entre ellas se incluyen algunas tan sofisticadas como los amenazadores Manpad (siglas en inglés de «sistema portátil de defensa antiaérea»), unos lanzamisiles que pueden ser disparados por una o dos personas y que son capaces de derribar a un avión que vuele a baja altura.[31] El gobierno de Washington estima que unos 4.000 de esos misiles tierra-aire que antaño formaban parte del arsenal de Sadam Husein «desaparecieron» en el caos que siguió a la invasión estadounidense.

Sin embargo, la proliferación global de armas como los Manpad fue anterior a la guerra de Irak, y es probable que continúe después de ella. En 2002 se dispararon dos Manpad a un avión de pasajeros israelí que despegaba del aeropuerto de Mombasa, en Kenia. Afortunadamente, se evitó la tragedia, ya que los pilotos detectaron y eludieron los misiles. El Departamento de Estado norteamericano reconoce que desde la década de 1970 unos cuarenta aviones han sido atacados por misiles portátiles. Aunque, según las autorizadas estimaciones del anuario *Small Arms Survey*, en 2004 había registradas en los inventarios de todo el mundo entre 500.000 y 750.000 de esas armas, existen otras 100.000 unidades plenamente operativas sin registrar.[32]

Survey afirma que existen al menos trece organizaciones no estatales, incluidas algunas organizaciones terroristas, de las que se sabe que poseen lanzamisiles Manpad, mientras que hay otras catorce grupos que se supone que los tienen. Además, en el mismo informe se dice que la demanda de este producto es tal que en la actualidad hay muchos nuevos fabricantes que lo suministran, y que ya no se trata de los sospechosos habituales de la industria armamentística de alta tecnología. Hoy venden misiles Manpad empresas de Egipto, Corea del Norte, Pakistán y Vietnam. Si a ello se suma la amplia oferta disponible en el mercado de segunda mano, los obstáculos para que un cliente con el bolsillo bien provisto pueda acceder a un misil antiaéreo portátil o, de hecho, a cualquier otra arma igualmente letal, han dejado de resultar insuperables.

El hipermercado de las armas

Obviamente, el mercado de equipamiento armamentístico de segunda mano ayuda a los intermediarios a que sus organizaciones funcionen con costes muy bajos, tal como demuestran las inversiones iniciales de Victor Bout en aviones de las fuerzas aéreas soviéticas fuera de servicio. En todo el mundo, las bestias de carga como el Antonov An-12 y el Iliushin Il-76 han tenido una segunda y lucrativa vida tanto en el transporte legal como en el ilegal. Existe asimismo un excedente de oferta de personal experimentado en el manejo de estos aviones o en entrenar a los soldados en el uso de equipamiento de segunda mano, el cual, en consecuencia, se ha repartido por todo el mundo, engrosando las filas de los «contratistas militares privados» antaño conocidos sencillamente como *mercenarios*. De hecho, una de las características de la nueva oferta de armamento ilícito es lo difusas que resultan las líneas divisorias entre vendedores y combatientes, intermediarios y proveedores, productores y subcontratistas y, en ocasiones, empresas y estados.

Esta suerte de ambigüedad se extiende desde las estructuras de producción y venta hasta los propios clientes finales, y de ella participan empleados públicos, facciones militares, grupos rebeldes, empresas legales y organizaciones criminales que intentan conseguir armas, a menudo por vías estrechamente interrelacionadas. Cuando el régimen de Taylor en Liberia, proveedor del RUF, que era objeto de embargo, se vio sometido a una prohibición similar por parte de la ONU, acudió a Burkina Faso y Costa de Marfil como puntos de suministro intermedios. Durante muchos años, Togo fue lugar de paso de los envíos de armas al movimiento angoleño UNITA.[33] Pero lo más frecuente es que sean determinados individuos o grupos corruptos dentro de los gobiernos, y no los propios estados, quienes participen en este comercio por una cuestión de beneficios, no de política. Como hemos visto en el capítulo anterior, una red peruana dirigida por Vladimiro Montesinos, el conocido jefe de seguridad del entonces presidente Alberto Fujimori, organizó el envío de 10.000 fusiles de asalto AK-47 desde Jordania hasta los rebeldes de las FARC en Colombia.[34] El caso más típico es el de un funcionario público normal y corriente que por una pequeña compensación está dispuesto a emitir un certificado en el que se falsifica el nombre del destinatario final de un envío de armamento.[35] Esos certificados —de momento el único documento universalmente exigido para autorizar una venta de armas—, que ostentan el sello de Nigeria, la República Centroafricana, el Chad, Venezuela u otros países, aparecen frecuentemente en el mercado, revelando la facilidad con la que los cargamentos ilícitos transitan de un punto a otro.

Este sistema está perfectamente adaptado al modo en que han evolucionado los conflictos en la era posterior a la guerra fría, donde unas contiendas descentralizadas y a veces apátridas exigen proveedores con las mismas características. En el rígido orden geopolítico anterior a 1989, las superpotencias reforzaban a sus estados clientes con la eficacia suficiente para evitar conflictos armados entre países y, sobre todo, mantener bajo control las rebeliones internas. Desde 1990, sin embargo, las insurrecciones separatistas y los conflictos regionales de pequeña y mediana escala han pasado a ser la norma. En términos generales, son las guerras africanas las que encabezan la lista en número y duración. Consideremos, por ejemplo, el conflicto del Congo, que dura casi una década y en el que intervienen los ejércitos de varios estados vecinos, junto con sus numerosos vicarios rebeldes y criminales; o el efecto dominó de las guerras civiles en Liberia, Sierra Leona y Costa de Marfil. No obstante, Colombia, Bosnia, Kosovo, Sri Lanka, Chechenia, Nepal y Afganistán —además de otras guerras más oscuras, aunque no menos debilitadoras, en lugares como las islas Salomón— nos recuerdan que en la actualidad ningún continente tiene el monopolio del conflicto armado.

Lo que hace a estos conflictos difíciles de abordar es el hecho de que tienden a no afectar a estados concretos, al menos en el sentido de entidades estructuradas y organizadas. Por el contrario, entre los protagonistas de situaciones de guerra surgidas desde 1990 se encuentran cuasiestados como la Republika Srpska; ejércitos separatistas como los Tigres Tamiles y el ELK; milicias territorialmente arraigadas como Hezbolá; organizaciones políticas y criminales como las

FARC colombianas; bandas paramilitares que actúan a la sombra de los gobiernos; y, por supuesto, redes terroristas como al-Qaeda.[36] Pero existen muchas y variadas entidades que desafían toda clasificación, como Abu Sayaf, el Ejército de Resistencia del Señor, la Yihad Islámica, Interahamwe, etcétera. También suelen producirse guerras en los «estados fallidos», es decir, aquellas entidades nacionales vacías de contenido en las que las instituciones ya no funcionan o en las que han sido secuestradas y puestas al servicio de intereses privados, a menudo ilícitos.

Todas estas condiciones hacen que el principal método ideado para restringir las ventas de armas en esos conflictos —el embargo— no consiga con facilidad su objetivo. Es excesivamente fácil de eludir. Para un traficante de armas, simplemente describen un mercado en el que los clientes están dispersos y donde lo normal es que hagan pedidos reducidos, exijan un cierto secreto y apenas tengan crédito, o carezcan por completo de él. Por otra parte, esos mismos clientes están dispuestos a pagar precios elevados, y además pueden permitírselo porque suelen controlar recursos naturales, como coltán del Congo, utilizado en la fabricación de teléfonos móviles; «diamantes de la guerra» de Sierra Leona o Angola, excluidos de los cauces de comercialización oficiales; concesiones para la explotación de minerales; o bien marihuana, cocaína o heroína. Por otra parte, lo arriesgado del destino y la necesidad de violar un embargo, infringiendo la ley de un país proveedor o intermediario, así como el pago de sobornos y comisiones a lo largo de todo el proceso, contribuyen a aumentar aún más el precio.

En su investigación publicada en 1977 y titulada *El bazar de las armas*, el fallecido periodista británico Anthony Sampson concluía que «el ciudadano común y corriente tiene razón cuando piensa que el comercio de armas, como el narcotráfico y la esclavitud, es distinto de otros comercios». Pero en realidad el actual comercio ilícito de armas parece una adaptación a las condiciones políticas y las posibilidades comerciales de la globalización. Cuando apareció el libro de Sampson —subtitulado «Del Líbano a la Lockheed»—, el centro vital del comercio de armas estaba integrado por grandes transacciones autorizadas por los gobiernos y estrechamente relacionadas con la geopolítica y la diplomacia.[37] Estos contratos siguen siendo importantes, pero el segmento más dinámico —si no el mayor en volumen— del negocio armamentístico es el sistema reticular de oferta internacional en el que se mueven Victor Bout y A. Q. Khan. En ese sentido, el bazar, un lugar de encuentro comercial ritualizado, con sus formalidades, sus ceremonias y su código de conducta subyacente, ha dado paso a algo mucho más parecido a una cadena de grandes almacenes tipo Wal-Mart, o quizá incluso a un gigante de la venta en Internet como eBay; en definitiva, un hipermercado que no conoce fronteras y en el que puede conseguirse casi todo de prácticamente cualquier fuente siempre que el comprador esté dispuesto a pagar el precio que se le pide. Por desgracia, las evidencias muestran que hay demasiados clientes dispuestos a ello y que disponen de los medios para hacerlo.

Países en venta

El nuevo mercado armamentístico sigue teniendo sus centros, pero no en la forma que la mayoría de la gente esperaría. Los estados no cometen delitos; son los delincuentes los que los cometen, tras apoderarse de estados, o incluso crearlos. Así, por ejemplo, es muy posible que el lector no haya oído hablar jamás de la República Moldava del Transdniéster.[38] Se trata de un lugar más bien oscuro. Y sin embargo, las armas son para el Transdniéster lo que el chocolate a Suiza o el petróleo a Arabia Saudí. Algunos países exportan petróleo y gas; otros, algodón u ordenadores. El Transdniéster exporta armas; eso sí, ilegalmente. ¿Y qué clase de armas? Enormes cantidades de obuses y cohetes soviéticos. Ametralladoras, lanzacohetes, RPG, etcétera, recién fabricados en lo que se describe como «al menos seis complejos fabriles». Minas, misiles antiaéreos y Alazans, unos cohetes que han sido equipados con cabezas de carga radiactiva, lo que se conoce como «bombas sucias».

Nada de todo esto es legal, pero al gobierno del Transdniéster le da igual, porque, de hecho, no se trata de un país. Es más bien una región disidente de Moldavia que ha establecido su propio gobierno, su ejército y toda la parafernalia propia de la soberanía, aun cuando no ha sido reconocido por ningún otro país. Poco después de que se disolviera la Unión Soviética, el Transdniéster se escindió de Moldavia, la antigua república socialista soviética. Pese a tener un territorio reducido, casualmente el Transdniéster albergaba la mayor parte de la industria moldava. Dado que Moldavia no acepta la secesión, se niega a patrullar la frontera con la región disidente. Permitir el paso de misteriosos cargamentos sin impedimento alguno constituye un medio para que los funcionarios moldavos incrementen su escaso sueldo. Dichos cargamentos también parten por vía aérea desde Tiraspol, la capital del Transdniéster, y viajan por carretera y ferrocarril hasta el puerto de Odessa, en la vecina Ucrania.

Hay que decir otra cosa sobre el Transdniéster: no es precisamente la clásica región disidente con profundos agravios históricos o un fuerte movimiento de liberación popular. Se trata más bien de una empresa de contrabando criminal de propiedad y gestión familiar. Una compañía llamada Sheriff gestiona el grueso de su comercio. Su director, Vladimir Smirnov, tiene también a su cargo el servicio de aduanas. Y lo que resulta aún más conveniente: es el hijo del presidente del «país». En la política del Transdniéster, el comercio y las finanzas se hallan oportunamente integrados en una sola empresa delictiva que se reduce —como declararía un estudioso moldavo al *Washington Post*— a «Padre, Hijo y Sheriff».

El Transdniéster es la materialización de lo ilícito. El Estado y la empresa criminal son lo mismo. Dado que nadie lo reconoce, no existe una manera clara de abordarlo. Moldavia, al que oficialmente pertenece, no tiene ni la capacidad ni la voluntad política de recuperar el control de la situación. Por otra parte, es un lugar aislado, la clase de lugar en que pensamos cuando imaginamos una tierra remota que ha quedado anclada en el pasado. Aunque eso tampoco es del todo cierto. Aislado o no, el caso es que el Transdniéster ha adquirido una considerable influencia internacional. Sus armas se han propagado por todos los países vecinos —varios Alazans con sus cabezas radiactivas han desaparecido, y todos los indicios apuntan al Cáucaso—, y con ellas su capacidad para debilitar a sus gobiernos generando una rica variedad de oportunidades para la corrupción y la delincuencia. El Transdniéster es, de hecho, un actor con influencia global, ya que las armas que allí se producen han aparecido, por ejemplo, en guerras regionales y civiles de toda África. Ofrece productos muy buscados; y hoy más que nunca, quien busca encuentra.

La sociedad civil está armada

La facilidad para comprar armas resulta algo muy familiar en Estados Unidos, ya que un gran número de ellas se venden en las tiendas Wal-Mart, así como en miles de otros comercios, lo que contribuye a alimentar un floreciente mercado legal e ilegal de armas usadas. Estados Unidos constituye un caso poco habitual, ya que su tradición política aprueba, e incluso celebra, la posesión de armas de fuego por parte de civiles. Así, se calcula que los estadounidenses tienen unos 234 millones de armas cortas.[39] Si a ello añadimos el equipamiento de la policía y el ejército, nos encontramos con que en Estados Unidos hay casi tantas armas cortas como habitantes, y que su número representa más de la tercera parte de las reservas mundiales. Como resultado de ello, Estados Unidos se distingue también por el poder político que ostentan el *lobby* de los propietarios de armas y su organización insignia, la Asociación Nacional del Rifle (NRA). Las frecuentes campañas de esta contra los intentos de imponer nuevas restricciones a la posesión de armas de fuego o de reglamentar su comercio no representan nada nuevo en la vida pública estadounidense. Pero estas posturas acarrean graves consecuencias en una época en que el mercado armamentístico es cada vez más ágil, más sensible a la demanda y más aficionado a eludir las normas vigentes.

Pero si Estados Unidos sigue siendo, con diferencia, el país más armado del mundo, otros países no le van a la zaga. Militares, fuerzas del orden y deportistas, además de guardias de seguridad, vigilantes, milicias, delincuentes y civiles normales y corrientes, disponen de un número creciente de armas cada vez más letales. La televisión nos muestra el uso generalizado de armas en lugares tales como Cisjordania, donde se disparan en los funerales políticos, o en Irak, donde los civiles celebraron la captura de Sadam Husein disparando en las calles. Pero si el segundo país más armado del mundo es otro «punto conflictivo», Yemen, el tercer lugar le corresponde nada menos que a la tranquila Finlandia, seguida de cerca por Noruega, Alemania y Francia.[40] También se habla muy poco del espectacular aumento de los crímenes con arma de fuego en Europa. Una cadena de trágicos acontecimientos, de Suecia a Italia, ha venido a cuestionar la presunción europea de que los disparos efectuados al azar por individuos desequilibrados en escuelas, oficinas, restaurantes y espacios públicos constituyen una especialidad estadounidense. En el Reino Unido, donde hasta una fecha tan reciente como el año 2000 la policía no llevaba pistola, los crímenes con arma de fuego aumentaron en un 34 por ciento entre ese año y 2003.[41] Asimismo, las autoridades europeas están incautando armas cada vez más pesadas: menos revólveres y rifles, y más pistolas automáticas y metralletas.[42] Los alemanes, por ejemplo, compran en la actualidad casi tantas armas de fuego como los estadounidenses. En general, los ciudadanos europeos se encuentran más fuertemente armados de lo que normalmente se reconoce. En conjunto, los quince países de la Unión Europea anterior a la ampliación exportaban más armas cortas que Estados Unidos; el detalle relevante, sin embargo, es que un porcentaje significativo de dichas armas se vendía en la propia Europa.[43]

El saldo es aún mayor en otros lugares. Un estudio realizado en la capital de Uganda, Kampala, reveló que un porcentaje creciente de las muertes por lesiones, que había pasado del 11 por ciento en 1998 al 23 por ciento en 2001, se debía al uso de armas cortas.[44] Otro estudio, realizado en la isla filipina de Mindanao, atribuía el 85 por ciento de las muertes por heridas externas a las armas cortas, mientras que más de las tres cuartas partes de los muertos y heridos causados por la violencia criminal había que atribuirlas a pistolas y armas automáticas.[45] Varios estudios llevados a cabo en

América Latina en 1996 situaban los crímenes con arma de fuego como principal preocupación de la región. El anuario *Small Arms Survey* califica los efectos del comercio ilícito de armas y del uso de estas de «negación del desarrollo»: no solo se trata del perjuicio directo en forma de lesiones y pérdida de vidas, sino también del desvío de las inversiones, el cierre de escuelas y clínicas amenazadas, la inducción de los niños a entrar en ejércitos y bandas, y toda una serie de otros costes que drenan los recursos públicos y el potencial social de las comunidades.[46]

De manera inmediata, la fuga constante de excedentes de armas, de bajo coste y de segunda mano a través de una flexible oferta empresarial global, está agotando la capacidad de control de los estados sobre las mismas. Y allí donde los estados pierden el control —como está ocurriendo en muchos lugares—, lo que viene a llenar el vacío es una forma de sociedad civil armada integrada por grupos insurgentes, empresas privadas, bandas de individuos e incluso agentes libres, todos ellos con acceso a las armas y sin tener que dar cuentas a nadie. Esa sociedad civil armada no se basa en determinados ideales o en la religión, sino en el temor y en la falsa sensación de protección que produce el tener una pistola en la mano. Esos instintos, temores y espejismos generan una creciente demanda de armas que los agentes del poder, el beneficio y la codicia están encantados de alimentar y satisfacer.

El sector más emblemático del apogeo de la sociedad civil armada es la seguridad privada, que hoy experimenta un auge de proporciones históricas.[47] El negocio global de la seguridad está creciendo a un ritmo tal que se calcula que, de un volumen de 100.000 millones de dólares en 2001, habrá pasado a 400.000 millones en 2010. En muchos países, el gasto en seguridad de empresas e individuos supera al presupuesto estatal destinado a las fuerzas del orden. Desde México hasta Manila, pasando por São Paulo y Moscú, los distritos comerciales y los barrios acomodados están inundados de vigilantes de seguridad, en algunos casos fácilmente identificables por su uniforme distintivo, pero en otros bastante menos organizados. Los principales beneficiarios de este desplazamiento de la demanda hacia los servicios privados han sido las grandes empresas internacionales del sector, como Wackenhut, Securicor y ADT, algunas de las cuales operan en un centenar de países.

Sin embargo, el de la seguridad es también un negocio en expansión en el ámbito local, fácil de emprender y sobre el que apenas existe control. Camerún, por ejemplo, cuenta con más de 180 empresas de seguridad privadas. Y quienes carecen de protección profesional acuden, en una especie de carrera armamentística, a alternativas menos tradicionales y más sospechosas, creando en el mercado un lucrativo segmento para los vigilantes privados. Un estudio realizado en 2001 en Kaduna, Nigeria, encontró que había veinte empresas de seguridad que atendían a 295 clientes, el triple que en 1997. Al mismo tiempo, unos autodenominados Grupos de Vigilantes de Nigeria (Sección de Kaduna) daban protección a 4.300 viviendas por una cuota periódica.[48]

El incremento de la seguridad privada, que hoy representa uno de los rasgos distintivos de la globalización, refleja y refuerza la propagación de las armas, subrayando no solo el dinamismo del mercado armamentístico, sino su íntima conexión con el fracaso de algunos estados y la inestabilidad de otros que, aunque no hayan fracasado, resultan cada vez más ingobernables.

Pero las cifras revelan también otra verdad de mayor envergadura: la demanda de armas de toda clase es ilimitada y no para de crecer, y los intentos de los gobiernos de restringir dicha demanda o de controlar el comercio internacional de armas están resultando infructuosos. No hay en el mundo ningún grupo insurgente, organización criminal o ejército de mercenarios que tenga problemas para conseguir las armas que necesita.

Fantasmas y fronteras

Los nuevos mercados armamentísticos dejan a los estados en una situación de permanente desventaja, a la que tratan de enfrentarse cada vez con menos éxito. En un mercado global definido no tanto por la presencia de unos pocos grandes proveedores como por una constelación de pequeños productores e intermediarios, la proliferación de estos últimos cuyo número solo en Europa asciende a varios miles, hace que su regulación constituya un desafío inmenso y que la aplicación de medidas eficaces sea extremadamente rara.[49] Las normas relativas a la autorización oficial y a la obligatoriedad de informar por parte de los intermediarios varían de un país a otro.[50] Así, por ejemplo, un código deontológico para el comercio de armas aprobado en la Unión Europea en 1988 sigue sin ser vinculante para los estados miembros. De vez en cuando, los países productores imponen restricciones a las exportaciones de armamento a ciertos destinos, pero la diversidad de la oferta y la fluidez del mercado hacen que su efecto sea mínimo.

El problema subyacente es, desde luego, que los estados están mal preparados para poner freno a un problema que los ha superado hasta el punto de que el solo hecho de definirlo —y elaborar estadísticas fiables de las armas que están en circulación, ya sean compradas o vendidas— constituye un objeto de permanente controversia. De hecho, los estados se encuentran en desventaja por su propia naturaleza, ya que se requiere una complicada interacción entre diversos organismos tanto dentro del propio país como —lo que resulta aún peor— más allá de sus fronteras para seguir el rastro de los movimientos y acciones de unos hombres de negocios en extremo autónomos que saltan constantemente de un país a otro. Las fronteras benefician a los traficantes: en el clásico contrato de compraventa de armamento ilícito, el comprador, el vendedor, el intermediario, el banquero y el transportista suelen encontrarse en países distintos. En el período inmediatamente anterior al genocidio que asoló Ruanda en 1994, un traficante francés entregó armas polacas e israelíes a Ruanda por intermedio de una empresa de las islas Turks y Caicos con una dirección en Ginebra, una empresa de transporte aéreo de África occidental y un intermediario afgano que representaba a los ruandeses desde su sede en Italia. En 1997, un agente alemán suministró helicópteros de combate de Kirguizistán al Congo a través de un intermediario belga con una cuenta bancaria en Sudáfrica.[51]

Los traficantes pasan de una jurisdicción a otra jugando permanentemente al gato y el ratón. Sus métodos de transporte preferidos funcionan según el mismo principio, con aviones registrados bajo banderas de conveniencia —como los barcos—, y fletados y tripulados por individuos de varias nacionalidades. Un 707 de carga que en 1999 transportó armas eslovacas a Sudán (por cortesía de una empresa comercial siria y con un certificado de cliente final emitido en el Chad) constituía la flota íntegra de una compañía aérea chipriota perteneciente a un empresario suizo.[52] El propio avión estaba registrado en Ghana, aunque esa no era sino la última de sus numerosas encarnaciones. Un Antonov 12 que se estrelló en 2000 cuando transportaba armas a Monrovia se había registrado en Moldavia el mismo día en que se había borrado del registro; era, pues, un avión «fantasma» sin afiliación oficial.[53] Fletado por una empresa congoleña ficticia, había declarado dos planes de vuelo distintos. Un empresario británico ofrecía desde su despacho, en la periferia de Londres, el servicio de rematriculación, en cuestión de minutos, de aviones en un país de conveniencia especialmente poco severo. Y los trucos de este tráfico continúan, todos ellos basados en la confusión creada al dispersar en el mayor número de jurisdicciones posible las piezas que integran una transacción.

Los esfuerzos para poner freno a este comercio no han hecho más que fracasar. Los embargos por parte del Consejo de Seguridad de las Naciones Unidas, que hasta 1989 solo se habían decretado en dos ocasiones (con la antigua Rhodesia y con Sudáfrica), se han convertido en un recurso común, utilizado desde 1990 con Haití, Irak, Liberia, Libia, Ruanda y sus países vecinos, Sierra Leona, Somalia, la antigua Yugoslavia (dos veces) junto con los serbios de Bosnia, y el movimiento angoleño UNITA (la primera entidad no estatal sancionada de este modo en 1993). No obstante, ninguno de ellos ha dejado de tener armas a pesar del embargo, y el principal efecto de este ha sido que suba el precio de las mismas.[54] En África occidental, la organización regional ECOWAS anunció a bombo y platillo en 1988 una moratoria supuestamente vinculante sobre armas cortas.[55] Pero este experimento —el primero de su clase— ha resultado un completo fracaso, y las armas cortas siguen llegando a la región y circulando por ella, e incluso se fabrican a escala local.

Un destino similar corrió la largamente esperada (y espléndidamente titulada) «Conferencia de las Naciones Unidas sobre el comercio ilícito de armas cortas y armamento ligero en todos sus aspectos», celebrada en julio de 2001,[56] que aspiraba —como todos estos grandes encuentros— a establecer cuando menos un marco y unas directrices mínimas para abordar la cuestión, cuya elaboración hacía muchos meses que esperaban tanto los grupos activistas como los gobiernos afectados. En lugar de ello, la conferencia se desvió fatalmente de su objetivo. Estados Unidos se negó categóricamente a abordar el problema de las ventas a entidades o agentes no estatales basándose en que ello violaba la Constitución estadounidense. El entonces subsecretario de Estado, John Bolton, que en la segunda administración Bush pasaría a convertirse en el embajador de Estados Unidos ante la ONU, anunció que Washington no aceptaría un documento contrario al «derecho constitucional a poseer y llevar armas» vigente en Estados Unidos.[57] El presidente de la Asociación Nacional del Rifle, Wayne LaPierre, acusó a la conferencia de poner «una pauta global por delante de la libertad de un país concreto».[58] La ONU tuvo que aclarar que la conferencia no tenía competencia sobre las leyes nacionales de los países miembros, pero fue en vano.[59] Las recriminaciones debilitaron irremisiblemente los resultados de la conferencia y, en la práctica, acabaron por provocar su fracaso.

Aun así, incluso una conferencia coronada por el éxito no habría significado más que un pequeño paso, una mera tentativa de acuerdo por parte de los estados para abordar, de la forma que fuere, un problema que parece estar a punto de írseles de las manos para siempre. En cambio, la capacidad de adaptación del mercado es cada vez mayor, y el tráfico de armas sigue fuera de control. El principal indicador del mercado —los precios— parece sugerir que la transformación del armamento, que de ser una materia reservada se ha convertido en una mercancía corriente, se encuentra muy avanzada, si es que no se ha completado ya. En 1986, en la población rural keniata de Kolowa, hacían falta quince vacas para comprar un AK-47; hoy solo se precisan cinco.[60] Así pues, no parece que el fenómeno de la sociedad civil armada sea algo pasajero.

4

No hay negocio como el de la droga

Todo negocio tiene sus personajes característicos, pero el de la droga quizá más que ninguno, incluidos los pequeños traficantes, los correos, los grandes narcos, las «mulas»... o así nos lo ha mostrado el cine. El hombre al que conocí una tarde en un elegante restaurante de una población fronteriza mexicana no encajaba con ninguno de esos personajes. Y, sin embargo, las personas como él desempeñan un papel fundamental en el actual tráfico de drogas. Resulta difícil identificarlos debido a su «normalidad». Tampoco es sencillo darles caza, porque su implicación en este tráfico constituye solo un aspecto de sus negocios, perdido en el flujo del comercio legítimo. Son traficantes casi por accidente; el accidente de haber tropezado con un negocio demasiado jugoso para rechazarlo.

Don Alfonso (aunque en realidad no se llama así) es un sesentón de vitalidad desbordante y orgulloso padre de familia. Inició la conversación que mantuvimos mientras comíamos diciéndome que sus dos hijos se habían graduado —con honores, puntualizó— en famosas universidades estadounidenses y actualmente llevaban adelante una exitosa carrera profesional en los campos del arte y la medicina en la Ciudad de México.[1] Me explicó que su familia era propietaria desde hacía largo tiempo de una mediana empresa dedicada a la construcción. A mediados de la década de 1990, don Alfonso se aventuró —casi sin darse cuenta, aunque no del todo— en el negocio del «transporte».

Empezó a enterarse de los detalles y la mecánica del contrabando de droga cuando decidió averiguar cuál era la verdadera causa del elevado índice de rotación entre los camioneros de su empresa. Descubrió que a un conductor le bastaba con cruzar una sola vez la frontera con un cargamento de droga relativamente pequeño para ganar el equivalente a un año de salario. Lógicamente, después de hacer el agosto de ese modo, el trabajo de camionero no resultaba ni apetecible ni necesario. Gracias a esa investigación, Alfonso descubrió también que los financieros que ponían el dinero para que los conductores compraran la droga eran destacados miembros de la comunidad empresarial local y conocidos políticos, que obtenían enormes beneficios de sus préstamos. Dichos préstamos apenas comportaban riesgo, ya que raras veces se pillaba a los conductores. Además, en su código de honor, devolverlos era sagrado.

—Finalmente —me contó don Alfonso—, un día, casi por puro aburrimiento y curiosidad, le dije a uno de mis empleados de confianza que sabía que estaba usando nuestros camiones para el contrabando, y que lo justo era que compartiera parte de los beneficios con la empresa. Aceptó de inmediato, y, como suele decirse, el resto es historia.

Luego prosiguió:

—Desde entonces empecé a participar cada vez más a menudo, sobre todo como financiero, y aunque solo lo hacíamos alrededor de una vez al mes, los beneficios eran varias veces superiores a los que obteníamos en la construcción. Aunque continuamos con nuestro negocio de siempre, debo admitir que a veces pienso que en esta población el negocio de la construcción resulta más arriesgado que pasar droga al otro lado.

Le pregunté si no le preocupaban los peligros que corría. Don Alfonso sonrió.

—¿A qué se refiere? —quiso saber—. Yo solo soy un pequeño empresario que presta dinero a sus empleados, y lo que hagan con él es cosa suya. ¿Sabe?, hay miles como yo. Los gringos y la policía están demasiado ocupados cazando a los peces gordos, y si tienen que perseguir a los pequeños como nosotros, necesitarán construir una nueva cárcel del tamaño de este pueblo. Toda la región iría a la quiebra. Ningún gobierno puede hacer eso. Y además, ¿para qué iba a hacerlo? Los peces gordos dan espectáculo y van bien para la política. Nosotros no.

No mucho después de esta conversación, las antiguas guerras del narcotráfico en México experimentaron otro de sus periódicos y espectaculares rebrotes. Esta vez resultó que los jefes de dos organizaciones de narcotraficantes rivales desde hacía mucho tiempo, la de Arellano Félix y el cártel del Golfo, habían sellado una alianza en la cárcel de alta seguridad en la que permanecían encerrados tras ser detenidos en unas célebres redadas realizadas por los federales. Desde su alojamiento penitenciario, los nuevos aliados estaban llevando a cabo una feroz campaña contra un nuevo y agresivo competidor, Joaquín Guzmán, el Chapo, un forajido del que se decía que contaba con la protección de los habitantes de su estado natal, Sinaloa.[2] El director de la cárcel había sido relevado. En cuanto a la gravedad de la amenaza planteada por Guzmán, esta se hizo manifiesta cuando un miembro del equipo que preparaba los viajes del presidente Fox fue detenido bajo la sospecha de tener vínculos con él.

La experiencia hace pensar que al final Guzmán será arrestado o asesinado, o bien por los federales, o bien por otros delincuentes. Pero también esa victoria será pasajera. Para don Alfonso y otros muchos respetables ciudadanos, empresarios y funcionarios de su ralea que ayudan a mantener el tráfico de drogas, el negocio seguirá funcionando y reportándoles dinero. Esta es una de las aparentes contradicciones del negocio de la droga, que, cuando se examinan de cerca, dejan de serlo. Que aparezca un notorio criminal para reemplazar a otro es una idea fácil de asimilar. Pero en la actualidad, estos no representan más que la punta del iceberg.[3] Mucho más difícil de entender, y no digamos de combatir, es la difusión de los negocios de la droga en el entramado de la vida económica local y global, así como sus amenazadoras implicaciones políticas. Y sin embargo, más que ningún cártel, capo o jefe militar rebelde, es a esta generalización de alcance global del negocio a la que se enfrentan hoy principalmente quienes luchan contra la droga.

Comunicados del frente

Otras paradojas del tráfico de drogas, quizá más familiares, no hacen sino confirmar esta impresión. Veamos, por ejemplo, el caso de Washington. Esta ciudad constituye el eje de la denominada «guerra contra la droga», la mayor, la más costosa y tecnológicamente avanzada ofensiva contra el narcotráfico de toda la historia de Estados Unidos. Tanto en la capital estadounidense como en sus alrededores, miles de empleados federales acuden diariamente a unos puestos de trabajo que existen con la única y exclusiva finalidad de combatir el narcotráfico y hacer cumplir la ley. Algunos de ellos son agentes de la Administración de Ejecución de las Leyes sobre Drogas (DEA), o personal de la oficina de política antidroga de la Casa Blanca, la sede del denominado «zar antidroga». Otros son especialistas en narcóticos procedentes de organismos y servicios como la Oficina de Inmigración e Intervención Aduanera (ICE), el cuerpo de oficiales de justicia, el servicio secreto, el FBI, los guardacostas, etcétera.[4] Todos ellos forman los engranajes de una vasta maquinaria que gasta alrededor de 20.000 millones de dólares anuales, solo en el ámbito federal, en la lucha contra el tráfico y el consumo de drogas. En todo el país, esta lucha produce cada año 1,7 millones de detenciones y 250.000 encarcelamientos. En Washington, el 28 por ciento de los reclusos lo son principalmente por cargos relacionados con las drogas.[5]

Sin embargo, apenas a unos minutos de esos despachos se encuentran los sesenta mercados de droga al aire libre de Washington que abastecen a quienes buscan un chute, a los camellos locales o a los intermediarios que llevan el producto a los barrios altos. Y son mercados florecientes. La oferta es abundante y los precios se mantienen constantes, lo que constituye un rasgo distintivo de los negocios de gran volumen. La pureza de la heroína va en aumento. Hay productos para todos los gustos y presupuestos, desde los esnifables de primera calidad para chicos ricos y banqueros, hasta las ampollas que mezclan crack y heroína destinadas a que se inyecten los adictos más enganchados (este material más barato siempre puede encontrarse en las inmediaciones de las clínicas donde se suministra metadona). Con un mercado como este, que a todos tiene algo que ofrecer, apenas sorprende que casi uno de cada dos washingtonianos de más de doce años admita haber consumido alguna droga ilícita.[6] Sin embargo, en 2004 solo se incautaron 50 kilogramos de cocaína y 34 de heroína en todo el Distrito de Columbia.[7] Las cifras resultan triviales si se comparan con el visible comercio que tiene lugar cada día en las calles.

En Washington, una ciudad con notorias diferencias de renta y raza, la economía de la droga viene a conectar a los distintos segmentos de la sociedad local de manera más efectiva que casi cualquier otra cosa. El 20 por ciento de los estudiantes de secundaria del Distrito de Columbia reconoce que consume marihuana de manera regular, mientras que el 5 por ciento afirma que ha consumido heroína. Este fenómeno se extiende —aumentando incluso— a las prestigiosas escuelas privadas en las que se prepara para triunfar a los hijos de los altos funcionarios y personalidades políticas. Los adolescentes de la élite tienen a su disposición un impresionante abanico de sustancias: marihuana, hachís, cocaína, heroína, hongos alucinógenos, LSD, éxtasis, PCP y cualquier droga que esté de moda. Todas se encuentran, literalmente, al alcance de su mano: basta con una llamada o un mensaje de móvil.[8] Una joven me dijo que podía conseguir una bolsa de hierba en veinte minutos; si era cocaína, necesitaba unas horas. Según unos chicos de quince años, para ellos resulta más fácil comprar un porro que un paquete de tabaco. Así pues, en el que constituye el cuartel general de la lucha contra la droga en Estados Unidos está venciendo la fuerza más poderosa: el mercado.

Pero esto no solo ocurre en el cuartel general, sino también en el frente de batalla. En Afganistán, por ejemplo, el cultivo de la amapola no para de aumentar. En 1999, la producción de opio alcanzó la cifra récord de 5.000 toneladas. Al año siguiente, los talibanes ilegalizaron el cultivo de la amapola, que consideraban contrario al islam. Los escépticos afirmaron que lo que buscaban en realidad era provocar un aumento de precios y vender las reservas del país con un elevado margen de beneficios. En cualquier caso, la producción descendió hasta llegar a solo 200 toneladas en 2001, obtenidas en el extremo norte del país, fuera del alcance de los talibanes. A finales de ese año, Estados Unidos y sus aliados expulsaron del poder a las milicias islamistas, y el nuevo gobierno de Kabul, encabezado por Hamid Karzai, se apresuró a ratificar la prohibición de cultivar opio. Pese a ello, el cultivo de amapola volvió a extenderse, recuperando las mejores tierras en todo el país e invadiendo aquellas antes dedicadas al trigo. En el plazo de un año, la extensión de los cultivos de amapola estuvo a punto de alcanzar los niveles de 1999. En 2004 se calculaba que Afganistán producía unas 4.200 toneladas de opio procedentes de 323.700 hectáreas de cultivo.[9] El gobierno de Karzai inició también una intensa campaña para disuadir a quienes plantaban amapolas; pero hoy nadie cree que a corto plazo su cultivo vaya a dejar de constituir la principal actividad económica de Afganistán.

La oportunidad es demasiado tentadora. A pesar de que el cultivador afgano recibe solo una parte microscópica de lo que sus plantas van a generar en el otro extremo de la cadena —una vez que el opio se refine y se convierta en morfina y luego en heroína, después se mezcle con sustancias como la quinina o la levadura en polvo, y se distribuya por las calles de Estados Unidos o de Europa—, este sigue siendo, con mucho, el uso más lucrativo que puede dar a sus tierras. Y también resulta cómodo: las amapolas necesitan menos agua que el trigo, y su savia no se pudre. Además, en la actualidad los afganos se las arreglan para obtener un beneficio algo mayor: en el pasado, el opio se expedía en bruto; hoy están brotando por todo el país laboratorios que lo refinan convirtiéndolo en droga de gran valor.[10] Uno de los efectos de este negocio es que hace subir el precio de la mano de obra. Recientemente, un periodista del *Washington Post* reveló que en una aldea del norte de Afganistán el jornal ascendía a 10 dólares, mientras que hasta hacía poco solo era de tres. Un policía local gana 30 dólares al mes, eso suponiendo que le paguen, de modo que un soborno de 100 dólares en efectivo puede comprar muchas voluntades.

No son mejores las noticias que llegan de otro conocido frente de batalla. En Colombia, quince años y miles de millones de dólares del presupuesto estadounidense dedicados a ayudar al ejército local en su lucha contra el narcotráfico han obtenido algunos éxitos: la decapitación de los cárteles de Medellín y de Cali, además de un montón de arrestos, extradiciones y condenas con el resultado de largas penas en cárceles estadounidenses. Pero el flujo de droga no cesa. Tanto los grupos guerrilleros izquierdistas, las FARC, como sus oponentes, las llamadas fuerzas «de autodefensa» AUC, controlan territorios en los que se cultiva la hoja de coca, protegen laboratorios en los que se elabora cocaína, y obtienen unos ingresos de la exportación de drogas que pueden representar hasta el 50 por ciento de los ingresos de las FARC y el 70 por ciento de los de las AUC.[11] Los intereses del narcotráfico llegan hasta lo más alto del estamento político y militar. Colombia no solo produce la mayor parte de la cocaína de todo el mundo, sino que se ha convertido también en un importante protagonista del tráfico de heroína gracias a las extensas plantaciones de amapolas que llegaron en la década de 1990 procedentes de Asia. En lo que se refiere a los amplios programas de fumigación de cultivos financiados por Estados Unidos, las redes del narcotráfico también han sabido encontrar una respuesta: investigación y desarrollo. Disponer de una menor extensión de cultivo ya no equivale a producir menos, puesto que los traficantes están aplicando las técnicas agrarias más modernas para aumentar la productividad. Así, en Colombia se han desarrollado nuevas variedades de la planta de la coca que son resistentes a los herbicidas.[12] Casualmente, ha resultado que estas variedades también son más frondosas —alcanzan hasta el doble de altura de la planta tradicional— y producen una cocaína mucho más pura y potente.

La tecnología ha permitido asimismo la integración de nuevos productos en este lucrativo mercado. El más demandado (y, por ende, el más caro), la marihuana, ya no solo se cultiva en las selvas tropicales de Colombia o México. Ahora viene de la Columbia Británica, en Canadá. La variedad conocida como *BC Bud* se cultiva empleando avanzadas técnicas hidropónicas y de clonación en viveros especiales que mantienen la temperatura y otras condiciones en niveles óptimos durante todo el año. Una frontera accidentada y difícil de patrullar plantea más problemas a la policía que a los contrabandistas que atraviesan los rápidos en kayak con cargamentos de hasta 45 kilogramos de *BC Bud* —que luego se venderá en California a casi

8.000 dólares el kilogramo—, y que coordinan las entregas por medio de teléfonos celulares y BlackBerry. El negocio de la *BC Bud* también comporta el traslado de cocaína y de armamento de Estados Unidos a Canadá. Según las fuerzas del orden canadienses, esta industria se ha convertido en un negocio gigantesco que mueve un volumen de 7.000 millones de dólares anuales. Hace una década, en cambio, apenas existía.[13]

La adicción se hace global

Pese al carácter global del comercio, la atención pública todavía se centra en los frentes habituales: Estados Unidos y Europa en lo que respecta a la demanda; y Colombia, México, Afganistán y algunos otros países en lo que atañe a la oferta. Existe una explicación para ello. Estados Unidos sigue siendo, con gran diferencia, el mayor consumidor de drogas ilegales. Es asimismo el motor de la respuesta global, extendiendo con frecuencia hasta más allá de sus fronteras su política basada en el control del narcotráfico mediante la fuerza militar. En el otro extremo de la cadena de la oferta, es cierto también que Colombia y Afganistán son los principales proveedores, respectivamente, de cocaína y heroína. Se trata de datos anteriores a la década de 1990, que se mantienen constantes.[14]

No obstante, tomados de manera aislada, estos datos plantean un panorama que resulta extremadamente engañoso, ya que durante la década de 1990 el número de países que declaraban tener graves problemas con las drogas aumentó de forma constante. El número creciente de infectados de sida se convirtió en un macabro indicador de las nuevas rutas comerciales de las drogas inyectables. En el creciente mercado mundial de drogas, los tres grandes narcóticos —la marihuana, la cocaína y los opiáceos— perdieron cuota de mercado en favor de la metanfetamina, más peligrosa, potente y adictiva que la heroína. La epidemia de metanfetamina integra en una crisis común a las pequeñas ciudades del corazón de Estados Unidos y a prácticamente todas las categorías sociales de Tailandia, donde se conoce como *yaa baa* («droga loca») y se utiliza como estimulante laboral además de como droga para obtener placer.[15] Otros compuestos —el éxtasis, la ketamina, el GHB y el Rohipnol— también están en auge. Dado que estas drogas son productos químicos que no dependen del suministro de plantas, pueden elaborarse prácticamente en cualquier lugar en el que se consigan algunos productos básicos y se improvise un laboratorio. Pero eso no significa que su elaboración se vea restringida a la industria casera. La metanfetamina que mata por sobredosis a un adolescente en Missouri tiene tantas probabilidades de haber entrado en Estados Unidos procedente de Canadá o de México como de haber sido elaborada en algún garaje local.

La explosión global de la oferta y la demanda ha hecho añicos la ilusión de invulnerabilidad que albergaban los gobiernos —o, para el caso, la opinión pública— de muchos países. Hoy no existe ningún país lo suficientemente aislado como para engañarse a sí mismo, o engañar a sus críticos, imaginando que no tiene arte ni parte en el tráfico global de drogas. Naciones que durante mucho tiempo creyeron no ser más que puntos «de transbordo», hoy se ven enfrentadas al hecho de haberse convertido en importantes proveedores, consumidores, o en ambas cosas. En Tayikistán, el vecino septentrional de Afganistán —del que lo separan cientos de kilómetros de una frontera especialmente porosa—, se incautaron en 1996 solo seis kilogramos y medio de heroína, una cantidad tan pequeña que cabe en una mochila y aún sobra espacio.[16] En 2002, las autoridades tayikas se incautaron de cuatro toneladas, pero se calcula que se les escaparon otras ochenta. No resulta sorprendente que el producto haya inundado las calles. En la capital, Dushanbe, un gramo de droga de buena calidad no cuesta más de ocho dólares, y actualmente hay allí 20.000 adictos graves. Las jeringuillas desechables escasean, y las infecciones por VIH y otras enfermedades están en alza. El mismo destino ha tenido la provincia china de Yunnan, una importante ruta de exportación de heroína desde Myanmar y —no por casualidad— la zona donde se originó la epidemia de sida en China. En Yunnan, donde las incautaciones de droga han llegado a ser hasta de media tonelada, la adicción a la heroína se ha extendido con rapidez, y para conseguirla las adolescentes se prostituyen por cinco yuanes (poco más de medio euro).[17] Rusia, Japón, la India, Sudáfrica, Brasil, Venezuela y México son solo algunos de los países en los que el consumo de drogas y sus efectos secundarios han adquirido el carácter de emergencia sanitaria nacional.

Lo que es bueno para el consumidor es bueno para el vendedor: nunca en el negocio de la droga los intermediarios conformaron un colectivo tan heterogéneo como en la actualidad. Ya no hace falta que provengan de un país en el que se producen drogas. Hace veinte años, los nigerianos eran prácticamente desconocidos en el narcotráfico global, y todavía hoy Nigeria apenas produce drogas con la única excepción del cannabis, que se cultiva a escala local, aunque no constituye una de las principales exportaciones del país.[18] Sin embargo, en la actualidad los nigerianos gestionan lucrativos segmentos del tráfico y distribución de drogas en los más remotos rincones del mundo. Exportadores nigerianos con sede en Bangkok consiguen heroína, a través de varios intermediarios locales, procedente de Myanmar, o bien, cuando el producto afgano resulta más competitivo, envían correos a comprarla a Pakistán. Luego la envían en grandes cantidades a Lagos por transporte aéreo o marítimo. Cuando en algún sitio concreto las fuerzas del orden despiertan de su letargo, los traficantes pasan a otras rutas alternativas: quizá por tierra hasta Nigeria desde otras partes de África, o bien evitando por completo el territorio nigeriano en favor de Sudáfrica, Ghana o Costa de Marfil. Para la crucial entrada en Estados Unidos, suelen utilizar como «mulas» a mujeres blancas —consideradas de bajo riesgo—, a las que envían desde diversos aeropuertos europeos. En Estados Unidos, los nigerianos participan en el mercado mayorista de la heroína en varias ciudades, y tienen un papel especialmente preponderante en Chicago, donde instalaron su negocio a finales de la década de 1980, después de que las autoridades desmantelaran la red anterior, básicamente compuesta por mexicanos.[19] Para proveer a los vendedores locales, los mayoristas de Chicago utilizan servicios postales, correos o empresas de mensajería.[20] Luego, al llegar al nivel de la venta al público, los nigerianos se desvanecen.

Como muestra este ejemplo, el tráfico de drogas sigue valiéndose de redes étnicas para obtener mayor eficacia y confianza, aunque no exclusivamente. Al contrario que el modelo mafioso, en el que todas las transacciones se producen entre los miembros de una determinada «familia» criminal, el tráfico de drogas da lugar a especialidades que aprovechan el emplazamiento, la lengua, el conocimiento local o la capacidad de confundirse entre la multitud. Algunas transacciones del comercio del narcotráfico se basan en la confianza y el reconocimiento mutuo que implica un origen étnico común; otras se imponen por la amenaza de la violencia. Pero en un mundo en el que las fuentes de suministro y los destinos finales van en aumento, la mayor parte de las transacciones del narcotráfico no son más que eso: transacciones.

La desmitificación

Con esta apertura al ámbito de los negocios se ha producido una gran desmitificación, si bien es cierto que la nueva realidad aún no se entiende plenamente. Todavía en una fecha tan reciente como la década de 1980, el tráfico de drogas lo personificaban figuras legendarias como Pablo Escobar Gaviria, cuyas historias actualizaban la imagen popular del «narco» e hicieron que su protagonista disfrutara de algo parecido a un culto a la personalidad. Escobar, líder del cártel de Medellín, era uno de los empresarios responsables de haber convertido a Colombia, que a principios de los años ochenta apenas tenía incidencia en el tráfico de cocaína, en unos de los principales proveedores de dicha droga a escala global a finales de esa década.[21] Pronto, sin embargo, se distinguiría del resto. Su ingenio no tenía límites: en cierta ocasión ocultó una pista de aterrizaje bajo una serie de autocaravanas, cuyos moradores apartaban cuando aterrizaba un avión y mientras se bajaba el cargamento, y volvían a agrupar una vez que había despegado de nuevo. Su afición por la violencia horrorizaba incluso a otros traficantes supuestamente no menos insensibles. Entre otras cosas, creó una escuela de asesinos en la que experimentó nuevas técnicas, como la de situar al criminal en el asiento trasero de una moto, un método adecuado para el congestionado tráfico de Bogotá. Le gustaba considerarse un personaje público, un benefactor de su ciudad natal, donde construyó carreteras y escuelas e hizo cuantiosas donaciones para obras de caridad a la Iglesia católica local. Asimismo gustaba de mostrarse despilfarrador: organizaba fiestas fastuosas, coleccionaba coches antiguos, y hasta tenía un zoológico particular, con cebras, antílopes e hipopótamos.

La leyenda de Escobar —por no mencionar su prolongada impunidad *de facto*— puso rostro a la naciente guerra contra la droga en Estados Unidos, facilitando a la opinión pública un enemigo visible y definible. Asimismo, en el extremo estadounidense de la cadena hizo adeptos entre los nuevos empresarios del crack, que pasaron a adoptar los modales de los capos mafiosos, con un lujoso estilo de vida. Pero los días de los héroes descarados y rebeldes estaban tocando a su fin: demasiado visibles y evidentes, resultaban presa fácil para la justicia. Así, los capos del crack estadounidenses acabaron por ser capturados y encarcelados. Y en 1993, después de muchas aventuras e intentos fallidos de capturarle, su modelo, Escobar, fue finalmente asesinado por las autoridades colombianas.

Se había iniciado un cambio. Aunque la muerte de Escobar allanó el terreno a sus antiguos rivales de Cali, también ellos cayeron poco después. Colombia continuó siendo la principal proveedora de cocaína, ya fuera elaborada a escala local o transportada desde Bolivia y Perú; en los territorios controlados por la guerrilla y las milicias brotaron vastos campos de coca y laboratorios de procesamiento. No obstante, el equilibrio de poderes se había desplazado. A escala local, los movimientos paramilitares tomaron el control de la situación. Sin embargo, la parte del negocio de mayor valor añadido —el transporte del producto a Estados Unidos— pasó a México. A mediados de la década de 1990, los distribuidores a gran escala que más preocupaban a las fuerzas del orden eran mexicanos, entre ellos la organización de Arellano Félix en Tijuana; la de Carrillo-Fuentes en Juárez, y la de Cárdenas Guillén en Tamaulipas y Nuevo León.

Esos grupos se asemejaban a los cárteles colombianos en sus aspectos menos sutiles: la *vendetta*, la corrupción y la violencia extrema. Pero sus economías diferían de las de sus predecesores de Colombia, ya que poseían la ventaja posicional más envidiable de todas: el control de los territorios próximos a la frontera estadounidense, el punto más lucrativo de la cadena del narcotráfico y el que acumula mayor valor añadido. Y lo que era aún mejor: contaban con años de fructífera experiencia en el contrabando de toda clase de productos a través de la frontera, especialmente de seres humanos. La aprobación del Tratado de Libre Comercio hizo de esas dotes, ya de por sí excepcionales, la clave de una época de bonanza económica sin precedentes.

Los grupos mexicanos adaptaron con rapidez su negocio a las valiosas ventajas de la globalización.[22] Eso significaba, en primer lugar, mantener a toda costa el control de sus corredores transfronterizos: Tijuana y Mexicali, Juárez y Laredo (lo cual, según ciertas estimaciones, comportaba sobornos a funcionarios mexicanos por valor de hasta un millón de dólares semanales). Desde esta posición de fuerza, los cárteles mexicanos ofrecieron la posibilidad de asociarse a sus proveedores colombianos —incluyendo las FARC y las AUC—, a otros grupos de México y a los nuevos agentes que la globalización había incorporado al mercado: rusos, ucranianos y chinos. Asimismo vendieron el derecho a utilizar *sus* rutas a traficantes menores a cambio de peajes exorbitantes, que llegaban a representar hasta el 60 por ciento del valor del cargamento. A pesar del enorme tributo, esos comerciantes de menor envergadura prosperaron también gracias a los importantes márgenes de beneficio que obtenían en el mercado estadounidense.

En lo que representaba una completa remodelación del mercado, los conocimientos sobre el producto daban paso a la especialización funcional. Mientras que los cárteles colombianos habían sido hasta cierto punto organizaciones verticales centradas en un solo producto, los grupos mexicanos se dedicaban a controlar la frontera y a intervenir directa o indirectamente en el traslado a través de ella de una amplia gama de productos. Aunque algunos siguieron prefiriendo la especialización, otros diversificaron el negocio, traficando no solo con cocaína y marihuana, sino también con las nuevas sustancias en expansión, la heroína y las anfetaminas. Asociados con ucranianos, chinos y demás, incluyeron el tráfico de seres humanos.[23] De ese modo, al añadir otros productos a cambio de una cuota, llegaron a participar en el tráfico de casi todos los productos ilícitos que entraban en Estados Unidos. Los mexicanos también despuntaban en el arte, cada vez más importante, del blanqueo de dinero a gran escala. El grupo de Juárez, por ejemplo, era célebre por su red de 26 directores regionales, banqueros *de facto* distribuidos a lo largo y ancho del país.[24]

Mediante asociaciones, diversificación y desarrollo de habilidades financieras, a finales de la década de 1990 los cárteles mexicanos se adaptaron a la cambiante economía del negocio, obteniendo el máximo partido de su ventaja territorial.[25] Y a medida que aumentaron las rivalidades y el peligro físico, la remodelación del negocio prosiguió de manera coherente. Para cuando se capturó a los dirigentes de aquellos grupos —Benjamín Arellano Félix en 2002, y Osiel Cárdenas Guillén en 2003—, una gran parte de su negocio se hallaba ya demasiado descentralizada, bien protegida tras una fachada legal, como para que sus detenciones representaran algo más que un contratiempo pasajero. La hermana de Arellano Félix, Edenida, es un as de las finanzas y magnate inmobiliaria por derecho propio; con su liderazgo, el grupo llegaría a ser —en palabras de un periodista de Tijuana— más «una empresa que una banda». Además, y puesto que la naturaleza aborrece el vacío, pronto surgirían nuevos actores en el juego de poder, como Guzmán. Y mientras se desarrollaba este drama, las pequeñas empresas locales, como el negocio adicional de «transportes» de don Alfonso, que se vieron tan poco afectados por las guerras entre cárteles como por los miles de millones de dólares que han invertido los gobiernos estadounidense y mexicano para frenar el narcotráfico, prosperaron discretamente.

¿Qué nos indica este panorama? No precisamente que las grandes redes de traficantes hayan perdido protagonismo, pues siguen teniéndolo. Pero cada vez más han de compartir la parte básica del negocio con otros competidores menores. Como ocurre en cualquier actividad comercial, la presión de la competencia lleva a los agentes dominantes a invertir en nuevos productos y líneas comerciales que dejen un mayor margen de beneficio. Paralelamente, el número de actores ha crecido, sus actividades se han descentralizado, y ellos se han vuelto más inteligentes y financieramente despiertos. Se trata de un cambio oportunista, orientado a aprovechar las posibilidades que permite la globalización. Pero también es necesario sobrevivir frente al reto de las fuerzas del orden y la rivalidad de los nuevos participantes que se incorporan al mercado. En este proceso, el poder —y el mayor potencial de ingresos— se ha desplazado hacia la parte intermedia de la cadena de distribución, allí donde se dan las mayores oportunidades de realizar operaciones transfronterizas de alto valor, de diversificar y de establecer sinergias y asociaciones estratégicas. Nada muy distinto de lo que ha ocurrido con muchas industrias globales legítimas.

Blanquear, trocar, piratear

Esta transformación de la industria mundial no habría sido posible sin las innovaciones y herramientas de la globalización. Durante la década de 1990, el número de incautaciones de droga declaradas en todo el mundo —que se mantenía estancado en torno a las trescientas mil anuales— aumentó más de cuatro veces, llegando a alcanzar la cifra de 1,4 millones en 2001.[26] Esta explosión no debería resultar sorprendente, ya que todo el aparato jurídico y tecnológico de la globalización ha hecho el tráfico de drogas más rápido, eficiente y fácil de ocultar. Para empezar, es una mera cuestión de volumen: con un tráfico diario de unos 550 contenedores solo en el puerto de Hong Kong, o 63 millones de pasajeros al año en el aeropuerto londinense de Heathrow (con 1.250 vuelos diarios), la naturaleza compacta de las drogas ilícitas las convierte en algo equivalente a una aguja en un pajar. Por ejemplo, un cargamento de marihuana de primera calidad con un valor final de venta de un millón de dólares —digamos unos 450 kilogramos— cabe perfectamente en un falso compartimiento de alguno de los 4,5 millones de camiones que cruzan cada año la frontera entre México y Estados Unidos. Basta con un kilogramo de cocaína para obtener entre 12.000 y 35.000 dólares. Y la heroína aún resulta más rentable en relación con su peso. Una sola «mula» que pase droga en polvo por vía aérea o terrestre, ingerida tras envolverla en preservativos cubiertos de miel, puede llegar a llevar suficiente heroína de primera calidad procedente de América del Sur para obtener entre 50.000 y 200.000 dólares.[27]

En todas partes, los métodos de este comercio reflejan el avance y la difusión de las nuevas tecnologías.[28] No solo los mayoristas del narcotráfico pueden utilizar empresas de mensajería, sino que mediante el seguimiento online del envío están en condiciones de saber si este ha llegado o ha sido incautado, lo que los pone en alerta y estrecha el margen de que disponen las autoridades para capturar a los traficantes antes de que se den a la fuga. Las transacciones suelen organizarse mediante teléfonos móviles que se desechan al cabo de poco más de una semana de uso, y con frecuencia los traficantes se coordinan utilizando programas de mensajería instantánea a través de Internet, correo electrónico y chats, a menudo empleando los ordenadores, públicos y anónimos, de algún cibercafé. Las redes más sofisticadas emplean a sus propios *hackers* especializados para proteger sus comunicaciones y penetrar en los sistemas de las fuerzas del orden que tratan de interceptarlas. Las mismas pautas de seguridad que, como la codificación, posibilitan que no se corran riesgos al comprar un libro en Amazon, o contribuir online a una campaña política, ayudan asimismo a los traficantes de drogas a ocultar sus comunicaciones, transacciones e identidades.[29] También los actores secundarios se benefician de ello: Internet rebosa de puntos de venta por correo de semillas de marihuana y equipamiento hidropónico con el que cultivar hierba de calidad en un armario de casa, así como de sitios donde se explica cómo elaborar metanfetamina y otras sustancias.

Pero quizá nada haya beneficiado más al tráfico de drogas como la revolución financiera de los últimos diez años. Si un paquete de heroína ya es una aguja en el pajar del comercio mundial, su valor monetario aún resulta más difícil de detectar en el torbellino diario de las transacciones financieras. Para ocultar los movimientos de dinero, pagar a los proveedores, remunerar a sus operarios y poner de nuevo en circulación las ganancias, los narcotraficantes utilizan toda una gama de posibilidades, desde el dinero enviado por servicios postales o transportado en pequeñas cantidades por correos humanos, hasta las operaciones completas de blanqueo de dinero en las que intervienen empresas tapadera, cuentas bancarias off-shore, y corresponsales e intermediarios de múltiples países. Aquí entran en juego el comercio electrónico, la banca online y los servicios de giros y transferencias.

En algunos casos, el sistema de circulación droga-dinero se encuentra tan afianzado e institucionalizado que llega a crear su propia «marca». Así, en el plan conocido como Cambio de Pesos en el Mercado Negro (CPMN), los traficantes de droga colombianos repatrían sus ganancias confiando los dólares a una serie de agentes que utilizan los fondos para efectuar compras en Estados Unidos, a un tipo de cambio favorable, en representación de clientes colombianos.[30] Los clientes pagan en pesos a los agentes, que luego estos traspasan a los traficantes; eso sí, no sin antes cobrar su comisión. El sistema pone de manifiesto el creciente papel de los intermediarios, además del carácter casi indistinguible del dinero «negro» y el dinero «blanco». Y muestra también el modo en que una serie de fabricantes estadounidenses respetuosos de la ley pueden acabar cobrando, aunque sea de manera indirecta, en dinero procedente del narcotráfico. El CPMN ha funcionado tan bien que incluso ha generado numerosas variantes. En la actualidad se ha extendido también a México, ofreciendo a los intermediarios nuevas oportunidades de protegerse tras múltiples fronteras. Se calcula que cada año se reciclan así unos 5.000 millones de dólares.

Junto con estos métodos modernos siguen utilizándose otros más antiguos, como el trueque. Las drogas resultan una buena moneda de cambio en entornos exóticos. Los pagos en especie son comunes en muchas redes de distribución; gran parte del producto que recorre las rutas comerciales se utiliza como medio de pago, y, de paso, crea gran número de adictos en países en los que hace solo diez años no había ninguno. Pero muchos de los intercambios a gran escala que se producen entre miembros del hampa global también incluyen las drogas como garantía o compensación. A finales de la década de 1990, la mafia rusa entregó a los traficantes mexicanos armas automáticas, radares e incluso minisubmarinos a cambio de cocaína, anfetaminas y heroína.[31] Se cree que el IRA abastece el mercado de heroína de Dublín; y en 2001 aparecieron en Colombia oficiales de dicha organización, que proporcionaban a las FARC asesoramiento técnico y entrenamiento en el uso de armas y tácticas, además, obviamente, de una vía para enviar la droga al mercado europeo.[32] Y en lugares remotos donde la moneda es escasa o poco práctica, la heroína o la cocaína resultan excelentes sustitutivos, fáciles de llevar y universalmente valorados; una especie de versión moderna de ese otro preciado polvo blanco que en tiempos fue la sal.

La obsesión por limitar la oferta

El tráfico de drogas ha evolucionado; los métodos para combatirlo, no. Estados Unidos, que ya a principios del siglo XX presionaba a favor de la ilegalización de la cocaína y la heroína, sigue siendo el que marca la pauta, ya que es el país que más drogas consume y al mismo tiempo el que más gasta en recursos para luchar contra el narcotráfico. Y dichos recursos no se destinan a reducir o controlar la demanda, sino principalmente —y con abrumadora diferencia— a intentar frenar la oferta de droga. Se trata de una opción estratégica que con los años ha arraigado de manera pertinaz: una tras otra, las sucesivas administraciones estadounidenses solo han reconsiderado sus políticas antidrogas para, en última instancia, redoblar sus inversiones en acciones policiales y militares para detener y encarcelar a los traficantes, neutralizar las redes de distribución, interrumpir el contrabando y eliminar las materias primas allí donde se producen. La suma de todas estas acciones —la denominada «guerra contra la droga»— supone tener constantemente en funcionamiento una inmensa maquinaria militar y burocrática. Este enfoque de «limitar la oferta» tiene en sí mismo ciertas propiedades adictivas.[33]

Durante más de tres décadas, Estados Unidos ha hecho de limitar la oferta un aspecto fundamental y explícito de su política exterior, alentando la fumigación de los campos de coca y adormidera con productos químicos diseñados para arrasar los cultivos, así como los ataques a los grandes narcos y sus organizaciones.[34] Los países que cooperan con esa política reciben ayuda militar, técnica y financiera; los que no, se arriesgan a afrontar las consecuencias: descrédito público, sanciones económicas, o un clandestino uso punitivo de la influencia estadounidense en los organismos financieros internacionales como el Banco Mundial y el FMI. En un ritual conocido como «certificación», el gobierno de Washington hace público cada año su valoración acerca de si un determinado gobierno extranjero ha «cooperado plenamente» o no en la guerra contra las drogas, siempre según la interpretación estadounidense.[35] Lógicamente, muchos países lo consideran un acto ofensivo.

Un ex alto funcionario de la DEA me explicó que «antes de cada viaje que hacía para comprobar con mis colegas del gobierno mexicano los esfuerzos de este para combatir el narcotráfico, nuestros servicios de inteligencia me facilitaban un informe detallado de los vínculos existentes entre algunos de los funcionarios mexicanos de alto nivel con los que iba a entrevistarme y los traficantes de drogas. Pero después solía recibir otro informe donde se me decía que el Tratado de Libre Comercio constituía una prioridad para Estados Unidos y que debía tener cuidado de no hacer nada que pudiera ponerlo en peligro. Nuestra política era y sigue siendo extremadamente esquizofrénica».[36]

No todos los esfuerzos resultan ineficaces, y, obviamente, este operativo proporciona algunas victorias. En 1997, los 773 millones de dólares gastados en «interceptación» —es decir, en la destrucción de los cargamentos de droga enviados a Estados Unidos por mar— se tradujeron en más 45.000 kilogramos de cocaína y casi 14.000 kilogramos de marihuana. No pasa una semana sin que haya noticias de alguna espectacular incautación de droga en Florida, en California o en alguna otra parte del territorio estadounidense. En 2003, el servicio aduanero de Estados Unidos se incautó de casi un millón de kilogramos de drogas diversas, algunas de ellas transportadas en envases como ruedas de recambio y osos de peluche, ocultas en o entre pelucas, cajas de patatas fritas, árboles de Navidad artificiales y cargamentos de arena, o incluso implantadas quirúrgicamente en el muslo de un hombre.[37]

El problema es que, pese a todos esos esfuerzos y éxitos pasajeros, la afluencia de drogas a Estados Unidos y a otros importantes mercados se mantiene prácticamente constante. Según un informe publicado en 2005 por la Oficina de Política Antidroga de la Casa Blanca, entre 1999 y 2002 se triplicó el número de consumidores de marihuana que acudieron en busca de tratamiento. Según el informe, este incremento refleja un aumento tanto del consumo de marihuana como de la potencia del producto disponible en el mercado.[38]

Los cambios que ha experimentado el tráfico de drogas hacen que sea fácil comprender por qué se ha producido ese incremento. Cada vez es más difícil controlar las drogas en los lugares de origen. Estos se multiplican, ya sea en la forma de nuevos productores de diversas drogas, de enclaves en poder de grupos insurgentes en un determinado país, o de puntos intermedios que se han convertido en centros de transbordo para drogas de procedencia diversa. Cuando llegan a los mercados finales, las drogas se mezclan frecuentemente con otros productos legales e ilegales que se difuminan en complejos movimientos de productos y dinero que involucran a centenares de intermediarios.

Al mismo tiempo, el «control de la oferta» y el planteamiento basado en la represión no han hecho sino incrementar el valor de las drogas que llegan al mercado. Las fronteras que hay que cruzar, las redadas de las que hay que escapar, los sobornos que hay que pagar: todo ello pasa a formar parte de los costes del negocio, lo que hace que suban los precios y el potencial de beneficios sin que la demanda se vea alterada en absoluto. Ese valor añadido es superior allí donde mayor es el riesgo —por ejemplo, al cruzar una frontera de Estados Unidos o de la Unión Europea—, pero afecta a todos los eslabones de la cadena. El creciente coste de la mano de obra en las zonas rurales de Afganistán lleva a los agricultores a destinar una proporción cada vez mayor de sus campos al cultivo de la amapola en detrimento de otros cultivos. Cada vez se hace más difícil rechazar los sobornos, y, por otra parte, servir de correo humano para el transporte de drogas resulta cada vez más atractivo. Los traficantes saben que un determinado porcentaje de «mulas» serán descubiertas, y asumen con cinismo ese riesgo como uno de los costes del negocio. Pero para la mujer sola con hijos que representa el perfil más frecuente de la «mula», la perspectiva de ganar cinco mil dólares por entrar droga en Estados Unidos no puede compararse con ninguna de las oportunidades que le ofrece su entorno local.

En resumen, la obsesión por controlar la oferta se basa en un pésimo cálculo económico. Pero sus críticos, aunque numerosos, todavía no han logrado influir en ninguna de las administraciones estadounidenses. En Europa, que en ningún momento ha respaldado plenamente este enfoque, los partidarios de otras estrategias han hallado más eco. La mayoría de los países europeos han simplificado el problema despenalizando la posesión de marihuana para el consumo personal, ya sea promulgando leyes a tal efecto o tolerándola de hecho. Por otra parte, Europa ha adoptado una política más agresiva a la hora de ordenar (y financiar) el tratamiento para los adictos. Pero a escala global, Estados Unidos sigue siendo el actor más influyente, y, como resultado de ello, las obsesiones de la guerra contra la oferta siguen configurando el planteamiento predominante. Si hay que superarlas, no será gracias a propuestas políticas bienintencionadas, sino más bien a una fuerza superior: el realismo político. También en este ámbito los traficantes han tomado la delantera.

La droga en la política

La fuerza económica que representa el tráfico de drogas desafía a los gobiernos. Y también puede derribarlos. Tomemos, por ejemplo, el caso de Bolivia. Después de que Estados Unidos urgiera durante años a este país a erradicar el cultivo de la planta de la coca, cuya hoja es la materia prima de la cocaína, en 1998 Bolivia se decidió a hacerlo.[39] Solo se conservaría una pequeña extensión «legal» de unas doce mil hectáreas, suficientes para satisfacer el consumo legal de la planta a escala local, donde es costumbre masticarla, todo ello sometido a una regulación estricta. Pero fumigar los campos y fomentar cultivos alternativos como la piña y el plátano resultó insuficiente para modificar los incentivos. Y la difícil situación de los «cocaleros» —como se denomina a los cultivadores de coca— se convirtió en el aglutinante del sector más desamparado y descontento de Bolivia: los pobres, los campesinos y la población indígena, tan importante como tradicionalmente excluida. Un indio aymara, cocalero y socialista, Evo Morales, llegó a convertirse en una de las figuras políticas más influyentes del país. En 2002, Morales quedó el segundo, por un estrecho margen, en las elecciones presidenciales; el vencedor fue Gonzalo Sánchez de Lozada, de talante liberal y partidario incondicional del libre mercado, al que se atribuía el mérito de haber frenado la hiperinflación que asoló el país en la década de 1980.[40] Al año siguiente, el descontento de los cocaleros llegó al límite, y una oleada de protestas violentas recorrió La Paz. Tras apenas un año en el cargo, Sánchez cedió el poder a su vicepresidente, Carlos Mesa, y abandonó el país rumbo a Estados Unidos. Incapaz de resistir tales presiones, el gobierno de Mesa también sucumbió; a comienzos de 2006, el cocalero Morales se convirtió en presidente de Bolivia, en una gran victoria con unas implicaciones hemisféricas debido a su dependencia de Hugo Chávez, el presidente venezolano.

Posteriormente, Sánchez de Lozada me dijo que detrás de la caída de su gobierno había «narcosindicalistas, grupos terroristas y cárteles», y se quejó amargamente de la escasa ayuda económica que había recibido de Estados Unidos para mejorar las condiciones de vida de los bolivianos pobres que se habían visto obligados a abandonar su antigua actividad del cultivo de cocaína. «Cuando más necesitaba apoyo financiero, los estadounidenses me dejaron solo», me dijo. Así, dos de las políticas promovidas por Estados Unidos, la guerra contra la droga y el respaldo a gobiernos democráticamente electos en América Latina, habían entrado en colisión, con consecuencias nefastas. Una de ellas es que ahora los cocaleros no solo se han politizado, sino que sus intereses coinciden con los de los traficantes que controlan la principal industria exportadora de Bolivia. Lejos de ser una mera herramienta del narcotráfico, los cocaleros se han convertido en la principal fuerza política del país. Juntos, han llegado a ejercer una enorme influencia en la política, en las principales instituciones y en las relaciones internacionales de Bolivia.

El boliviano no es, ni mucho menos, un caso aislado. Allí donde ha florecido la economía del narcotráfico se han producido consecuencias políticas. Las sumas de dinero implicadas resultan, sencillamente, demasiado importantes. Como mínimo, prácticamente está garantizado que allí donde gracias a las drogas se obtienen beneficios sustanciales, habrá corrupción y complicidad oficial, a menudo en los más altos niveles. Las brigadas antidroga de élite y las unidades de la policía nacional, desde México hasta Rusia o Camboya, son infiltradas y sobornadas. Y otro tanto ocurre con fiscales y jueces. Todas las evidencias apuntan a que es más probable que exista corrupción que lo contrario. Así pues, las estrategias basadas en la cooperación entre gobiernos presentan automáticamente un talón de Aquiles. Y mientras sigan existiendo incentivos monetarios tan tentadores, dejar en manos de los miembros honestos de un gobierno la tarea de controlar a sus colegas menos honestos es, sin duda, una arriesgada apuesta.

Otros casos resultan más definidos. En Colombia, los territorios controlados por las FARC y las AUC constituyen básicamente países dentro de otro país. Con su propia ley, su propia economía y sus propias infraestructuras, se trata de territorios en los que la autoridad dominante se sostiene en gran medida gracias al tráfico de drogas. Lo mismo puede decirse de las zonas de Afganistán gobernadas por los señores de la guerra, desde las que se exportan enormes cantidades de opio pese a la presencia en dicho país de decenas de miles de soldados estadounidenses. Basta con dar solo un paso más para darse cuenta de que las batallas entre organizaciones criminales en el norte de México no son solo por dominar una determinada parcela del negocio del narcotráfico, sino por el control político de unas áreas en las que los representantes oficiales del gobierno es probable que estén dispuestos a que se les soborne, o bien que se sientan demasiado intimidados para constituir una amenaza. Así, por ejemplo, cuando un periodista entrevistó al alcalde de la población de Sinaloa en la que obtuvo refugio Guzmán, el hombre no mencionó ni una sola vez al delincuente.[41] Resulta bastante claro quién ostenta el poder en esa relación.

El siguiente paso lógico para un gobierno reconocido sería adaptarse a la realidad económica y entrar en el negocio de la droga. Se trata de una jugada arriesgada, no recomendable para nadie que pretenda mantener unas relaciones cordiales con las grandes potencias mundiales. Pero si uno cree que no tiene nada que perder, ¿por qué no va a hacerlo? Pues resulta casualmente que al menos un país ha dado este paso. Según fuentes bien informadas, hace ya muchos años que Corea del Norte empezó a cultivar opio y producir drogas sintéticas.[42] Así, este país comunista lleno de secretos se ha convertido en productor de narcóticos destinados al mercado mundial. Se trata de una iniciativa mucho menos conocida que el programa nuclear coreano. Pero puede causar también numerosos y más perjudiciales estragos, pues nos hallamos ante una fuente de ingresos extremadamente necesarios que escapan a cualquier negociación.

Es probable que los narcóticos se conviertan en un nuevo motivo de discordia en las ya difíciles relaciones entre Corea del Norte y la comunidad internacional. Pero sería un error considerar que el de Corea es un caso aislado. Los enormes y constantes márgenes de beneficio del narcotráfico global en las regiones más vulnerables darán lugar a un poder político sustentado en el dinero obtenido gracias a las drogas, y viceversa. Las formas que adopten estas combinaciones pueden variar desde la corrupción hasta los «estados forajidos», pasando por la secesión; pero la dinámica subyacente será siempre la misma: los gobiernos están en desventaja frente a los narcotraficantes.

5

¿Por qué hay hoy más esclavos que nunca?

Horas antes del amanecer del 7 de junio de 1993, el *Golden Venture*, un viejo carguero registrado en Honduras, encalló frente a Fort Tilden, cerca de la entrada del puerto de Nueva York. A bordo llevaba una carga muy poco habitual: más de trescientos emigrantes ilegales procedentes de la provincia china de Fujian. Ciento veinte decidieron jugarse la vida y saltaron al agua en un intento de alcanzar la costa a nado. Antes de que los guardacostas y la policía pudieran rescatarlos, seis de ellos murieron.

El *Golden Venture* representó una campanada de alerta que despertó en la opinión pública la conciencia del salto cuantitativo producido en el tráfico internacional de seres humanos. Antes del *Golden Venture*, la opinión pública de los países ricos estaba al corriente sobre todo de la actividad de personas especializadas en ayudar a los emigrantes a cruzar pasos fronterizos y a entrar en la tierra prometida a cambio de un pago. Pero lo que revelaba el incidente de Nueva York, en cambio, era la existencia de un comercio al por mayor especializado en el envío a largas distancias de grandes cargamentos de seres humanos, y que manejaba asombrosas cantidades de dinero. Desde el incidente del *Golden Venture* ha proliferado la difusión de noticias terribles relacionadas con cargamentos de seres humanos. Y si con el tiempo estas han ido desapareciendo de los titulares, ha sido por la peor de las razones: porque han pasado a convertirse en algo frecuente.[1]

El *Golden Venture* también arrojaba luz sobre el funcionamiento de un circuito concreto, el de Fujian, a través del cual se envía a emigrantes procedentes de esta provincia costera china —de gran tradición marinera— a Estados Unidos, Taiwan, Japón y Australia.[2] En 1995 más de la cuarta parte de la emigración china procedía de la provincia de Fujian. A principios de la década de 1990, cada año arribaban 25.000 fujianeses a Estados Unidos, mientras que en 2004 llegaron 10.000 solo a Nueva York. La población fujianesa de Nueva York ha potenciado la expansión de Chinatown a otras áreas circundantes, y ha inundado los restaurantes y fábricas de ropa de mano de obra barata e ilegal. El precio del pasaje se ha disparado, pasando de menos de 2.000 dólares a 60.000.[3] Normalmente se paga una parte por adelantado y el resto pasa a constituir una deuda que asumen el emigrante y sus familiares tanto en Fujian como en Estados Unidos. Con ese dinero se compra o bien un arduo viaje por mar —en el caso del *Golden Venture* duró 112 días—, o bien una odisea en múltiples etapas que incluye cruzar las montañas para entrar en Tailandia a pie, viajar desde allí por vía aérea a otro país de tránsito, y luego desde este a Canadá o México, para entrar finalmente por tierra en Estados Unidos. La intimidación y la violencia constituyen una parte integrante de este proceso: a principios de la década de 1990, a los recién llegados se les obligaba a aguardar su destino definitivo en una red de hasta trescientos lugares diferentes de Nueva York —normalmente sótanos—, donde permanecían esposados o encadenados con grilletes, y a menudo eran golpeados, torturados y violados. La imposición brutal del pago de las deudas se prolonga durante mucho tiempo después de que el viaje se haya completado. Sin embargo, una vez establecidos, muchos de esos mismos emigrantes se convertirán en los contrabandistas que ayudarán a traer a los parientes que dejaron atrás.

Por desgracia, todo esto es normal, y el circuito de Fujian no es más que uno entre muchos. Otro de ellos, por ejemplo, traslada a emigrantes del sur de Asia a diversos países de Europa. Entre 1988 y 1996, un ciudadano maltés de origen paquistaní llamado Turab Ahmed Sheij ganó quince millones de dólares en un negocio que crecía rápidamente tanto en volumen como en alcance.[4] Sheij empezó enviando emigrantes indios a Alemania por avión a través de Malta. Pero luego cayó en la cuenta de que los bangladesíes constituían una potencial fuente de crecimiento y decidió cambiar de especialidad, trasladando a 10.000 de ellos a Italia durante tres años a bordo de una flota de barcos de pesca alquilados. Un capo del tráfico de seres humanos a larga distancia, Mandir Kumar Wahi, se enteró de las operaciones de Sheij y le ofreció asociarse en condiciones mutuamente ventajosas. Los pequeños barcos de Sheij se encontrarían en alta mar con los grandes cargueros de Wahi y los emigrantes serían discretamente trasladados hasta la costa italiana. Sheij fue descubierto cuando uno de aquellos traslados acabó trágicamente en una colisión que costó la vida a 283 emigrantes y a dos de sus hombres. Pero cuando un elemento cae, siempre hay otro que recoge la posta. Algunos son operadores a larga distancia como Wahi; otros, contratistas como Sheij, y luego están, en número aún mayor, los «tradicionales» especialistas en cruzar fronteras que, por ejemplo, trasladan a paquistaníes o afganos por tierra a través de Irán y Turquía ganando miles de dólares por viaje. Todos estos empresarios, con sus distintas especialidades, se encuentran a menudo interrelacionados por medio de sociedades, estructuras de subcontratación y todo un entramado de acuerdos cambiantes, alianzas y colaboraciones *ad hoc*.

Multitudes en movimiento

El comercio transatlántico necesitó cuatrocientos años para llevar al Nuevo Mundo a doce millones de esclavos africanos. Doce millones parece mucho, pero recordemos que se calcula que en el sudeste asiático unos treinta millones de mujeres y niños han sido objeto de tráfico, y eso solo en los últimos diez años. El tráfico de seres humanos no es todavía la forma más rentable de comercio ilícito —ese honor le corresponde al narcotráfico—, pero probablemente se trata de la que está experimentando un crecimiento más rápido. Se estima que el contrabando transfronterizo, que no representa más que una parte del negocio, desplaza entre setecientos mil y dos millones de personas al año (la compraventa de seres humanos dentro de los propios países eleva considerablemente esa cifra). Como siempre que se trata del comercio ilícito, resulta difícil obtener datos fiables. Pero todos los gobiernos, las organizaciones internacionales y los grupos activistas que investigan estos flujos coinciden en que el número de personas que en la actualidad cruzan ilegalmente las fronteras, a menudo coaccionadas, carece de precedentes en la historia de la humanidad.

Tampoco tiene precedentes el acelerado ritmo de crecimiento del fenómeno. Según las Naciones Unidas, si se combina el tráfico a larga distancia con el contrabando transfronterizo emerge un panorama global de «comercio con seres humanos» que afecta al menos a cuatro millones de personas cada año, por un valor económico de entre 7.000 y 10.000 millones de dólares.[5] Probablemente la cifra real sea aún mayor, ya que se calcula que solo el contrabando de seres humanos hacia el exterior de China representa entre 1.000 y 3.000 millones de dólares anuales, mientras que el FBI afirma que el paso de emigrantes mexicanos reporta a las redes que se dedican al mismo entre 6.000 y 9.000 millones de dólares al año.[6] Aunque las estimaciones sobre el valor global del comercio con seres humanos varían, los principales expertos en la materia coinciden en señalar que este es mayor que nunca, y que aumenta a un ritmo frenético.

Es necesario precisar que, en el sentido en que aquí los utilizamos, los términos *contrabando humano* y *tráfico humano* designan, en principio, dos actividades distintas. En el contrabando, el emigrante simplemente paga al contrabandista por el viaje. En el caso del tráfico, en cambio, el traficante engaña o coacciona al emigrante y vende su trabajo a un tercero. En la práctica, no obstante, esta distinción no resulta tan clara. Muchos emigrantes que son objeto de contrabando voluntario se encuentran con deudas exorbitantes y arbitrarias que les obligan a trabajar en fábricas y talleres en condiciones de explotación, en base a acuerdos convenientemente «arreglados» por los traficantes. Así, el contrabando y el tráfico humanos se solapan mutuamente: ambos son aspectos de una vasta y nueva industria que prospera gracias a las aspiraciones de quienes buscan una vida mejor en otra parte y a los obstáculos que los distintos gobiernos ponen en su camino.

De todos los comercios ilícitos que florecen en la actualidad, el de los seres humanos es sin duda el más repugnante desde el punto de vista moral. Pero al mismo tiempo se halla profundamente arraigado y relacionado con los flujos migratorios globales, cada vez más complejos.[7] Los impulsos humanos que favorecen la emigración son muy antiguos y difíciles de reprimir. Los emigrantes se sienten motivados por la posibilidad de nuevas oportunidades, por la esperanza, por la desesperación, o sencillamente por la necesidad de sobrevivir. Los traficantes de seres humanos se aprovechan de esos impulsos y, gracias a su capacidad para eludir los obstáculos impuestos por los diversos gobiernos, los convierten en beneficios.

Las oportunidades son enormes. Hoy las personas se desplazan como nunca antes lo habían hecho. En 2004 se contaron en todo el mundo 175 millones de emigrantes documentados, lo que representa el 3 por ciento de la humanidad; y el número de indocumentados probablemente alcanzó la mitad de esa cifra. Aún mayor es el número de emigrantes internos —150 millones solo en China— procedentes de las áreas rurales y atraídos hacia las zonas urbanas e industriales, en rápido crecimiento. Otros 20 millones de refugiados y desplazados vienen a completar este panorama. Estados Unidos y Europa occidental siguen siendo los destinos preferentes. El censo estadounidense del año 2000 revelaba la presencia en el país de más de 30 millones de residentes de origen extranjero, lo que equivalía al 11,1 por ciento de la población. De ellos, 13,3 millones —o el 44 por ciento— habían llegado en la década de 1990. En Europa occidental, por su parte, cerca de 30 millones de personas son de origen extranjero. En otros de los destinos preferidos, los inmigrantes parecen integrar la mayor parte de la población activa. Tal es el caso del golfo Pérsico. Nada menos que el 58 por ciento de los habitantes de Kuwait no son kuwaitíes.[8] Por su parte, el 74 por ciento la población de los Emiratos Árabes Unidos es extranjera.

Hay que decir, no obstante, que en la actualidad los países ya no pueden clasificarse claramente como origen o destino de emigrantes. Muchos de ellos son ambas cosas: una parte de su población se marcha, al tiempo que reciben la afluencia de inmigrantes ilegales. Marruecos y la República Dominicana constituyen buenos ejemplos de ello. Otros países constituyen importantes puntos de tránsito —o zonas de espera— para quienes se hallan en ruta a destinos más lejanos. Así, los guatemaltecos en México o los chadianos en Libia sencillamente aguardan la oportunidad de dar el salto a Estados Unidos o a Italia, respectivamente. Algunos países —como la India, México, Turquía, Egipto, Marruecos o, en el pasado, España y Portugal—, que tradicionalmente han sido los que han recibido mayores sumas de dinero en forma de remesas —es decir, el dinero que envían a un país sus emigrantes desde el extranjero—, están convirtiéndose cada vez más en importantes destinos para la emigración.

Existen muchas razones por las cuales la presión para emigrar es hoy más intensa y sus efectos resultan geográficamente más dispersos que nunca. Una mejor información sobre las oportunidades que existen en otros lugares, junto con el abaratamiento y frecuencia de la comunicación con familiares y amigos, incitan a tratar de probar suerte en otro sitio. El que las comunicaciones y los viajes resulten económicamente más accesibles también contribuye a que la emigración se viva como algo menos absoluto y definitivo, reduciendo lo que constituía una importante barrera psicológica a la decisión de partir. Otro factor que contribuyó al auge del desplazamiento de personas fue el colapso del bloque soviético y sus cerradas fronteras. La nueva libertad de movimientos puso repentinamente a millones de potenciales trabajadores a disposición de los países que los necesitaban; y también de algunos que no.

A ello hay que sumar la avidez de los patronos en los países receptores. Muchos tienen un apetito voraz de mano de obra que acepte cobrar salarios más bajos o desempeñar tareas que los trabajadores locales rechazan. En algunos países, el crecimiento económico crea una necesidad de ciertos puestos de trabajo que excede la oferta de mano de obra local. En otros, no es que falte mano de obra, sino que se la considera demasiado cara, especialmente cuando existe gente dispuesta a trabajar a cambio de salarios inferiores. Todo ello se traduce en políticas de inmigración y legislación laboral que a menudo resultan ambiguas y contradictorias. Así, hay ciertas categorías de trabajadores que son bienvenidas, como ocurre en el caso de los visados H-1B expedidos en Estados Unidos para trabajadores técnicamente cualificados, o cuando en 2000 Alemania reclutó a 20.000 extranjeros expertos en informática. Otros son acogidos de forma retroactiva, como en el caso de la «amnistía» concedida en España en 2005 a una parte de los trabajadores ilegales que ya estaban en el país. En 2006, Estados Unidos ha decidido implementar un programa de «trabajadores invitados» para los mexicanos similar al que Alemania ofreció hace tiempo a los turcos.[9]

Los patronos suelen presionar en favor de aligerar las normas que rigen la inmigración, mientras que la opinión pública muestra con frecuencia una oposición visceral. En cualquier caso, en la práctica no existe casi ningún país que reciba indiscriminadamente a inmigrantes con los brazos abiertos. Lejos de ello, en la actualidad la emigración florece *a pesar* de las barreras en forma de cuotas, prohibiciones y controles fronterizos, el complejo abanico de visados y permisos de trabajo con diferentes reglamentaciones para las distintas nacionalidades y profesiones, los privilegios especiales para quienes tienen dinero que invertir, y las miles de circunstancias especiales que varían de un destino a otro. El flujo de emigrantes, sin embargo, no está amoldándose a todos esos requisitos de una forma precisamente ordenada, sino que más bien amenaza con arrollarlos. Y es esa presión la que hace florecer el tráfico de seres humanos.

Todo ello configura un mercado global de mano de obra que está lleno de imperfecciones, con abundantes barreras legales, obstáculos y complicaciones logísticas que superar. Y como todo mercado, también este necesita sus comerciantes e intermediarios. Pero en este caso los intermediarios no son como los de Wall Street. Ciertamente, algunos de ellos se mueven dentro del marco de la legalidad, como los representantes de las empresas que contratan trabajadores extranjeros en el país de origen, o los propios gobiernos, como en el caso de Estados Unidos con la lotería anual que determina quién obtiene una «green card» de residencia. Pero en el comercio internacional de mano de obra participan otros muchos actores dudosos o directamente criminales. Estos últimos tratan con lo que Kevin Bales —uno de los principales expertos mundiales en el tema— denomina «esclavos modernos».[10] La definición no solo resulta terrible, sino, demasiado a menudo, acertada.

El colmo de la degradación

El tráfico de seres humanos constituye la más sórdida de las formas en que se desplaza la mano de obra en la nueva economía global. Sus víctimas acaban trabajando en fábricas y plantaciones, en talleres y granjas familiares, o en el servicio doméstico, en condiciones de explotación. Una de sus dimensiones más notorias —aunque raras veces la única— es el comercio sexual. En la actualidad existen numerosas rutas de esclavitud sexual: de Myanmar, China y Camboya a Tailandia; de Rusia a los Emiratos del Golfo; de Filipinas y Colombia a Japón, etcétera. Algunas de ellas resultan especialmente lucrativas a gran escala. Desde la desaparición del telón de acero decenas de miles de mujeres y niñas han sido «exportadas» desde Rusia, Ucrania, Moldavia y Rumanía para ser explotadas sexualmente en las ciudades de Europa occidental y Japón. En Londres, los traficantes de seres humanos, prácticamente desconocidos hasta mediados de los años noventa, controlaban a finales de la década el 80 por ciento de la prostitución callejera de los barrios de mala fama. En ciudades como Lyon, el cambio resultante en el negocio del sexo ha sido tal que las prostitutas locales incluso han emprendido movimientos de protesta contra el acaparamiento del negocio por parte de mujeres de la Europa del Este que trabajan bajo coacción, y el modo en que eso ha afectado negativamente a sus propios ingresos, su salud y su seguridad.

La trayectoria de esas mujeres resulta particularmente degradante.[11] Los encargados de reclutarlas, que llegan a cobrar hasta quinientos dólares por cada una, lo hacen, por lo general, con falsas promesas de empleo como modelos, secretarias o dependientas en un país rico. A veces, sencillamente, se las rapta. Después de cruzar las fronteras con la complicidad de funcionarios corruptos, se las oculta en pisos francos, en ciudades como Budapest o Sarajevo, donde se las «prepara» para la explotación sexual a base de drogas, palizas y repetidas violaciones. Finalmente, tras llegar a una ciudad de Europa occidental con un pasaporte falso o robado, o de entrar clandestinamente en el país, es probable que la mujer pase uno o más años como esclava sexual, sometida a un trato degradante, hasta que su cuerpo queda maltrecho o el traficante decide que ya ha pagado su «deuda», una suma que él mismo ha inventado y modificado de manera arbitraria. Las elegantes capitales de Europa occidental ocultan a muchas de estas esclavas. Y lo mismo puede decirse de Japón, donde las chicas suelen proceder de Brasil, Venezuela y Colombia. O de Tailandia, donde algunas de las adolescentes camboyanas que se ofrecen en los burdeles han sido vendidas como esclavas por sus propios padres, desesperadamente pobres.

Las operaciones de tráfico sexual son tan eficientes como sórdidas. Un oficial de la Interpol calcula que los traficantes pueden satisfacer la demanda de Londres con suministros recién llegados de los Balcanes en cuestión de cuarenta y ocho horas.[12] Los traficantes desarrollan asimismo otras actividades suplementarias. Una de ellas es el tráfico de niños pequeños, destinados a convertirse en mendigos profesionales o a ser vendidos para la adopción en Occidente. En Albania, los traficantes llegan a ofrecer a las familias pobres hasta 5.000 euros por un recién nacido, y no es raro que cierren el trato incluso antes de que la mujer haya dado a luz. Y estamos hablando de un buen precio.[13] «Un hijo a cambio de una televisión», rezaba un titular publicado en 2003 por el *New York Times*. La noticia hacía referencia a un niño de tres años cuyo padre lo había vendido a un intermediario por una televisión. El comprador, que se encontraba en Italia, había pagado al intermediario 6.000 dólares. Pese a los esfuerzos por acabar con estas prácticas, un informe publicado en 2003 por las Naciones Unidas y la Organización para la Seguridad y la Cooperación en Europa (OSCE) revelaba que este comercio no ha decrecido en absoluto. Según el informe, «en la región [de los Balcanes] operan capos criminales, y a veces los líderes electos son cómplices de sus delitos».

El tráfico de mujeres para explotarlas sexualmente también es común en Estados Unidos, aunque solo recientemente ha empezado a llamar la atención de la opinión pública y los medios. En 1998 se descubrió en Florida la presencia de esclavas sexuales mexicanas.[14] Un informe gubernamental publicado en 1999 señalaba que las autoridades de inmigración habían identificado 256 burdeles en 26 ciudades que al parecer se abastecían de mujeres con las que se había traficado.[15] En un artículo publicado en 2004 en el *New York Times Magazine* y titulado «Las chicas de la casa de al lado», Peter Landesmann describía con todo lujo de detalle los abusos a que eran sometidas las jóvenes víctimas del tráfico en un entorno «normal» de clase media estadounidense.[16] Unos meses después, la policía cerraba una presunta red de prostitución de origen asiático establecida en una tranquila población de Vermont. «Se las han arreglado muy bien para extenderse por las periferias residenciales e incluso por las zonas rurales —declararía a los periodistas Derek Ellerman, del Proyecto Polaris, un grupo activista que lucha contra el tráfico de seres humanos—. Si en algún sitio hay demanda de comercio sexual, los traficantes inevitablemente llegarán allí.»

El ejército de reserva de indocumentados

Saber que existe una reserva de mano de obra ilícita genera la tentación de utilizarla. Quienes con mayor probabilidad acudirán a los trabajadores indocumentados son aquellos empresarios con necesidades a corto plazo, especialmente en los sectores de la hostelería, la industria textil y la construcción, muchos de los cuales son inmigrantes. Sin embargo, el recurso a la mano de obra ilícita no es exclusivo, ni mucho menos, de los negocios regentados por inmigrantes. También hay empresas establecidas, en algunos casos prestigiosas, que estimulan la demanda de mano de obra indocumentada y alimentan el negocio de los traficantes. Diversas agencias de trabajo temporal del barrio neoyorquino de Chinatown, que se sabe que están especializadas en trabajadores fujianeses indocumentados, atienden en la actualidad pedidos de toda la costa Este de Estados Unidos.[17] Entre sus clientes no solo se incluyen empresas chinas. A cambio de dejar de lado sus escrúpulos y quebrantar la ley, los empresarios obtienen los servicios de trabajadores desorganizados y de bajo nivel salarial, que carecen de protección ante las largas jornadas laborales y las aberrantes condiciones en que desempeñan sus tareas. Además, los empresarios se ahorran el trabajo sucio: las agencias se encargan de gestionar los contratos y los salarios, y los patronos no tienen por qué saber siquiera cuánto cobran sus trabajadores.

Algunos empresarios han dado un paso más y se encargan personalmente de conseguir los trabajadores ilegales, prescindiendo de agencias. Regularmente se descubre tanto a grandes empresas como a subcontratistas de menor envergadura empleando «inadvertidamente» a trabajadores indocumentados. En el caso de Estados Unidos, las multas y otras sanciones impuestas a las empresas que contratan a extranjeros ilegales están lejos de resultar disuasorias, y además raramente se aplican.[18] Tal como comentaba un analista hablando de dicho país, «una forma sencilla de reducir la inmigración ilegal sería aplicar las leyes vigentes contra quienes emplean a trabajadores indocumentados. El coste del control dejaría entonces de recaer sobre el contribuyente y adoptaría la forma de multas a las empresas [...] La actual política *de facto* otorga subvenciones públicas en forma de exenciones tributarias y de cuotas de la seguridad social a industrias que emplean a millones de inmigrantes ilegales».[19]

Sin embargo, esta laxitud frente a los patronos que emplean mano de obra ilegal constituye un fenómeno global. En algunos países, incluso proporciona a ciertas industrias una ventaja competitiva. En todo el mundo, los talleres de confección de ropa en condiciones de explotación se han convertido en los principales polos de atracción de trabajadores indocumentados. Estas fábricas, que suelen pagar a tanto la pieza a una mano de obra por lo general femenina, con lo que se aseguran largas jornadas laborales y una conducta dócil, y donde abundan la intimidación y la violencia, han sido el foco de atención de las campañas de diversos grupos activistas por sus vínculos con importantes marcas de ropa. El territorio estadounidense de las islas Marianas del Norte se ha convertido en uno de los principales destinos de los inmigrantes ilegales procedentes de Asia.[20] Se sienten atraídos hacia ellas porque los traficantes les aseguran que desde allí podrán entrar libremente en Estados Unidos; pero luego se les conduce a fábricas de ropa, que en ocasiones pertenecen a organizaciones mafiosas asiáticas, y se les obliga a trabajar para saldar su deuda. En consecuencia, no debe sorprender que Saipan, la capital del territorio, se haya convertido en destino preferente del tráfico sexual: se trata de una secuela lógica.

En los países ricos preferidos por los emigrantes, la afluencia de indocumentados está causando estragos en unos mercados laborales que, por otra parte, ya han sufrido recesiones y cambios estructurales como la deslocalización. Y si se erosiona la protección laboral y decae la afiliación sindical, los indocumentados se convierten meramente en un «ejército de reserva» en el sentido que daba Marx al término: una reserva de trabajadores dóciles y baratos cuya disponibilidad presiona a la baja sobre el precio del trabajo y la calidad de las condiciones laborales. No debe extrañar entonces la alarma que manifiestan los sindicatos, ni las frecuentes acusaciones de que las empresas están interesadas en que la situación no cambie. Sin embargo, en una repetición de la experiencia histórica, esta afluencia ha provocado también conflictos perturbadores en el seno de las propias comunidades de inmigrantes, entre aquellos trabajadores que llegaron en una época anterior y lograron sindicarse —a menudo a costa de grandes luchas—, y los nuevos inmigrantes y los traficantes, supuestos responsables de que los salarios bajen.

No obstante, desde otra perspectiva —la de los vecinos y familiares que los trabajadores han dejado atrás—, los emigrantes objeto de contrabando o de tráfico pueden representar una fuente de remesas exactamente igual que los emigrantes legales. Muchos de ellos acabarán pagando sus deudas de viaje y pasarán a una situación más estable. Eso los convertirá en potenciales inversores en su tierra natal, así como en patrocinadores de futuros emigrantes. Se calcula que cada año los emigrantes envían a sus países de origen un total de 100.000 millones de dólares en remesas, normalmente en pequeños envíos de unos 250 dólares, una cantidad que hasta los trabajadores de bajo nivel salarial pueden ahorrar.[21] Las remesas enviadas a América Latina aumentan a un ritmo de entre el 7 y el 10 por ciento anual, y de hecho ya han llegado a superar el equivalente al 10 por ciento del PIB en Haití, Nicaragua, El Salvador, Jamaica, la República Dominicana y Ecuador. En Colombia, las remesas igualan en volumen a la mitad de las exportaciones de café, mientras que en México se equiparan al total de los ingresos por el turismo. En los últimos años, los fondos enviados a sus países de origen por parte de los trabajadores latinoamericanos en Estados Unidos han superado el flujo de inversión total de las empresas multinacionales en dicha área geográfica. Estas tendencias solo hacen que la perspectiva de la emigración resulte más atractiva, sin que importe el medio utilizado.

En la pequeña aldea china de Langle resulta fácil identificar cuáles son los hogares de las familias con hijas. Dichas familias tienen casas con tejas y aire acondicionado. En cambio, las que no han tenido hijas son muy pobres, y sus miembros varones siguen cazando con arco y flecha en las arboladas montañas. La principal razón de que los hogares con hijas sean más prósperos es que estas ya no viven allí.[22] Trabajan como prostitutas en Tailandia y Malaisia, y el dinero que envían a casa es el que marca la diferencia socioeconómica. «A todas las chicas les gustaría irse [al extranjero a trabajar en la industria del sexo], pero algunas tienen que cuidar a sus padres», explicaba una muchacha de veinte años, Ye Xiang, que también se había marchado a Tailandia. «Exportar» a las hijas se ha convertido para la mayoría de las familias de la región en el principal modo, si no el único, de conseguir una vida mejor, y semejante práctica no parece que avergüence a las mujeres o a sus familias.

En otra pequeña población situada en el extremo opuesto del mundo han arraigado similares realidades y actitudes. El periodista Somini Sengupta relata la historia de Becky, una mujer de treinta y cuatro años que regresó a su ciudad natal de Benín, en Nigeria, después de trabajar durante diez años como prostituta en Italia.[23] «Para sus amigos y vecinos, su trabajo no tenía nada de vergonzoso; lo vergonzoso era volver sin una buena cantidad de dinero», explica Sengupta, y ello porque, al igual que en Langle, los ingresos derivados de la prostitución de las mujeres de Benín están transformando el paisaje físico y social de la ciudad. Las llamadas *italas*, escribe Sengupta, «regresaban al hogar y construían casas decentes. Se encargaban de perforar pozos para disponer de agua corriente día y noche. Introducían vehículos de cuatro ruedas en las calles sin asfaltar de Benín». Muchas de esas mujeres se habían marchado a Italia no con el mero consentimiento de sus familias, sino con su más entusiasta respaldo.

Dragones, coyotes y cabezas de serpiente

«Es como un dragón; aunque se trata de una criatura larga, las diversas partes de su organismo están estrechamente vinculadas.»[24] Esta frase, utilizada por un traficante chino para describir a un investigador la estructura de su negocio, define de forma adecuada gran parte del contrabando y el tráfico actuales de seres humanos. Ciertamente, se trata de una criatura larga. Las rutas que siguen los inmigrantes con los que se trafica pueden resultar tortuosas y extrañas, con abundancia de rodeos y puntos de tránsito. La ruta de China a Estados Unidos, por ejemplo, puede pasar por el sudeste asiático, África y América Latina. Según algunas estimaciones, en un día cualquiera hay hasta 30.000 emigrantes chinos escondidos en pisos francos de todo el mundo; en determinado momento solo en Bolivia había 4.000 chinos en tránsito hacia otros lugares.[25] En Moscú puede llegar a haber en un momento dado hasta 300.000 ilegales procedentes de Asia, África y Oriente Próximo, aguardando para reemprender su viaje.[26] Una red desmantelada a principios de 1998, que llevaba a iraquíes y palestinos hasta El Paso, Texas, utilizaba «puntos de contrabando» en Jordania, Siria, Cisjordania y Grecia, además de «escalas» como Grecia,

Tailandia, Cuba, Ecuador y México.[27] Estos ejemplos son cada vez más comunes.

¿Quién maneja este comercio? Las redes varían en complejidad y envergadura, y van desde los pequeños negocios —a menudo literalmente negocios familiares— hasta las grandes organizaciones mafiosas dedicadas a múltiples actividades ilícitas. Pero las distintas tareas resultan tan numerosas y dispersas que no existe ninguna empresa que las haga todas por sí sola. En una época anterior, cuando las habituales operaciones de contrabando solo suponían cruzar una frontera, el contrabandista típico era un solitario empresario local. En la frontera entre México y Estados Unidos, a este personaje especializado en cruzar fronteras se le conocía como *coyote*. Pero el coyote, que fue arquetipo fronterizo de la década de 1980, se ha convertido desde entonces en un actor secundario. Hoy, él y sus colegas de otros lugares del mundo no representan más que las diversas «partes del organismo» del dragón.[28] Incluso en México es probable que el viejo coyote pronto quede obsoleto, ya que el auge del tráfico junto con el reforzamiento de los controles fronterizos han disparado el precio del «pasaje» (que ha pasado de 300 dólares a mediados de la década de 1990 a 2.000 en 2006), lo que da ventaja a grupos más organizados que disponen de contactos con grupos similares al otro lado de la frontera y de un mayor acceso a la tecnología.[29]

Los chinos llaman a esos nuevos actores *cabezas de serpiente*. Estos traficantes cabezas de serpiente consideran en la actualidad a los coyotes meros subcontratistas, y solo requieren sus servicios a escala local cuando los necesitan. En 2005, las autoridades estimaron que había más de trescientos grupos identificables con capacidad para operar ilegalmente a través de la frontera entre México y Estados Unidos. Uno de ellos, por ejemplo, era la organización Salim Boughader, llamada así por el nombre de su jefe, un mexicano de ascendencia libanesa.[30] Esta red se especializaba en el transporte de inmigrantes ilegales procedentes de Oriente Próximo, la mayoría de ellos cristianos iraquíes que escapaban a la persecución religiosa del régimen de Sadam Husein. Otra banda de contrabandistas, la denominada organización «M», traficaba sobre todo con egipcios, que viajaban a Brasil como turistas, y, desde allí, a Guatemala y luego a México, para pasar después a Estados Unidos.

En torno a los personajes del coyote y el cabeza de serpiente existe toda una variedad de papeles asociados, todos vitales para el éxito de la red de contrabando o tráfico de seres humanos. Entre ellos se incluyen reclutadores (o «pequeños cabezas de serpiente»), encargados de conseguir documentos, proveedores o agentes de transporte, funcionarios corruptos, matones, tripulaciones de barco, guías locales, etcétera. Un refugiado afgano le explicó a un periodista que lo habían desembarcado en Sumatra, donde lo recibió un extraño que llevaba un teléfono móvil; en el otro extremo de la línea estaba el contrabandista paquistaní del afgano, que le dio instrucciones para la siguiente etapa de su viaje.[31] Los personajes como el extraño del teléfono móvil desempeñan en la cadena de distribución un papel que resulta tan eficaz como escurridizo. Las relaciones pueden crearse sobre la marcha o estar previamente establecidas, y pueden estar dirigidas por contratistas o fundamentarse en asociaciones basadas en la confianza en el seno de una determinada comunidad étnica.

Lo que impulsa a la gente a participar en el negocio del contrabando de seres humanos a veces puede resultar sorprendente y ser el resultado de consecuencias imprevistas. Doris Meissner, que fue la máxima responsable de inmigración en Estados Unidos durante una gran parte de la década de 1990, me explicaba cómo los pescadores taiwaneses habían cambiado el atún por los seres humanos: «Cuando a principios de los años noventa los países pesqueros del Pacífico acordaron limitar la pesca de arrastre en la industria del atún para reducir las muertes de delfines, los pescadores taiwaneses se encontraron con un excedente de capacidad de carga debido a la reducción de la pesca. Dado que Taiwan está cerca de Fujian, los emigrantes chinos se convirtieron en la nueva mercancía».[32]

El contrabando de personas y otras formas de comercio ilícito y de delincuencia presentan algunas conexiones evidentes. Como me decía Miguel Ángel Carranza, un veterano agente de policía al que conocí en San Antonio: «Era lógico que los grupos mexicanos con larga experiencia en el contrabando de inmigrantes ilegales a Estados Unidos "doblaran sus ingresos" obligando ocasionalmente a sus clientes a llevar consigo "pequeños paquetes" a través de la frontera [...] Varios pequeños paquetes al día no tardan en convertirse en un paquete muy grande. Y si ese paquete es de cocaína, tendrá un valor de venta en la calle infinitamente superior a la tarifa que han pagado los pobres trabajadores que llevan cada pequeño paquete, a menudo bajo amenaza de muerte».

Carranza proseguía: «Una vez que los grandes grupos del narcotráfico descubrieron la flexibilidad, la eficacia y el riesgo relativamente bajo de utilizar el sistema del "pequeño paquete" para pasar grandes cargamentos de drogas, establecieron una colaboración muy estrecha con las organizaciones que controlaban a los coyotes».[33]

Una de las colaboraciones más sorprendentes y organizativamente complejas entre distintos tipos de comercio ilícito es la que ha surgido entre falsificadores y contrabandistas de personas. ¿Cómo se las arreglan los fabricantes chinos de relojes falsificados, por ejemplo, para coordinar de manera tan eficaz sus canales de distribución al por menor en todo el mundo? El hecho es que pueden encontrarse las mismas copias de relojes de costosas marcas en las esquinas de París o frente a la Estación Central de Nueva York. ¿Y quiénes son los comerciantes que los venden? Por regla general, vendedores callejeros procedentes de países del África subsahariana que han sido llevados de contrabando hasta París y Nueva York por una red global que ha llegado a eficientes acuerdos con las redes de falsificadores chinos.

Incluso a una sofisticada empresa multinacional de consumo masivo le resultaría difícil gestionar el vertiginoso abanico de actividades coordinadas en los ámbitos de la fabricación, el comercio internacional, la logística de transporte, el control de inventarios, la gestión de recursos humanos, la distribución, el seguimiento del producto y el control financiero, por no mencionar las cuestiones relacionadas con la seguridad y la confidencialidad. La existencia de organizaciones con tan fantásticas capacidades de gestión apunta a un modelo de negocio capaz no solo de atraer a directivos de talento, sino de generar enormes beneficios. Por desgracia, revela también la limitada eficacia de los controles gubernamentales. Estos fallos de las autoridades resultan comunes en todas partes; aunque ello se debe a numerosos factores, el principal es que en muchos países quienes en teoría se encargan de poner freno a esos comercios ilícitos se benefician de ellos. Sin la ayuda y la complicidad oficiales, resultaría imposible coordinar las complejas operaciones de esos comercios con tanto éxito y durante tanto tiempo.

Consiga aquí sus papeles

A finales de 2001, en el apogeo del conflicto entre Estados Unidos y los talibanes, la periodista de *Newsweek* Melinda Liu se propuso conseguir en Peshawar, Pakistán, toda la documentación que necesitaría si fuera una afgana que buscara asilo político en Occidente. La obtuvo con extraordinaria facilidad, y a un precio no excesivamente alto. Un fotógrafo local le tomó unas fotos en las que la hizo parecer vagamente afgana.[34] Luego Liu compró un auténtico pasaporte afgano, respaldado por un documento de identidad, un permiso de conducir y un certificado de nacimiento. Todo ello le costó menos de trescientos dólares. Sus proveedores añadieron otros documentos que resultaban necesarios para justificar una petición de asilo: un carnet del Partido Comunista afgano y una citación judicial emitida por los talibanes. Incluso le ofrecieron la posibilidad de publicar un artículo en la prensa de Peshawar en el que se dijera que su álter ego afgana había sido atacada por unos asaltantes desconocidos.

Liu puso fin al experimento en ese punto, no sin antes comprobar que por un precio máximo de cuatrocientos dólares también podía disponer de los visados para los países de tránsito. Todo lo necesario para obtener un permiso de asilo estaba disponible en el mercado local. En varios países podían obtenerse también documentos similares, a menudo con un coste inferior. El acceso a documentos creíbles constituye un recurso fundamental para los contrabandistas y traficantes de seres humanos. En 2005, Ronald Noble, secretario general de la Interpol, admitía que uno de sus mayores problemas era qué hacer cuando de más de 20 millones de pasaportes perdidos o robados, solo 5,8 millones estaban registrados en bases de datos.[35]

Una vez más, el papel de la corrupción y la complicidad oficiales resulta crucial. Los cabezas de serpiente chinos actúan en connivencia con empleados de organismos públicos de exportación de mano de obra, y los guardacostas chinos desaparecen oportunamente cuando lo barcos cargados de ilegales se hacen a la mar. Muchos cabezas de serpiente son, o han sido, empleados públicos.[36] La presencia de funcionarios fácilmente corruptibles hace que un país resulte especialmente atractivo como punto de tránsito. En numerosos aeropuertos, es mucho lo que puede obtenerse con un billete de cien dólares oportunamente deslizado entre las páginas de un pasaporte falso en la ventanilla de inmigración. Y en las rutas de contrabando de la Europa oriental y sudoriental, los traficantes suelen encontrarse con policías de fronteras que tienen una gavilla de pasaportes cubierta de bebidas y tabaco, que quizá ofrezcan a algunas mujeres con el fin de llegar a un acuerdo. Según un diplomático italiano al que entrevisté en Atenas, los funcionarios italianos enviados a Grecia para impedir que los transbordadores cargados de inmigrantes clandestinos lleguen a Italia deben ser reemplazados con frecuencia, ya que al cabo de unas semanas suelen unirse a sus colegas griegos a la hora de compartir los sobornos de los traficantes.[37] Y el éxito del negocio no viene sino a reforzar esta pauta, haciendo que cada vez resulte más fácil repartir los sobornos y más difícil rechazarlos.

Los contrabandistas de seres humanos también orquestan sus transacciones de otras maneras. Con la complicidad de los funcionarios, camuflan a inmigrantes entre los miembros de delegaciones provistos de pasaportes oficiales, o bien los disfrazan de turistas y los suben a autocares de touroperadores. Un sistema más elaborado y muy apreciado por los traficantes rusos consiste en crear una falsa empresa con subsidiarias en varios países, y luego solicitar el permiso para transferir «empleados» de uno a otro. Hay contrabandistas que han falseado relaciones familiares, o incluso que han casado legalmente al inmigrante con alguien que dispusiera de la ciudadanía o la residencia adecuadas; no se trata de un sistema muy utilizado, pero resulta útil como último recurso.

Para el transporte, los contrabandistas emplean prácticamente todos los métodos conocidos: aviones, barcos, trenes, botes, camiones vehículos de tracción animal y largas marchas a pie a través de montañas o desiertos.[38] Se ha obligado a mujeres destinadas al comercio sexual en Estados Unidos a cruzar andando el desierto de Sonora o a trepar por las colinas de California en ropa de trabajo (tacones altos y minifalda). Los medios de transporte modificados para albergar a seres humanos van desde los más simples —compartimientos secretos ocultos en camiones, por ejemplo— hasta los más imaginativos. Una red mexicana llegó a transformar el interior del tanque de un camión de transporte de carburante, que llenó de bancos para sentarse.

Otro componente clave, los apartamentos francos (que obviamente, aunque se les denomine así, no tienen por qué ser apartamentos), pueden disimularse igual de bien. En algunas ciudades no hay necesidad de tomar semejantes medidas, ya que la policía es inepta o corrupta. En otras, basta con un sótano húmedo o un almacén. Pero hay excepciones: en febrero de 2004 se descubrió a 136 inmigrantes ilegales «hacinados» en una casa del lujoso barrio residencial de Scottsdale (Arizona), justo al lado de un campo de golf. Los vecinos notaron que en la casa había demasiado movimiento, demasiado ir y venir de furgonetas y camionetas, y llamaron a la policía. Resultó que cada uno de los inmigrantes, todos ellos de América Latina, había pagado seis mil dólares para entrar en Estados Unidos, y ahora se les retenía hasta que sus parientes enviaran más dinero. Ese mismo día se encontró a otros 64 inmigrantes en un apartamento de la población de Perris, al sudeste de Los Ángeles.[39]

Al igual que ha ocurrido con sus colegas en otros mercados ilícitos, las nuevas tecnologías los han estimulado y dado muchas más ventajas que a los gobiernos que los tratan de contener. Los contrabandistas de seres humanos hacen un amplio uso de las radios con sistema de encriptado, de los teléfonos móviles con tarjeta, del correo electrónico y de los cibercafés. El incremento de la vigilancia en la frontera entre México y Estados Unidos, así como en otras fronteras, ha hecho del acceso a la tecnología una condición imprescindible para cruzarlas con éxito, controlar los movimientos de las patrullas fronterizas e intercambiar instrucciones con los cómplices del otro lado. No obstante, es en el comercio sexual donde se hace un mayor uso de las nuevas tecnologías. El auge del tráfico de mujeres y niños con fines sexuales ha utilizado Internet para exhibir la mercancía en el ciberespacio en algo parecido a las subastas de esclavos.[40] Detrás de los llamados proveedores de «novias por correo» —una anticuada expresión con la que se designa una transacción que hoy se realiza online y con todas las facilidades técnicas para seleccionar, clasificar y fijar el precio—, puede haber organizaciones dedicadas al tráfico de seres humanos. Y en Internet aparecen mujeres con el rótulo de «en venta» en diversos puntos de la cadena de distribución: en los lugares de tránsito de Europa central, para ser adquiridas por los propietarios de burdeles, o en el extremo final de la cadena, para que las compren consumidores individuales. El grado en que el tráfico sexual debe su éxito a las técnicas de comunicación más avanzadas presenta un contraste extraordinario con su dependencia de la violencia más brutal y primitiva.

Leyes antiguas, crímenes modernos

El comercio de personas ha revolucionado el derecho internacional. Lentamente. Así, por ejemplo, uno de los instrumentos de los que dispone la ONU en este ámbito, un convenio sobre los derechos de los inmigrantes, se redactó en 1978 y no se firmó hasta 1990, pero entró en vigor en 2003, cuando Guatemala se convirtió en el vigésimo primer país en ratificarlo.[41] A principios de 2005, solo 27 países habían ratificado el acuerdo y, en consecuencia, aceptaban el carácter vinculante de sus disposiciones, que establecían un conjunto de derechos para los inmigrantes, que iban desde las garantías de procedimiento legal debido y empleo justo hasta el derecho de enviar dinero al país de origen en forma de remesas. Por desgracia, los países firmantes son, casi sin excepción, exportadores netos de trabajadores y hasta la fecha ninguno de los principales países destinatarios se ha sumado al acuerdo. Por otra parte, sostienen los expertos, en realidad no vale la pena ratificar el tratado, ya que establece unas medidas insuficientes al tiempo que crea una falsa sensación de progreso cuando en realidad lo que se ha conseguido es poco.

Otras medidas centradas de forma más directa en el comercio con personas han tenido mayor éxito. En 2000, la Asamblea General de las Naciones Unidas aprobó una normativa para combatir el crimen organizado transnacional, con un protocolo sobre el «Contrabando de emigrantes por tierra, mar y aire», y otro para «Prevenir, reprimir y castigar el tráfico con personas, especialmente mujeres y niños».[42] El protocolo de tráfico alcanzó el umbral mínimo de cuarenta firmas a finales de 2003, y el de contrabando, a principios de 2004 (Estados Unidos ha firmado los dos, pero hasta la fecha no ha ratificado ninguno). Entre otros esfuerzos multilaterales se incluyen el desarrollo de medidas comunes para combatir el contrabando y el tráfico dentro de la Unión Europea, así como la ampliación en 2002, en el seno del Tribunal Penal Internacional, de la definición de «crímenes contra la humanidad» para que incluya las formas de esclavitud inherentes al tráfico de seres humanos.

Todas estas iniciativas reflejan un esfuerzo por definir, regularizar y codificar los delitos inherentes al tráfico de personas. Los protocolos de la ONU establecen definiciones del contrabando y del tráfico que resultan amplias y detalladas, y que prestan atención al papel de los intermediarios y colaboradores, y no solo a los principales operadores y sus víctimas. Los países que ratifican los protocolos se comprometen a declarar ilegales una serie de actividades, a aplicar las leyes pertinentes, a cooperar en la protección y repatriación de las víctimas, a intercambiar información y a colaborar en el control de las fronteras. Además, ambos protocolos tratan de diferenciar a la víctima del delincuente, haciendo hincapié en que la inmigración ilegal por sí misma no constituye un delito en el marco del derecho internacional, y exigiendo un trato compasivo a las víctimas, garantizando el derecho de estas a ser devueltas a su país de origen en lugar de quedar detenidas en el lugar donde han sido descubiertas.

Estos esfuerzos están lejos de ser meramente teóricos. Por el contrario, abordan un problema fundamental de orden público: la ausencia hasta hace poco en muchos países de leyes apropiadas para esta problemática. En Estados Unidos, por ejemplo, el servicio de inmigración no diseñó su política anticontrabando hasta 1997, mientras que hasta octubre de 2000 no se aprobó una ley contra el tráfico de personas.[43] Y Estados Unidos es uno de los países pioneros en la materia. Por citar otro ejemplo, en Turquía, que constituye un importante país de tránsito, los arrestos relacionados con el contrabando de personas pasaron de 98 en 1998 a 850 en 2001; pero fueron solo por delitos menores, dado que no existe ninguna ley contra el contrabando de seres humanos.[44] Muchos países de destino y de tránsito apenas han empezado a afrontar el problema. E incluso allí donde los contrabandistas y traficantes se arriesgan a penas de cárcel, las condenas son leves en comparación con las dispuestas para otras clases de comercio ilícito.[45] En Estados Unidos, un contrabandista cogido *in fraganti* con un cargamento de marihuana se enfrenta a más años de cárcel que otro al que se pille haciendo contrabando de personas.

Los acuerdos de las Naciones Unidas y otros tratados internacionales para combatir el contrabando y el tráfico de seres humanos han ayudado a acelerar la aprobación de leyes adecuadas. Albania y Rumanía, por ejemplo, declararon ilegal por primera vez el tráfico de seres humanos en 2001. En una tentativa similar, en la actualidad Estados Unidos clasifica cada año a los países en tres categorías según su papel en el tráfico de seres humanos y los esfuerzos que realicen para prevenirlo y perseguirlo. De ese modo se amenaza con castigar a los peor clasificados retirándoles la cooperación y la ayuda. Pero quizá el resultado más valioso sea la persuasión moral que posibilita el hecho de revelar públicamente, con la vergüenza que eso supone para los afectados, los nombres de quienes no cooperan con los esfuerzos realizados en el ámbito internacional.[46]

El motor apenas oculto que impulsa todos estos esfuerzos globales es un ejército de grupos de activistas que han puesto de relieve la actual esclavitud y la victimización de mujeres y niños a manos de los traficantes. El éxito de dichos grupos se basa, al menos en parte, en la mera repugnancia moral que producen muchas de las prácticas implicadas. Además, el comercio de personas está relacionado con numerosas cuestiones que han pasado a ser objeto de defensa o de denuncia, como la violencia contra las mujeres, la explotación infantil, las condiciones laborales, los derechos de los refugiados y los derechos humanos en general. La escandalosa naturaleza del mismo ha ayudado a convertir el tráfico sexual en tema de muchas noticias de portada e incluso de la cruzada personal emprendida por algunos periodistas y columnistas especialmente sensibilizados.[47]

Si alguna desventaja tiene la actualidad que ha adquirido el tema, y aconseja cierta cautela, es que centrarse especialmente en el tráfico de seres humanos con fines sexuales no debería oscurecer otras formas del mismo, como el cautiverio basado en supuestas deudas, y los demás fenómenos relacionados en el trabajo de índole no sexual realizado en fábricas y talleres. Lo cierto es que el mercado mundial de mano de obra barata sigue superando incluso al de sexo barato. Además, la coacción laboral a menudo lleva aparejada la violencia sexual, y viceversa.

El comercio de la desesperación

Pese a todo lo anterior, si se considera el comercio con personas desde un punto de vista exclusivamente moral, se corre el riesgo de no percibir algo esencial: su aspecto económico. No se trata solamente de que los traficantes y los contrabandistas estén gestionando un negocio al que hay que hacer frente en sus dimensiones financieras y comerciales, aparte de que resulte moralmente aborrecible. Todo esto es cierto. Pero cuando en Albania hay padres que cambian a sus hijos por televisores, en Nigeria hay pequeñas poblaciones que viven de las remesas que envían sus emigrantes aunque conozcan el coste terrible que representa para estos, y en Camboya hay mujeres jóvenes rescatadas de los burdeles que deciden volver a los mismos por falta de una perspectiva mejor, los cálculos económicos muestran la ambigüedad de este comercio de forma mucho más certera que una lectura moral.

Cuando se considera el comercio de seres humanos como cualquier otra clase de comercio ilícito, resulta más fácil entender su funcionamiento. Los contrabandistas y traficantes forman redes de intermediarios eficaces que se aprovechan de las restricciones legales y las fronteras internacionales para vincular la oferta y la demanda a un precio elevado. Desde esta perspectiva, poner fin al tráfico de seres humanos exigirá que los distintos gobiernos emprendan acciones concretas que despojen al negocio de valor; es decir, de dinero. Deben hacer que aumente el riesgo para los traficantes y contrabandistas de seres humanos y disminuyan las compensaciones que obtienen con él.

Se trata de una empresa difícil, ya que los traficantes son especialmente hábiles a la hora de aprovechar los resquicios o lagunas legales para obtener beneficios. En la actualidad, los gobiernos de todo el mundo se replantean constantemente sus leyes de inmigración por motivos que van desde los más nobles principios hasta la pura y simple xenofobia.

Esta actividad se traduce en un panorama global continuamente cambiante, donde algunos flujos de personas entre países se legalizan, otros se penalizan y otros se dejan en una zona legal difusa, todo ello al mismo tiempo. Y el panorama no deja de variar precisamente en un momento en que los traficantes se muestran comercialmente más flexibles y adaptables a esos cambios de lo que han sido nunca, y de lo que son capaces de serlo las burocracias gubernamentales.

Lo anterior, además de la indignación que provocan muchas de las prácticas del comercio de personas, sugiere que los gobiernos están mostrándose excesivamente benévolos a la hora de atacar este comercio despojándolo de valor. Entre los posibles planteamientos se incluyen aplicar normas laborales que acaben con las fábricas y talleres basados en la explotación, o abordar la prostitución desde una perspectiva sanitaria en lugar de represiva. Existen ramificaciones extremadamente complejas que tienen que ver con la explotación sexual, el trabajo infantil, las condiciones laborales inadecuadas, la usura y demás lacras. Comerciar con niños y con personas vulnerables, o esclavizar a cualquier ser humano, es algo que merece el más duro castigo. El problema es que los diversos gobiernos están mostrándose cada vez más incapaces de apresar a los culpables y castigarlos.

Por otra parte, mientras todos los países no tengan un solo mercado de trabajo sino dos —uno legal o tolerado, y otro clandestino y desregulado—, como ocurre en la práctica, ciertas actividades laborales como la confección de ropa, el servicio doméstico y el sexo seguirán reportando enormes beneficios a los contrabandistas y traficantes de seres humanos.

Frente a estos dilemas, los países de destino —y especialmente Estados Unidos— han optado, en cambio, por tratar de poner fin a este comercio en los países de origen, presionando para que se aprobaran y aplicaran diversas leyes, y clasificando a dichos países en función de la calidad y la eficacia de las medidas que toman. Pero este planteamiento, que recuerda a la prioridad del «control de la oferta» en la lucha contra la droga, choca con el hecho de que normalmente los países de origen carecen de la infraestructura judicial y de las medidas de orden público necesarias para frenar o prohibir ese comercio. Y también va en contra de todas las tendencias políticas y culturales surgidas desde el final de la guerra fría, en una época caracterizada por unas fronteras cada vez más abiertas, por el reducido coste de los viajes y por unas cifras récord en el número de personas que cruzan las fronteras entre países. Desde esta perspectiva, la globalización adquiere connotaciones muy distintas.

Sin embargo, aparte de la globalización sigue habiendo una razón aún más profunda para el comercio de seres humanos. Se trata, de manera bastante trágica, de una aspiración básica: el deseo de cualquier persona de encontrar una vida mejor tanto para ella como para sus hijos. Los economistas y sociólogos han llegado a la conclusión de que lo que impulsa la emigración no es la penuria, o la pobreza absoluta, sino la penuria relativa, esto es, el sentimiento de que a uno le iría mejor en algún otro lugar.[48] Es ese sentimiento el que empuja a los fujianeses a embarcar en un carguero en el mar de la China Meridional, o a una familia albanesa a vender a sus hijos a unos traficantes que se los llevarán a Italia. Y lo que se percibe como la recompensa que obtienen los que perseveran, es decir, los que consiguen llegar pese al suplicio del viaje y a la larga empiezan a enviar dinero a casa, no hace sino acentuar esa sensación de penuria relativa y hacer aún más intensa la tentación.

Difícilmente se puede considerar a Marruecos el país más pobre del mundo. De hecho, muchos países aceptarían con gusto su nivel de vida.[49] Sin embargo, Marruecos constituye también una importante fuente de emigrantes ilegales y objeto de contrabando. ¿Y por qué? Pues porque la proximidad de España y Europa hace que las diferencias sean difícilmente tolerables. Así, decenas de marroquíes intentan cada día cruzar la frontera o hacerse a la mar en improvisadas pateras, con el resultado de que muchos de ellos acaban muriendo ahogados. Los padres pagan a los contrabandistas para que se lleven a sus hijos a las ciudades del otro lado del Estrecho, donde los marroquíes que allí viven se harán cargo de ellos. Un padre que había enviado a su hijo de quince años a Italia con documentación falsa tras pagar 5.000 dólares, declaró a *El País* que, para él, la decisión de endeudarse aún más y conseguir otros 4.000 dólares para enviar a su segundo hijo era una decisión muy fácil de tomar: «Vivir en Marruecos es como estar muerto —decía—. Si la patera se hunde, no será culpa del traficante, sino porque el Destino así lo quiere».

6

El comercio global de ideas robadas

Le ha ocurrido a Bill Gates y a Bono, la estrella del rock; a la General Motors y al general Mijaíl Kaláshnikov, el militar ruso inventor del fusil de asalto que lleva su nombre; a J.K. Rowling, creadora de *Harry Potter*, y a la Pfizer, creadora de la Viagra: a todos ellos les han robado ideas.[1]

«No es agradable que sea un ladrón quien se encarga de tu campaña de promoción», reflexionaba Bono, líder y cantante del grupo U2, tras descubrir que su álbum de 2004 *How to Dismantle an Atomic Bomb* había sido pirateado y antes de salir al mercado ya estaba disponible en Internet. En el año 2003, meses antes de lanzar en todo el mundo su nuevo sistema operativo Longhorn, Microsoft descubrió copias robadas en Malaisia y Singapur, donde se vendían a dos dólares la unidad.[2] La General Motors ha acusado a un fabricante de automóviles chino de copiar uno de sus modelos.[3] En 2004, el general Kaláshnikov demandó a Estados Unidos por haber adquirido fusiles AK-47 pirateados para equipar a la policía iraquí.[4] Actualmente circulan en todo el mundo alrededor de cien millones de unidades de esta arma, muchas de las cuales son clones perfectos del original. «¿Y qué podemos hacer? —se quejaba el general Kaláshnikov—. Es un signo de los tiempos.»

El caso es que, independientemente de que se las califique de imitaciones, réplicas, copias o artículos pirateados o adulterados, las falsificaciones están por todas partes. Pensemos en cualquier artículo de cualquier industria, y con toda probabilidad habrá sufrido el ataque de los imitadores. Ningún producto está a salvo, se trate de armas o de perfumes; de coches, motocicletas o zapatillas deportivas; de medicamentos o de maquinaria industrial; de relojes, raquetas de tenis, palos de golf, videojuegos, software, música o películas.

Los compradores corrientes que adquieren imitaciones suelen arriesgarse muy poco al hacerlo, o nada en absoluto. Pero las falsificaciones son artículos robados; y lo son porque son producto del robo de la marca comercial, el diseño y las ideas de alguien. Pese a ello, resultan sumamente fáciles de encontrar. De hecho, en casi todas las ciudades existe un mercado o un área determinada que son conocidos por vender copias baratas ilícitas de casi cualquier artículo de consumo.[5] En dichos mercados se ofrecen bolsos de imitación y relojes y gafas de sol de dudoso origen, que se presentan al comprador en escaparates atiborrados. Pero los escaparates no son más que la punta del iceberg. Dentro de las tiendas se encuentran elegantes catálogos de falsificaciones particularmente valiosas —porque son difíciles de producir o porque resultan especialmente deseables en un momento determinado—, que los contrabandistas sacan de sus escondites una vez cerrado el trato. Los productos se apilan en almacenes, a veces formando hileras de artículos de contrabando entregados por camiones desde los puertos a los que han llegado en enormes contenedores, eludiendo las inspecciones gracias a la suerte o a base de engaños. Estos mercados constituyen un fenómeno auténticamente global: tanto en los países ricos como en los pobres, a menudo exhiben las mismas mercancías en escaparates y tenderetes de aspecto similar. Con frecuencia, los comerciantes pertenecen al mismo grupo étnico independientemente de la ciudad o incluso del continente donde se encuentren.

¿De dónde proceden esos artículos? Normalmente de Asia; China, Taiwan y Vietnam son los puntos de origen más probables, aunque ni mucho menos los únicos. Allí, los productos o sus componentes suelen provenir de las mismas cadenas de montaje donde se fabrican los productos de marca que luego se copian. Pero también existen otras instalaciones productivas, más o menos clandestinas y ocultas a las autoridades; eso cuando no son estas las que las protegen. Se sabe que en China los gobiernos provinciales y el

Ejército de Liberación Popular (ELP) —las fuerzas armadas chinas— participan en la producción de diversas falsificaciones, y en general se cree que el sistema penitenciario proporciona trabajadores forzosos a tal fin. En otros países, sin embargo, las instalaciones donde se producen copias ilegales de productos de marca pueden ser fábricas modernas que ofrecen los mejores puestos de trabajo de la zona.

Para cuando llegan a la calle, la mayor parte de las falsificaciones han sido objeto de tantos intercambios y transportes que resulta difícil rastrear en qué condiciones se produjeron. A la mayoría de los consumidores, no obstante, eso les da igual, pues están en juego otros impulsos y deseos más intensos. La afluencia de falsificaciones al mercado responde a fuerzas poderosas: las ansias de consumir productos de marca, y la irresistible tentación de comprar a precio de ganga. Las empresas propietarias de las marcas confían en lograr que los consumidores paguen su precio íntegro, mientras que los falsificadores se conforman con ofrecer un mercado alternativo. La batalla entre ambos constituye uno de los grandes conflictos económicos de nuestra época.

El precio de la fama

«Hemos descubierto a nuestro enemigo, y somos nosotros mismos.» Los directivos de Adidas, Guess, Calvin Klein, Sony, Black & Decker y las demás empresas que han aspirado a hacerse un nombre en el ámbito internacional, para ellas o para sus productos, bien podrían hacer suya esta célebre frase. Es tan irónico como cierto que el atractivo y la imagen de éxito que han logrado infundir en sus artículos, permitiendo de ese modo aumentar los precios y los ingresos, es precisamente lo que los convierte en objetos idóneos de robos y falsificaciones. Por regla general, cuanto más éxito tenga una marca, más se la falsificará. La vulnerabilidad a los imitadores es el talón de Aquiles de la identidad de marca. Es el precio de la fama.

Exactamente igual que las marcas a las que imitan, también las falsificaciones han recorrido un largo camino.[6] Antaño eran fácilmente detectables y ridículamente primitivas en calidad y diseño. Dado que resultaba casi imposible confundirlas con los productos auténticos, su fabricación y venta parecían más bien el típico ejemplo del «delito sin víctimas». Pero las cosas han cambiado. En la actualidad, las falsificaciones comportan enormes costes, en primer lugar para las empresas, que ven mermar sus ingresos y perjudicada su reputación. Por ejemplo, se calcula que los ingresos anuales que pierden las empresas estadounidenses a causa de las falsificaciones suman entre 200.000 y 250.000 millones de dólares. La Unión Europea estima que se pierden cada año alrededor de cien mil puestos de trabajo a causa de las falsificaciones. Pero las copias ilegales también suponen costes para los gobiernos, tanto en dotación de medios para perseguirlas como en impuestos que se dejan de recaudar. En 2003, el comercio de productos falsificados en el estado de Nueva York alcanzó una cifra estimada de 34.000 millones de dólares, privando a dicho estado —según cálculos de sus propios funcionarios— de 1.600 millones en ingresos fiscales.[7]

Pero, sobre todo, la falsificación perjudica a los consumidores inconscientes, a veces —por ejemplo, en el caso de los medicamentos pirateados o de los recambios de automóvil que incumplen las normas de calidad— con fatales consecuencias. A pesar de ello, las falsificaciones resultan ubicuas, son cada vez más sofisticadas, tanto en su calidad como en la sutileza del engaño, e inundan literalmente el mercado global. Según la Interpol, desde comienzos de la década de 1990 el tráfico de falsificaciones ha aumentado a un ritmo *ocho veces* superior al del comercio legítimo. Hace veinte años se estimaba que las pérdidas comerciales producidas en todo el mundo debido a las falsificaciones rondaban los 5.000 millones de dólares. Hoy están en torno a los 500.000 millones. Eso sitúa el coste de la falsificación entre el 5 y el 10 por ciento del valor total del comercio mundial, lo que equivale, por ejemplo, al PIB de Australia. Y sigue creciendo, al menos si se mide por el número de incautaciones de productos falsificados que se producen en las aduanas. En la Unión Europea, dichas incautaciones aumentaron un 900 por ciento entre 1998 y 2001, y se duplicaron de nuevo al año siguiente.[8] En el caso de las aduanas estadounidenses, las incautaciones aumentaron un 12 por ciento entre 2002 y 2003, mientras que Japón, por su parte, también declaraba incrementos sustanciales.[9]

Una de las razones de este aumento es la constante expansión de la oferta de falsos productos de marca que se encuentran en el mercado.[10] Antes, las falsificaciones que cruzaban las fronteras afectaban sobre todo a la industria de la moda y, dentro de esta, a los artículos más lujosos, como camisas Pierre Cardin, bolsos Gucci, maletas Louis Vuitton, etcétera. Estos, obviamente, siguen siendo objeto de los imitadores; pero en la actualidad también lo son las válvulas industriales, los cigarrillos, los DVD, los detergentes, las bolsas de basura, los videojuegos, los amortiguadores, los inhaladores para el asma, los aparatos de medición, los puros y el champán. En Oriente Próximo han aparecido válvulas defectuosas que exhiben el logotipo de reputados fabricantes italianos grabado en acero en el lugar exacto. En toda Asia aparecen copias de calidad de películas que aún no han sido estrenadas. El 20 por ciento de los maestros de escuela japoneses admiten haber comprado a sabiendas ropa o complementos con la etiqueta falsificada.[11] Y hay fábricas en México que adquieren materias primas a la India con las que producen y envasan medicamentos falsos, cuyos ingredientes activos están diluidos o sencillamente no existen, y que venden a los estadounidenses en Tijuana o a través de Internet.

Las falsificaciones casi han llegado a saturar algunos mercados, y muy especialmente en China, que representa la «zona cero» de este comercio.[12] En dicho país se vende cada año en productos falsificados un mínimo de 16.000 millones de dólares. El 40 por ciento de los productos de Procter & Gamble y el 60 por ciento de las motocicletas Honda no son originales, como tampoco lo es el 95 por ciento del software industrial. Abundan los medicamentos falsos, tanto los occidentales como los tradicionales chinos. Pero a la vez China es probablemente el mayor exportador mundial de falsificaciones. Otros importantes países de origen son Taiwan, Vietnam, las Filipinas, Malaisia, Rusia y las antiguas repúblicas soviéticas, así como diversos países de América Latina y África. Algunos de ellos incluso se han especializado: Ucrania en discos ópticos, por ejemplo, o Rusia en software y Paraguay en cigarrillos. La distribución es global, y emplea los mismos medios que el comercio legítimo. Por otra parte, Internet no hace sino potenciar este panorama: según ciertas estimaciones, cada año se comercializan online unos 25.000 millones de dólares en productos falsificados.[13] Resulta fácil montar tiendas en Internet, conectando rápida y discretamente a compradores y vendedores; el correo electrónico y las descargas de archivos han convertido las copias electrónicas de películas y canciones en productos que es posible comprar y vender.

Otra razón del auge de las falsificaciones es que las instalaciones y equipos que requiere su fabricación se han difundido por todo el mundo, sobre todo gracias a los fabricantes originales, que han compartido tecnología y conocimientos con filiales, proveedores y concesionarios extranjeros con el fin de penetrar en nuevos mercados. De hecho, la reproducción de productos comerciales constituye una de las más potentes herramientas del capitalismo. Franquicias y concesiones resultan esenciales para establecer la identidad peculiar de una compañía, su «marca global». Muchos productos que consideramos artículos de lujo —los cosméticos más caros, por ejemplo, o la alta costura— se confeccionan, siguiendo las especificaciones del propietario de la marca, en fábricas de producción en serie que trabajan para múltiples clientes. Un perfume de moda que se vende en lujosos centros comerciales o en sofisticadas boutiques puede proceder de la misma fábrica que los que se ofrecen en una cadena de tiendas de descuento. Un televisor o una lavadora-secadora de marca y de valor más elevado puede muy bien ser igual al modelo «clónico» que se ofrece por solo una parte de ese precio. Las marcas nos sugieren calidad, unidad y consistencia, pero ocultan la difusión global de las instalaciones, el trabajo y el *know how* que intervienen en la fabricación de todo producto.

La innovación y la tecnología constituyen un arma de doble filo. Las nuevas tecnologías significan nuevos productos —cámaras más pequeñas, remedios para la disfunción eréctil, zapatillas deportivas con cámara de aire— y, en consecuencia, más artículos para falsificar. Los nuevos procesos de fabricación benefician a los productores ilícitos tanto como a los propietarios legales de las marcas, y a menudo con muy poco tiempo de diferencia, cuando no simultáneamente. Las impresoras láser y los escáneres han revolucionado el arte de falsificar envases, etiquetas y manuales de instrucciones. La tecnología de grabación de discos ópticos, hoy disponible de forma generalizada, se traduce en que los DVD piratas ucranianos de dos dólares tienen muy poco que envidiar, en cuanto a calidad, a los originales de treinta dólares. Incluso es posible que las herramientas empleadas en este comercio sean falsas, desde las copias ilegales del programa Autocad utilizado en los diseños hasta las cadenas de montaje compuestas íntegramente de piezas falsificadas.

Especialmente en los países en vías de desarrollo, la gente no parece sentirse demasiado desconcertada por el predominio de artículos falsificados, ni siquiera de aquellos que funcionan mal o que, como en el caso de los medicamentos pirateados, pueden hacer que una persona enferme o muera. Ello se debe en parte a que apenas tienen otras opciones. La industria farmacéutica estima que entre una cuarta parte y la mitad del mercado africano está integrado por productos falsificados. Un estudio realizado en las farmacias de la ciudad nigeriana de Lagos reveló un 80 por ciento de falsificaciones.[14] En tales condiciones, uno aprende a adaptarse, a encontrar imitaciones y vendedores en los que confiar. En el cercano Togo, *todas* las empresas de distribución legal de música han abandonado el mercado o han tenido que cerrar, de modo que hoy solo se puede acceder a las grabaciones a través de CD piratas, que saturan el mercado local y se envían a toda África occidental.[15] Lo mismo ocurre en muchos países de América Latina. El riesgo de que el producto resulte inapropiado o defectuoso constituye un aspecto de la vida cotidiana perfectamente asumido. Y es posible que se contemple la falsificación como un mal menor, que al menos genera puestos de trabajo e ingresos a escala local, como descubrió la policía tailandesa cuando intentó hacer una redada en una fábrica de juguetes del centro del país y se encontró con que un millar de personas se habían concentrado para impedirles el paso.[16]

Mientras tengan la calidad suficiente, las réplicas no autorizadas de productos comerciales, lejos de rechazarse, en ocasiones son acogidas favorablemente. Uno de los motores del auge de los medicamentos genéricos —que por exigencias de la seguridad social suelen dispensarse en farmacias cuando están disponibles— fue la fabricación no autorizada de copias de populares fármacos por parte de empresas de la India y Brasil, que consiguieron «reconstruir» su fórmula, algo así como si uno desmontara un coche para luego montarlo de nuevo. En la actualidad hay grupos activistas y expertos sanitarios que sostienen que los genéricos no autorizados pueden ayudar en la causa de la lucha contra lacras universales como la malaria, la tuberculosis y el sida. Por otra parte, se atribuye a las reproducciones no autorizadas de grabaciones musicales la virtud de estimular la innovación artística, gracias a las mezclas, los sámplers y la electrónica. Existe todo un movimiento de programadores informáticos e ingenieros de software que ponen su trabajo a disposición de todo el mundo mediante la libre reproducción de acuerdo con lo que se denomina «código abierto», afirmando que actuar de otro modo equivale a reprimir la innovación y a impedir que toda una serie de herramientas útiles vean la luz.[17]

Es evidente que una aplicación técnicamente correcta diseñada para el sistema operativo Linux no tiene nada que ver, por ejemplo, con un falso bolso de piel Prada cuya etiqueta reza «Prado» y que se rompe al cabo de tres semanas, y mucho menos con unos viales de agua del grifo a los que se hace pasar por la vacuna de la meningitis. Sin embargo, no siempre está claro dónde situamos la línea divisoria como consumidores. Con frecuencia, las falsificaciones no se compran por necesidad, sino por libre elección, y los clientes que lo hacen disponen de otras opciones. Hay personas que han adoptado el hábito de utilizar un reloj barato que dura solo unos meses como algo que forma parte de su estilo de vida. Muchas mujeres de Corea y Japón guardan sus bolsos caros para ocasiones especiales y llevan imitaciones cuando salen a hacer recados o cuando llueve, lo que equivale a la costumbre de llevar circonitas o bisutería y guardar las joyas auténticas para ocasiones que merecen la pena y garantizan cierta seguridad. «Tengo varios bolsos falsos, y no sé de ninguna de mis amigas que no tenga uno», admitía una neoyorquina de la alta sociedad que sin duda podía permitirse perfectamente comprar solo originales.[18]

Las marcas poseen un poderoso atractivo. Como así también los precios bajos. Y para miles de millones de consumidores, la combinación de ambas cosas resulta sencillamente irresistible.

Propiedad intelectual es propiedad real

Definir qué es falsificación y qué no lo es depende del concepto de propiedad intelectual. El término puede resultar algo engañoso, ya que no todo lo que abarca es «intelectual» en el sentido académico. Antes bien, la ley de propiedad intelectual rige el derecho a utilizar o a beneficiarse de algo que constituye una idea original —fórmulas de medicamentos, diseños de automóviles, películas, novelas, juegos de mesa, modelos de zapatillas deportivas, tejidos sintéticos, etcétera—, así como los nombres y símbolos distintivos utilizados para identificarla.[19] El aerodinámico logotipo de Nike o los arcos dorados de McDonald's son símbolos que ayudan a atraer clientes y generar ingresos; se trata, por tanto, de activos valiosos. En resumen, la propiedad intelectual es «la idea de que es posible ser propietario de ideas».

Para proteger la propiedad intelectual se utilizan sobre todo tres instrumentos legales: las marcas registradas, que afectan a las palabras, imágenes y símbolos empleados para identificar o distinguir un producto o una empresa; las patentes, destinadas a los inventos, y los derechos de autor, o copyright, que abarcan las obras literarias, de arte, la música y el software. Aunque casi todos los países utilizan estos mecanismos, las leyes y prácticas que rodean a cada uno de ellos varían de un lugar a otro, por no mencionar el modo en que se aplican.

Si se puede ser propietario de ideas, entonces estas pueden comercializarse. Así, existe la posibilidad de autorizar a otros a hacer uso de la propiedad intelectual, a través de un contrato y mediante el pago de una tarifa. Cuanto mayor sea la proporción del valor de mercado de un producto que resida en su marca —lo que hace, por ejemplo, que un peluche de Mickey Mouse sea distinto de cualquier otro peluche—, y no en sus componentes materiales, más pagarán las empresas para protegerla. La falsificación representa un ataque parasitario a ese valor: los falsificadores pagan las materias primas y la mano de obra que utilizan, pero «toman prestado» —o mejor dicho, roban— el valor de marca, del que se benefician todo lo que pueden.

La batalla sobre la propiedad intelectual se ha convertido en un importante conflicto económico internacional. Los países en los que residen la mayoría de los titulares de propiedad intelectual —y donde el valor de marca genera la mayor parte de sus ingresos— sostienen que la garantía de esos derechos de propiedad constituye un requisito indispensable para el progreso constante de la humanidad. Si no se garantizan a los creadores de nuevas y valiosas ideas los derechos de propiedad —y los ingresos resultantes—, desaparecerán los incentivos para estos, y la innovación disminuirá. Es un argumento lógico, e incluso en los países que andan escasos de inventores, los titulares de patentes y las empresas propietarias de grandes marcas entienden este principio. De hecho, muchos se muestran de acuerdo con él, y sus gobiernos han prometido que harán todo lo posible para frenar el uso ilícito de la propiedad intelectual. Sin embargo, los progresos realizados al respecto no resultan demasiado alentadores. Como todas las industrias, una tras otra, han descubierto con decepción que los incentivos para la falsificación resultan, sencillamente, demasiado poderosos.

El inventario: de relojes Cartier a tractores Caterpillar

Las falsificaciones son muy variadas. Algunos falsificadores se toman la molestia de reproducir todas y cada una de las señales de identificación, en tanto que otros se limitan a sugerir una marca conocida sin prestar mucha atención a los detalles. Algunas falsificaciones se describen abiertamente como copias, mientras que en otras se insiste en su carácter auténtico. A veces los imitadores cuentan con que sus clientes saben que los productos son falsos; en otros casos, se basan precisamente en el engaño. Algunas imitaciones son productos bien hechos que funcionan a la perfección; otros son defectuosos, o entrañan peligros potenciales. Un rápido vistazo a varias de las industrias más afectadas —indumentaria, productos industriales, software, música y vídeo, y medicamentos— revelará la variedad de artículos, el sofisticado oportunismo y la ilimitada creatividad de los falsificadores. Y mostrará asimismo que estos abastecen a un mercado que está tan ávido de comprar sus ilegales mercancías como ellos de venderlas.

Indumentaria y complementos. En una redada llevada a cabo en junio de 2004 en la neoyorquina Canal Street, se encontraron bolsos falsificados de marcas famosas por un valor de 24 millones de dólares.[20] En Europa, la industria de la indumentaria y el calzado de diseño ha dejado de ganar 8.000 millones de dólares a causa de las falsificaciones, y 3.000 millones la de cosméticos. En Italia, país puntero de la moda europea y principal víctima de algunas de las falsificaciones más sofisticadas del mercado, hasta un 20 por ciento de la ropa que se compra consiste en imitaciones de prendas de vestir de marca, y se calcula que las ventas de artículos de piel falsos en todo el país alcanzan los 1.400 millones de dólares. En Hong Kong y Singapur, las cifras resultan aún más elevadas.

Las falsificaciones más valoradas son las denominadas «supercopias», meticulosas imitaciones de artículos de lujo que incluso han llegado a confundir a los propios empleados de Chanel, en los parisinos Campos Elíseos.[21] La capital mundial de la supercopia es Corea del Sur, con una probable producción anual de un millón de artículos que luego se venden por la décima parte de lo que cuesta el producto auténtico. Un falsificador coreano admitía haber vendido su supercopia del famoso bolso Kelly de Hermès por 3.900 dólares, un precio todavía menor que el del auténtico, que puede alcanzar los 25.000 dólares debido al extraordinario prestigio del que goza la marca Hermès. Lo que permite a este falsificador lograr el engaño son los avanzados métodos de producción empleados en la elaboración de las supercopias, que cuentan con tecnología punta e incluso con expertos artesanos de la industria europea de los artículos de lujo que venden sus conocimientos de forma encubierta. Se trata, pues, de «artesanos deshonestos», no muy distintos de los científicos deshonestos implicados en el tráfico ilegal de armas. Los supercopiadores saben muy bien lo que quieren, y un ejemplo de ello es que los ladrones que en el verano de 2001 irrumpieron en la sede central de una casa de modas italiana robaron, única y exclusivamente, muestras de la colección primavera/verano de 2002.

Los propietarios de las marcas se muestran alarmados por la creciente calidad de las falsificaciones. Los doscientos Rolex falsos incautados en Italia entre 2000 y 2004 estaban tan bien hechos —hasta el punto de contar con una serie de hipersecretas señales internas— que consiguieron engañar a la propia empresa.[22] Incluso los clientes más adinerados y exigentes están descubriendo que en la actualidad la calidad de las falsificaciones es tan elevada que pagar varias veces más por un original está perdiendo su atractivo.[23] Algunos fabricantes confían en que la apertura, en centros comerciales de lujo, de tiendas de venta al público de productos de marca directamente de fábrica y a precios rebajados (lo que se conoce como *outlets*) ayude a combatir esta tendencia al convertir la experiencia de la compra —que incluye no solo el producto, sino acudir al centro comercial para adquirirlo— en algo de lo que los consumidores adinerados puedan alardear.

Sin embargo, no todos los propietarios de marcas confiesan sentirse alarmados. A algunos fabricantes de artículos de lujo les preocupan menos las falsificaciones, ya que están seguros de que estas apenas desplazan del mercado a un mínimo de su exclusiva clientela; e incluso creen que pueden tener un efecto positivo, actuando como una especie de guía previa que aconseja a los aspirantes a nuevos ricos cuáles son las marcas que deberán procurarse cuando lleguen a serlo. A veces los datos parecen respaldar esta visión; una muestra de ello es que las ventas de relojes Omega de doce mil dólares no paran de subir desde hace varios años pese a la profusión de imitaciones de ochenta dólares que pueden conseguirse en la calle.[24]

En privado, no obstante, los propietarios de marcas reconocen que no tienen todos los triunfos en la mano. El director general de una de las marcas más conocidas de relojes suizos me decía: «Ahora competimos con un producto fabricado por presos chinos. El negocio lo dirigen militares chinos, junto con sus familiares y amigos, utilizando más o menos las mismas máquinas que tenemos nosotros, que adquieren en las mismas ferias industriales alemanas a las que nosotros acudimos.[25]

Y proseguía: «El modo en que hemos racionalizado este problema consiste en suponer que sus clientes y los nuestros son distintos. La persona que compra una copia pirata de uno de nuestros relojes de cinco mil dólares por menos de cien no es un cliente que hemos perdido. Quizá sea más bien un futuro cliente que algún día querrá tener el artículo original en lugar del falso. Quizá nos equivoquemos, y de hecho gastamos algo de dinero en luchar contra la piratería de nuestros productos; pero dado que no parece que nuestros esfuerzos nos protejan demasiado, cerramos los ojos y esperamos que la situación mejore».

Pero cerrar lo ojos y esperar que la situación mejore es un lujo que solo algunas empresas pueden permitirse. Para las que venden productos más baratos como ropa, música o vídeos, la falsificación es una amenaza que puede llegar a acabar con empresas enteras.

Productos industriales. Si uno es un fabricante de automóviles con intereses en China, probablemente se las vea en más de una ocasión con algún fabricante del país cuyo producto, casualmente, tiene el mismo aspecto, diseño o prestaciones que el suyo. Por ejemplo, los faros en forma de ojos saltones del Chery QQ —un automóvil de fabricación china— son un fiel reflejo de los de un modelo de General Motors, el Chevrolet Spark, con el que también comparte muchas otras características. Pero en el mercado de automóviles de Ya Yun Can, en el extremo norte de Pekín, el QQ se vende por poco más de cinco mil dólares, un 20 por ciento menos de lo que cuesta el Spark. Sin embargo, resulta difícil para GM acusar abiertamente a Chery de haberle robado el diseño. La empresa SAIC, copropietaria de Chery, es ni más ni menos que el socio de GM en su consorcio chino; y los principales propietarios tanto de Chery como de SAIC son los gobiernos de diversas provincias chinas. Por otra parte, no existe ningún precedente favorable: la reclamación de Toyota contra otro fabricante chino, Geery, al que acusó de copiarle el logotipo, fue rechazada por un tribunal de dicho país. Tampoco hay muchas probabilidades de que prospere la demanda de Nissan basada en el argumento de que el todoterreno Sing del fabricante chino Great Wall es una imitación de su modelo Paladin. Parece evidente que el gobierno chino alienta de manera tácita esta clase de imitaciones, que representan una especie de acelerador de transferencia tecnológica. Los fabricantes de automóviles apenas tienen otra opción que aceptarlo como uno de los costes de hacer negocio en un mercado, como el chino, muy atractivo.

Los coches totalmente clónicos todavía no han aparecido en el mercado exportador, pero seguramente no tardarán en hacerlo.[26] En China se venden millones de falsas motocicletas Honda a unos trescientos dólares la unidad, lo que representa aproximadamente la mitad del precio del original, y muchas de ellas ya se están exportando.[27] Se calcula que los recambios de automóvil clónicos, la mayor parte de los cuales proceden de la India, China, Taiwan y Corea del Sur, ya han conquistado un sector del mercado mundial por valor de 12.000 millones de dólares. Francia estima que una décima parte de los recambios de automóvil que se venden en Europa son falsificados, mientras que la empresa Daimler-Chrysler calcula que en China, Taiwan y Corea los falsificadores acaparan alrededor del 30 por ciento del mercado.[28] Los fabricantes estadounidenses han descubierto versiones falsas de filtros, frenos, amortiguadores, bombas, baterías y parabrisas de marca. Esas imitaciones no siempre son inocuas: se han encontrado pastillas de freno fabricadas a base de serrín comprimido, y se ha hecho pasar aceite de motor de baja calidad por líquido de transmisión. Aún más preocupante resulta la difusión de recambios falsificados en la industria aeronáutica. En un caso concreto, un mecánico de la compañía estadounidense United Airlines especialmente atento descubrió recambios falsificados completos, con sus cajas reglamentarias y toda la documentación en regla, pero con una vida útil de 600 horas en lugar de las 20.000 de los originales.[29]

Ningún producto parece inmune. El representante en Jordania de un acreditado fabricante de válvulas italiano llamó a la sede central de la empresa para preguntar por qué estaban vendiendo válvulas directamente en el mercado local con un 40 por ciento de descuento.[30] Pero los artículos en cuestión no eran sino falsificaciones de alta calidad, que incluso ostentaban el logotipo estampado en cada pieza. Un fabricante de bombas de alcantarillado de Ohio culpaba de la pérdida de cinco millones de dólares en ingresos y de veinticinco puestos de trabajo a las empresas que en Brasil y en China copiaban sus productos, y hasta sus anuncios y manuales. Y la lista continúa. Aunque hay muchos países de origen distintos, un punto común es China, donde la base fabril y la omnipresencia de empresas extranjeras que hacen negocio a través de representantes y concesionarios prácticamente garantiza las oportunidades de falsificación.[31] En respuesta, muchas empresas han renunciado a frenar la oferta de productos falsos, prefiriendo, en cambio, estrechar el control de sus canales de distribución.

Música y vídeo. Normalmente, la música no se vende a peso.[32] No obstante, en España, por ejemplo, producir y distribuir un kilogramo de música y películas falsificadas resulta cinco veces más rentable que vender un kilogramo de hachís. En el primer semestre de 2002, el servicio aduanero estadounidense se incautó de 2,1 millones de discos piratas, lo que representaba un 66 por ciento más que el año anterior. En Rusia, entre 2000 y 2003, el número de instalaciones de fabricación de CD se duplicó; en la actualidad, el país exporta CD piratas al menos a veintiséis países.[33] Ucrania es considerado como otro de los principales puntos de origen, al igual que Taiwan, donde la capacidad de fabricación de discos supera ampliamente el volumen de las ventas legítimas.[34] Nueve de cada diez grabaciones que se venden en China son piratas. En algunos mercados africanos y latinoamericanos no hay más que falsificaciones, puesto que la industria discográfica legítima sencillamente ha desaparecido. Puede que la calidad sea inferior, pero es mejor que nada.

Evidentemente, los discos compactos pregrabados constituyen solo una parte del problema. Las ventas globales de la industria discográfica llevan años bajando, y parte de la culpa la tiene el auge de las descargas por Internet. La industria discográfica calcula que cada año pierde 4.500 millones de dólares a causa de las copias ilegales, y al menos en el caso de Estados Unidos se han tomado severas medidas para identificar y cerrar las empresas responsables. Para no tener que irse —y nunca mejor dicho— con la música a otra parte, los principales sellos discográficos han lanzado sus propios servicios de descargas previo pago o bien se han asociado, con mayor o menor entusiasmo, a distintos proveedores de software especializados.[35] Sin embargo, y pese al éxito comercial de algunas tiendas de música online como iTunes, de Apple, la situación de la piratería, según un estudio de la propia industria discográfica, sigue siendo «boyante».[36]

No cabe duda de que la distribución online y la piratería están cambiando la industria discográfica, obligando a importantes estudios de grabación a fusionarse y a un número creciente de tiendas de discos a cerrar por haber quedado obsoletas. No está tan claro si los esfuerzos de la industria pueden hacer mucho para frenar esta tendencia. A principios de 2004, por ejemplo, un DJ de Atlanta llamado Danger Mouse puso en Internet lo que tituló el *Álbum gris*, una mezcla elaborada electrónicamente entre el *Álbum blanco* de los Beatles y el *Álbum negro* del rapero Jay-Z.[37] Esta flagrante violación de dos copyrights distintos le valió las alabanzas de toda la crítica, empezando por el *New York Times*, como augurio de las innovaciones musicales venideras. El mismo día en que la industria discográfica amenazó con presentar una demanda, 170 sitios web colgaron los temas en la red.

Tendencias similares afectan a la industria cinematográfica. A pesar de que bajar un archivo de vídeo de Internet puede llevar varias horas, se calcula que hay un millón de películas ilegalmente disponibles online y que cada día se realizan quinientas mil descargas.[38] Pero el dinero de verdad sigue estando en los DVD piratas producidos en «videofactorías» asiáticas, que se venden en todo el mundo y hacen que el comercio legítimo deje de ingresar 3.000 millones de dólares. El reto de sacar los DVD lo más rápido posible ha hecho que el arte de la falsificación alcance nuevas cotas. En una ocasión el actor Dennis Hopper compró en Shanghai una «excelente» copia de una película en la que acababa de trabajar, tan completa que hasta incluía las pistas de voz que había grabado hacía solo dos días en un estudio de Hollywood.[39] Los fans chinos de Harry Potter podían comprar la película de su héroe meses antes de que se estrenara en el país por solo 1,20 dólares. La piratería de DVD representa una auténtica crisis para la industria cinematográfica, ya que este negocio basa hasta el 80 por ciento de sus ingresos en el mercado secundario, el integrado por el vídeo, el cable o la televisión de pago.[40] En el epicentro de la oferta y la demanda de DVD piratas, la industria cinematográfica de Hong Kong se ha ido marchitando, produciendo menos películas cada año.

Software. Dos semanas antes de que Microsoft lanzara su sistema operativo Windows 95, una red internacional llamada DrinkorDie, con miembros en Estados Unidos, Australia, Noruega, Finlandia y Gran Bretaña, distribuía el producto online.[41] Desde entonces, el gigante del software no ha parado de tener encontronazos con distribuidores «freelance» de todo el mundo. Microsoft es la principal víctima, pero no la única. Adobe, que desarrolla el software de creación de archivos pdf, calcula que el 50 por ciento de los programas vendidos en su nombre son piratas. Y a fin de que las tasas de piratería superiores al 90 por ciento de China, Vietnam y Ucrania, o las superiores al 80 por ciento de Rusia, Indonesia y Zimbabwe, no nos den la impresión de que el problema solo les afecta «a ellos», vale la pena señalar que alrededor de la cuarta parte del software de las empresas estadounidenses es ilegal, y lo mismo ocurre con el 50 por ciento de las españolas. Al fin y al cabo, ¿quién no ha utilizado alguna vez una versión «no del todo legal» de Microsoft Word?

Falsificar software es un gran negocio que, según algunos cálculos, le cuesta a esta industria 13.000 millones de dólares anuales en todo el mundo, y miles de puestos de trabajo solo en Estados Unidos. Su volumen y sofisticación pueden resultar impresionantes.[42] En noviembre de 2001, por ejemplo, las autoridades de Los Ángeles se incautaron de 31.000 copias de software pirata procedente de Taiwan, por un valor de cien millones de dólares. También encontraron dispositivos de seguridad, manuales, códigos de barras, tarjetas de registro y acuerdos de usuario final, todo ello falsificado, junto con 85.000 cartones de tabaco no menos falso. Microsoft, cuyo equipo antipiratería ha pasado de tener dos empleados en 1988 a contar actualmente con más de 250, es también la fuerza impulsora de la denominada Business Software Alliance (BSA), un grupo de industrias que presiona en favor de la protección de los derechos de propiedad intelectual del software en todo el mundo. Este organismo afirma haber hecho algunos progresos para frenar el fenómeno denominado «unidisco», en el que una sola copia legítima de un programa podría llegar a engendrar suficientes falsificaciones para satisfacer el mercado de un país. Paralelamente, sin embargo, escuelas, universidades, empresas y gobiernos de los países en vías de desarrollo se encuentran a menudo con que no tienen otra alternativa, dados los costes, que utilizar copias ilegales de software.

Medicamentos. Abundan las historias terribles relacionadas con medicamentos falsificados.[43] En 1995, una falsa vacuna de la meningitis mató a miles de personas en Níger. Al año siguiente, 89 niños haitianos murieron tras ingerir un jarabe para la tos adulterado con anticongelante. En 1999 se descubrió que más de la tercera parte de las unidades existentes en el sudeste asiático de una determinada píldora contra la malaria eran falsas. En China se desvían para el uso humano fármacos empleados en veterinaria, cambiándoles la presentación.[44] La agencia pública de noticias de Shenzhen calcula que en 2001 murieron en China 192.000 personas a causa de medicamentos falsificados, tanto por las toxinas que contenían algunos de ellos como por la ausencia de efectos curativos de otras que carecían de su ingrediente activo.

La Organización Mundial de la Salud estima que el 8 por ciento de los fármacos que se expenden en el mundo son falsos, por un valor que alcanza los 32.000 millones de dólares[45] (es probable que este cálculo se quede corto, ya que muchas veces no se informa oficialmente de la presencia de un medicamento falso porque las pruebas de ello desaparecen en el cuerpo del paciente). Según cierto estudio, casi la mitad de las falsificaciones del mercado o no contienen ningún ingrediente activo o contienen uno que no corresponde, incluyendo el 10 por ciento de los que contienen sustancias contaminantes. El resto es probable que no sean legítimos, pero siguen siendo fármacos, quizá caducados y reenvasados; quizá correctamente elaborado, pero distribuidos con envases o etiquetas falsos o engañosos. Millones de personas apenas tienen otra opción que acudir a los medicamentos falsificados —conscientes de ello o no— para tratar sus afecciones.

El riesgo de tropezar con una falsificación aumenta con la popularidad del fármaco en cuestión y el prestigio que tenga la marca. Antibióticos, inhaladores, tratamientos para enfermedades comunes, fármacos para el sida: todos constituyen objetivos lucrativos. Y lo mismo sucede con la Viagra, cuya asombrosa popularidad la convierte en principal candidata a la falsificación. Los mensajes ofreciendo Viagra que actualmente constituyen el azote de todos los usuarios de correo electrónico suelen conducir a impostores. En un caso producido en 2002, la falsa Viagra se expedía desde fábricas de China, a través de empresas intermediarias establecidas en la propia China, la India y Estados Unidos, hasta tiendas de venta online con sede en Colorado y Nevada.[46] Los fármacos llegaban a Estados Unidos ocultos en altavoces estéreo y peluches, y luego se enviaban a los clientes por correo. Uno de los distribuidores se jactaba de poder entregar millones de píldoras todos los meses.

El comercio de medicamentos falsificados está muy bien organizado y su cadena de producción alcanza proporciones auténticamente globales, comparables a la de las mayores y más modernas empresas multinacionales. La India y China, los principales proveedores de ingredientes activos para la industria legítima, constituyen también la primordial fuente de suministro para los falsificadores. Otros países, como México, se especializan en la elaboración y envasado de los fármacos. La dispersión en múltiples países hace difícil seguir la pista de los medicamentos falsos, y no digamos erradicarlos. En el caso de Haití, por ejemplo, el rastro del supuesto jarabe para la tos implicaba a empresas haitianas, chinas, alemanas y holandesas; sin embargo, al final los investigadores no lograron descubrir dónde se fabricaba el producto. Incluso dentro de los propios países los focos de producción son difusos o están camuflados. Un ejemplo de ello es el caso de cierto lote de 1.800 cajas de medicamentos fabricados en China. Etiquetados como si se hubieran elaborado en la India y Pakistán bajo licencia de empresas multinacionales, resultó que estaban implicados diez fabricantes de falsificaciones de cinco provincias chinas, que empleaban a cinco proveedores diferentes para envasar sus productos.[47] Los lugares de producción abarcan desde pequeños talleres familiares hasta laboratorios legítimos, ya que una empresa que produzca un fármaco bajo licencia solo necesita añadir un turno extra en el que se trabajará con materias primas de inferior calidad; incluso es posible que los trabajadores de la cadena de montaje ni siquiera sepan que están haciendo algo malo.

En resumen, cualquier artículo popular de cualquier clase corre el peligro de ser objeto de los imitadores. Pero la industria de la imitación no constituye una imagen-espejo perfecta de la producción legítima. Por el contrario, al estar libres de los costes que comporta el desarrollo y el mercadeo de ideas propias, los falsificadores pueden pasar con facilidad de un producto a otro, combinándolos entre sí y mezclando artículos legales e ilegales en los mismos envíos, o en los mismos centros de producción.

Están en todas partes

Las redes de falsificación son de naturaleza multinacional, se dedican a cualquier producto y están descentralizadas. Una redada llevada a cabo en Los Ángeles en 2003 reveló la existencia de 9,7 millones de dólares en falsificaciones de marcas, entre las que se incluían Black & Decker, Sony, Rolex, Makita y DeWalt, acompañadas de DVD piratas.[48] Los artículos procedían de China, pero ninguna de las cinco personas detenidas era de dicho país. En una redada realizada en Nueva York el mismo año, se acusó a seis hombres de Brooklyn de importar de China treinta y cinco millones de cigarrillos ocultos en contenedores detrás de ollas de cocina.[49] Vendían sus productos por medio de una empresa con sede en una reserva india del norte del estado de Nueva York, y también a través de Internet. A dos de ellos se les acusó también de importar pilas falsas de China a través de Lituania. Todos ellos estaban siendo investigados en Europa.

Estos y otros casos revelan una cadena de producción descentralizada, en la que las materias primas, los componentes y los procesos de ensamblado, envasado y distribución se hallan dispersos en múltiples lugares. Esta estrategia, posibilitada por la tecnología de la comunicación y las redes de transporte globales, minimiza y dispersa el riesgo. Además, dividir la producción en sus componentes hace que resulte más fácil superponer discretamente cada una de las etapas a operaciones legítimas. Internet aúna todas estas ventajas; la ilimitada profusión de sitios públicamente accesibles, los chats y los portales de anuncios donde se ofrecen productos manifiestamente falsos ilustran a la perfección lo cómodos que llegan a sentirse los traficantes en el ciberespacio. Para los consumidores, encontrar un artículo falsificado o pirateado no resulta más difícil que entrar en tiendas online globales como eBay.

Por otra parte, el comercio de falsificaciones cuenta a menudo con la protección de poderosos intereses. Las sumas de dinero que se pueden ganar resultan demasiado grandes para escapar a la amenaza de la corrupción. En algunos casos, en el tráfico de falsificaciones hay intereses políticos implicados en forma de inversores directos u operadores; el ejemplo más evidente es el del ejército chino. En teoría, desde 2001, y por orden del gobierno, el ELP ha ido renunciando paulatinamente a sus intereses comerciales.[50] Pero esta política adolece de notorias excepciones, y muchos oficiales del ELP que dirigen negocios se han retirado oficialmente pero conservan tanto el control de su empresa como sus influyentes relaciones. Asimismo, otros negocios están en manos de parientes y camaradas de militares. Desentrañar cuál es el papel de las empresas del ELP, o, para el caso, de aquellas que son propiedad del gobierno nacional o las administraciones provinciales, es una tarea casi imposible, por mucha voluntad política que se ponga.

Del mismo modo, aunque hace tiempo que se presume la existencia de redes de piratería que emplean como mano de obra presos de cárceles chinas, resulta muy difícil de demostrar. En diciembre de 2004, sin embargo, se difundió la información de que Sony tenía documentos que probaban la fabricación de consolas PlayStation 2 falsificadas utilizando esa mano de obra. Según el *Financial Times*, Sony descubrió diez redes de piratería que producían hasta cincuenta mil consolas diarias, y al menos una de ellas empleaba a reclusos de una cárcel de Shenzhen (cerca de Hong Kong) para montar las unidades.[51] Ni que decir tiene que aplicar medidas contra la mano de obra reclusa plantea las mismas espinosas cuestiones políticas que meterse con las empresas del ELP. Pero China no es el único país en el que la falsificación disfruta de un apoyo semioficial mediante inversiones, connivencia o ayuda a través de la corrupción. En algunos casos, los falsificadores no dejan otra opción a los funcionarios: los responsables de piratear discos, por ejemplo, advirtieron a los funcionarios de Malaisia de que, o les dejaban operar, o los mataban.[52]

La falsificación se superpone a otras clases de comercio ilícito, al crimen organizado y a las redes terroristas. Un vínculo natural, dadas las semejanzas del producto y el formato, es el que se da entre el comercio con medicamentos falsos y el tráfico de drogas, que han compartido rutas en muchas ocasiones. Asimismo existen indicios de que el crimen organizado ha entrado en determinadas ramas del comercio de falsificaciones, como es el caso de bandas rusas y asiáticas en el de los CD y DVD piratas.

Por su parte, los vínculos con el tráfico de seres humanos aparecen en el nivel de la distribución. En España, por ejemplo, las redes de falsificación de música y vídeo inundan las calles con 150.000

CD copiados *cada mes*.[53] Dichas redes se organizan según bases étnicas: indios, paquistaníes y bangladesíes se encargan de la producción, mientras que la venta está en manos de africanos subsaharianos. Sus nuevos competidores marroquíes y chinos se organizan, en cambio, en una estructura vertical, y controlan tanto la producción como la venta. Muchos «empleados» son inmigrantes ilegales que tienen que trabajar dieciséis horas diarias, los siete días de la semana, para cumplir con sus cuotas de producción o de venta a fin de saldar la deuda contraída con los traficantes que les han hecho entrar en el país.

Sin embargo, de entre todos los vínculos infames del tráfico de falsificaciones, los que más alarma han provocado son los que este tiene con diversas redes terroristas. Como ya he señalado en capítulos anteriores, existen numerosas evidencias de que determinadas células terroristas descentralizadas que siguen el modelo de al-Qaeda han utilizado el comercio con productos falsificados para financiar sus operaciones. Los responsables del primer atentado contra el World Trade Center, cometido en 1993, se financiaron en parte con la venta de camisetas falsificadas en una tienda de Broadway. En 1996, un alijo de cien mil camisetas falsas con la marca Nike y el logotipo olímpico, destinadas a venderse durante los preparativos de los Juegos Olímpicos de Atlanta, condujo hasta los partidarios del jeque Omar Abdel Rahman, el clérigo encarcelado. Es posible que terroristas del 11-S se financiaran comprando grandes cantidades de cigarrillos en algún estado norteamericano donde los impuestos son bajos, como Carolina del Norte, y vendiéndolos luego en otro donde son más elevados, obteniendo de ese modo un beneficio. Asimismo, los militantes islámicos responsables de los atentados del 11-M en Madrid tenían un negocio casero de falsificación de CD.

Numerosos grupos terroristas parecen haber puesto el punto de mira en esta clase de negocios. Los supuestos destinatarios de un envío de pastillas de freno y amortiguadores alemanes falsificados descubierto en el Líbano eran miembros de Hezbolá. Se cree que tanto el IRA como ETA comercian con toda clase de artículos falsificados, desde bolsos y prendas de vestir hasta perfumes y DVD, incluyendo —al menos en un caso descubierto en Irlanda del Norte— copias piratas de *El rey León*. Sin embargo, aun cuando la denominada «guerra contra el terrorismo» ha centrado relativamente su atención en esta clase de negocios, lo ha hecho debido a su vínculo con grupos terroristas y después de que aumentasen los recursos para la lucha contra estos en detrimento de otras prioridades. En consecuencia, hay pocas probabilidades de que el actual interés en los negocios de los grupos terroristas tenga demasiado impacto a largo plazo en un comercio mundial de productos falsificados que mueve un volumen de medio billón de dólares.[54]

Duelo de titanes

La batalla de las falsificaciones enfrenta a dos antagonistas igualmente formidables. Las empresas multinacionales propietarias de marcas valiosas tratan, obviamente, de alimentar el deseo del consumidor, y es en esto en lo que los falsificadores ven su oportunidad. La envergadura del actual comercio de falsificaciones en todo el mundo revela que los compradores tienden a sucumbir a la doble tentación de buscar *tanto* los productos de marca legítimos *como* las falsificaciones baratas que ese interés genera, lo que constituye, a todas luces, un círculo vicioso.

En este choque de fuerzas titánicas, los gobiernos y sus leyes suelen quedar relegados a un papel marginal por mera falta de relevancia, dado que el mercado evoluciona a un ritmo mucho más rápido del que emplean dichos gobiernos en ponerse al día. Sin embargo, estos desempeñan un papel fundamental a la hora de dar forma al comercio de imitaciones, ya que son los que establecen las reglas del juego mediante las leyes de propiedad intelectual que promulgan y aplican, y que varían ampliamente de unos a otros. Así, por ejemplo, en Estados Unidos un primer delito de falsificación puede acarrear una multa de dos millones de dólares y una larga pena de cárcel,[55] mientras que en China apenas supone una multa de 1.000 dólares.[56] En Malaisia, donde incluso un delito menor relacionado con drogas acarrea en ocasiones la pena de muerte, falsificar CD o software se castiga con una multa de 100.000 ringgits, unos 26.000 dólares.[57] Al mismo tiempo, la multa máxima por falsificar medicamentos es solo de 25.000 ringgits, o 6.500 dólares.

En cualquier caso, las leyes locales resultan de un uso limitado contra un comercio que cruza fronteras con enorme facilidad. Los tratados internacionales, por su parte, cuentan al menos con el beneficio de proporcionar un marco de referencia común y obligatorio, lo que representa un primer paso de cara a realizar cambios y perseguir delitos más allá de las fronteras nacionales. La protección de los derechos de propiedad intelectual se ha beneficiado de los fuertes intereses de las grandes empresas multinacionales, lo que ha contribuido a situar el tema en un lugar prioritario en las agendas de los organismos internacionales.[58] Quizá el resultado más útil hasta la fecha de dichas conversaciones haya sido el de someter los desacuerdos internacionales sobre derechos de autor, patentes y marcas registradas al arbitraje de la Organización Mundial del Comercio (OMC), un recurso limitado a las disputas entre gobiernos, y que, por lo tanto, no resulta plenamente adecuado para combatir las falsificaciones, pero que representa un paso significativo.[59]

Aun así, los gobiernos no pueden competir con los incentivos económicos ni de los propietarios de marcas ni de los imitadores en lo que constituye, por encima de todo, una batalla comercial. Frente a la incapacidad o, en algunos casos, la falta de interés de los gobiernos a la hora de dar la batalla, las empresas se han convertido en las protectoras y defensoras de sus propias marcas, haciendo de ello una especialidad comercial. En un congreso internacional sobre falsificación celebrado en Bruselas en 2004, todas las firmas que patrocinaban o respaldaban el acto estaban especializadas en nuevas tecnologías destinadas a autentificar los productos y dificultar su copia.[60] Consultores de seguridad como Kroll o Pinkerton, junto con sus socios locales en determinados países, están haciendo un gran negocio con la protección de la propiedad intelectual. Un ejemplo de que la lucha contra las falsificaciones ha engendrado su propia y floreciente industria.[61]

Históricamente, a medida que las economías se desarrollan las empresas locales dan cada vez más importancia a la protección de la propiedad intelectual, y lo hacen por la sencilla razón de que generan un número creciente de inventos e ideas propios. Las empresas productoras de medicamentos genéricos de la India —autorizadas entonces por las leyes del país a analizar y reproducir la composición de fármacos patentados en el extranjero— violaban los derechos de propiedad intelectual pero ayudaban a desarrollar la industria farmacéutica local.[62] Ahora que esta está dando sus frutos en la forma de innovaciones tecnológicas originales, las empresas indias han empezado a pedir la protección de patentes. En la actualidad, las empresas chinas son cada vez más vulnerables a la falsificación, y paralelamente aumenta el apoyo local a las leyes de propiedad intelectual (un experto en el tema, el profesor Zheng Chensi, sufrió la ignominia de ver que sus libros sobre la protección de la propiedad intelectual en China eran pirateados y colgados en Internet).[63]

Pese a ello, el volumen, la calidad y la penetración global de toda clase de productos falsificados no ha dejado de aumentar. Todos los incentivos apuntan en ese sentido, pues resulta demasiado fácil producir, transportar y vender falsificaciones, y demasiado sencillo para los clientes hacerse con ellas. Cuanto más invierten los propietarios de marcas en generar en la gente el deseo de adquirir sus productos, más fuerte resulta la tentación de comprárselos a falsificadores con un sustancioso descuento. Y mientras haya demanda, habrá oferta.

Es posible que los titulares de propiedad intelectual estén muy motivados a la hora de proteger sus derechos y la capacidad de generar ingresos de sus intangibles activos; pero siempre lo estarán más unas redes que pueden ganar miles de millones suministrando a los hambrientos clientes lo que estos quieren. A los gobiernos, forzados a colocarse en medio de este campo de batalla, solo les quedará ver cómo aumenta la frustración y la corrupción entre sus filas. Y las empresas probablemente obtendrán mejores resultados mediante la innovación constante —la investigación y el desarrollo aplicados a producir artículos que resulten, además de asequibles, difíciles de copiar— que confiando meramente en el despliegue de ejércitos de abogados y grupos de presión en la batalla para proteger sus marcas.

7

Los blanqueadores de dinero

¿Cuánto vale una vida humana?

Después de las matanzas del 11-S en Nueva York o del 11-M en Madrid, la impresión es que en términos monetarios puede ser muy barata. Por ejemplo, a los terroristas que llevaron a cabo los atentados en Nueva York y Washington les costó menos de medio millón de dólares acabar con unas tres mil vidas, incluyendo las suyas. Aplicando un cálculo morboso, se puede decir que la suma equivale a menos de doscientos dólares por persona. En Madrid fue aún menos.

Eso fue precisamente lo que establecieron las primeras investigaciones sobre el 11-S. Los terroristas apenas habían ocultado las pistas; al fin y al cabo, no tenían intención de sobrevivir a los atentados. Esto implicaba algunas transacciones absolutamente normales, como el alquiler de un coche en Portland (Maine), varias comidas en una cadena de restaurantes de Florida, reservas de billetes de avión, compras de comestibles... Muchos de esos gastos se pagaron con tarjetas Visa emitidas por el banco del sur de Florida donde Mohamed Atta, el jefe del grupo, había abierto una cuenta en junio del año anterior. Tres meses después recibiría una transferencia por valor de 69.985 dólares procedente de un banco de un emirato del Golfo. Tanto la cantidad como el origen eran lo bastante llamativos para activar lo que se denomina un «informe de transacción sospechosa», y remitirlo a la Red de Vigilancia de Delitos Financieros, la unidad del servicio de inteligencia estadounidense que investiga esta clase de informaciones. Pero dicho organismo recibe muchos de estos informes todos los meses, y no siempre, como este caso, reacciona a tiempo.

Apenas unos minutos después del atentado contra el World Trade Center, las unidades antiterroristas estadounidenses sabían ya que se enfrentaban a la organización al-Qaeda, dirigida por Osama bin Laden. Pero en los días que siguieron al 11-S, prácticamente las únicas pistas de que se disponía para entender cómo había preparado su ataque el nuevo enemigo de Estados Unidos, eran las transferencias bancarias, los anticipos en efectivo y los recibos de las tarjetas de crédito.[1] El mero hecho de encontrar testigos —la camarera del restaurante, el empleado de la agencia de alquiler de coches— implicaba seguir el rastro de los gastos realizados por los secuestradores. Pero ir todavía más lejos entrañaba la promesa de obtener una recompensa mucho mayor: descubrir las fuentes y los canales mediante los cuales esos y otros terroristas financiaban sus operaciones, con el fin de neutralizarlos al impedirles acceder al dinero y vigilar sus transacciones hasta capturarlos.

«El dinero constituye la diferencia entre Osama bin Laden y otros fanáticos y asesinos de Oriente Próximo —escribió un prestigioso articulista estadounidense unas semanas después—. Fue el combustible que causó el incendio y el desplome de las torres del World Trade Center el 11 de septiembre. Y fue el dinero del petróleo el que permitió a Bin Laden» abrir un negocio en Sudán y Afganistán, e impulsar su organización.[2] Pero ese razonamiento resultaba de escasa utilidad a los expertos en antiterrorismo. Estos sabían que Bin Laden ya tenía una fortuna personal, y las preguntas que se formulaban eran de naturaleza más práctica: ¿cómo hacía para subsistir por sí sola cada célula de al-Qaeda?, ¿cuáles eran las fuentes de ingresos de la organización, y cómo trasladaba el dinero de un sitio a otro?, ¿cuáles de las partes implicadas en cada nivel —bancos, empresas, personas— eran cómplices a sabiendas, y cuáles actuaban engañadas? Con cada una de estas líneas de investigación, los responsables del caso se adentraban cada vez más en un mundo complejo y en constante expansión: el del blanqueo de dinero y el comercio internacional de dinero negro.

En realidad, ya se sabía mucho acerca de Ramzi Yosef, uno de los autores del primer atentado contra el World Trade Center en 1993, que había utilizado donaciones de una empresa que importaba a Pakistán agua bendita procedente de La Meca. Algunos de los fondos empleados en el atentado contra las embajadas estadounidenses en Kenia y Tanzania en 1998 se habían transferido utilizando como vehículo la Mercy International Relief Agency, una organización benéfica con sede en Arabia Saudí. De hecho, se sabía o se sospechaba de los vínculos con al-Qaeda de toda una serie de entidades benéficas no solo del mundo árabe, sino también de Filipinas, Croacia y Estados Unidos.[3] Y lo mismo ocurría con varias empresas de diversos países en los sectores de la pesca, la ganadería, el transporte, la construcción, la miel y los artículos de piel. Algunas células terroristas tenían negocios ilegales en los países en los que estaban infiltradas, como venta de tabaco en el mercado negro o falsificación de CD. Gracias a estas y otras informaciones se empezó a conocer el modo en que se financiaban los terroristas. Pero, como los acontecimientos se encargarían de demostrar, por desgracia no bastaba.

Había dos maneras de enfocar la información obtenida. Desde un punto de vista, la financiación del terrorismo se revelaba compleja y diversa; había miles de actores en juego, muchos de los cuales resultaban inalcanzables, establecidos en lugares remotos o anárquicos e implicados en varias prácticas delictivas más, y, en cualquier caso, todos ellos difíciles de localizar. Pero consideradas desde otra perspectiva, las finanzas de los terroristas resultaban asombrosamente simples: por exóticos que pareciesen los negocios establecidos entre bastidores, a la hora de la verdad solo habían hecho falta unas cuantas transferencias bancarias y tarjetas de crédito para cometer el crimen. Del mismo modo que las comunicaciones entre las diversas células terroristas podían difuminarse en el ruido de millones de llamadas de teléfonos móviles y mensajes anónimos de correo electrónico, el dinero podía difuminarse en el torrente de transferencias que se producen constantemente en todo el mundo. Si se seguía la pista del dinero con éxito, esta llevaría a un lugar donde lo insólito y lo normal aparecerían estrechamente entrelazados.

Esta paradoja no se limita a las finanzas del terrorismo. Lejos de ello, resultan frecuentes los delitos financieros que se cometen en la actualidad, ya sea blanqueando los beneficios obtenidos con el comercio ilícito, reuniendo el dinero necesario para cometer un acto terrorista u ocultando ingresos al fisco. Muchas técnicas son bien conocidas: cuentas bancarias anónimas en jurisdicciones permisivas, o empresas tapadera establecidas en sectores que hacen un uso intensivo del efectivo, como restaurantes, bingos o lavanderías. Otras son de nuevo cuño, y las posibilita la integración financiera global, pero todas ellas hacen que en la actualidad el «dinero negro» sea más ágil, móvil y escurridizo que nunca. Y sobre todo, las barreras que antes separaban a los pequeños depósitos de los ahorradores locales de las ganancias de los fondos ilegales que circulan por el mundo se han desmoronado. Así, cada vez resulta más difícil para cualquier banco, fondo de inversión, gestor de transferencias, pagador de cheques u otro agente financiero tener la certeza absoluta de que los fondos que maneja están «limpios».

En muchos países, la multiplicación y «normalización» de las oportunidades de ganar dinero negro ha desencadenado una respuesta decidida, y a menudo creativa, por parte de las instituciones reguladoras y las fuerzas del orden. Sin embargo, en el verano de 2001 todos esos proyectos parecían estar en peligro: los principales países no se ponían de acuerdo acerca de qué actividades había que penalizar y cómo evitar una presión excesiva sobre los mercados financieros. La competencia entre países a la hora de atraer depósitos ofreciendo las condiciones más atractivas —lo que a menudo suponía secreto y confidencialidad— también interfirió en la colaboración internacional.

Los atentados del 11-S restablecieron la determinación y la sensación de urgencia: cuando salió a la luz, el funcionamiento interno de al-Qaeda reveló nuevos puntos débiles en los controles financieros y centró la atención pública en entidades hasta entonces tan oscuras como las *hawalas* —envíos de remesas por los inmigrantes a través de intermediarios informales basados en una relación de confianza—, así como los bancos y organizaciones benéficas islámicos.

Sin embargo, la alarma que producía la financiación del terrorismo también obligaba a las autoridades a focalizar mejor sus esfuerzos. Al fin y al cabo, uno de los beneficios de la globalización es la rapidez con que se mueven los capitales. El blanqueo de dinero, la financiación del terrorismo, la evasión fiscal y el fraude se producen al mismo tiempo que la inversión extranjera directa, las inversiones bursátiles, las remesas de los emigrantes, las transacciones con tarjetas de crédito, el comercio electrónico, etcétera. El problema reside en que el carácter entrelazado de la actividad lícita e ilícita ofrece a los blanqueadores de dinero un camuflaje perfecto dentro del sistema financiero global del que todos dependemos.

Cuanto más dinero, más formas de ocultarlo

Para comprender la actual profusión de oportunidades para blanquear dinero, es necesario reconocer que en la actualidad el sistema financiero global es fundamentalmente distinto de lo que era hace tan solo quince años. Para empezar, es inmensamente más grande. Los activos de las principales autoridades monetarias del mundo han pasado de 6,8 billones de dólares en 1990 a 19,9 billones en 2004. Pero el sistema no solo ha crecido en volumen, sino también en complejidad. Los países han abierto sus economías, han liberalizado sus sectores financieros, y han permitido a los sistemas financieros nacionales —bancos comerciales, financieras, mercados de valores, agentes de Bolsa— asociarse con los de otros países, e incluso comprarse unos a otros.[4] Esto ha creado unas estructuras operativas y de control cuya vigilancia y regulación resultan mucho más difíciles que cuando las finanzas representaban un asunto de naturaleza básicamente local. Asimismo se han lanzado nuevos productos financieros, desde tarjetas de débito hasta contratos de extraordinaria complejidad capaces de mover enormes cantidades de dinero de formas que solo los especialistas entienden. Tras este incremento de tamaño y complejidad subyacen no solo nuevas políticas, sino también nuevas tecnologías que han reducido los costes de transacción y han hecho que la situación geográfica resulte menos relevante. El coste directo para un banco de una transacción media se reduce en un 40 por ciento cuando el cliente la realiza por teléfono en lugar de acudir a una sucursal. Y disminuye nada menos que en un 98 por ciento si se realiza online, independientemente de dónde se encuentre el cliente.[5]

La disminución de la importancia de la distancia y de las fronteras nacionales como obstáculos a los movimientos internacionales de dinero se vio potenciada por varios cambios en las políticas gubernamentales durante la década de 1990. Cuatro de estas reformas financieras resultaron de particular importancia para los blanqueadores de dinero.

En primer lugar, la mayor parte de los países abandonaron el control de divisas, por lo que dejó de ser necesario obtener la autorización del gobierno para convertir moneda local en moneda extranjera, o viceversa. Esta tendencia se había iniciado antes de la década de 1990, pero fue durante su primera mitad cuando casi todos los países se sumaron al movimiento a favor de la relajación o la eliminación del control de divisas. Como resultado de ello, el volumen *diario* global de intercambios de divisas se ha disparado, pasando de 590.000 millones de dólares en 1989 a 1,88 *billones* en 2004, al tiempo que algunos países han fusionado sus monedas —hablamos, obviamente, del euro— y otros han adoptado el dólar o el euro prácticamente como segunda moneda oficial.[6] Lógicamente, todo esto beneficia a los blanqueadores de dinero, los evasores de impuestos, etcétera, puesto que amplía el campo de acción, aumenta la flexibilidad y multiplica las oportunidades.

En segundo lugar, la libre conversión de divisas produjo la apertura al extranjero de un número creciente de mercados de capitales locales. Los sistemas financieros cerrados dejaron de ser la norma para convertirse en la excepción. La propiedad extranjera de bancos locales, una práctica anteriormente prohibida en muchos países, resulta hoy común. Los gobiernos y las empresas locales compiten habitualmente por el capital en el mercado global emitiendo bonos y acciones, y cada vez hay más bolsas locales que permiten adquirir valores a los extranjeros. Los organismos de clasificación de valores y los gestores de fondos los juzgan no solo en función de sus méritos, sino en comparación con la globalidad de su ámbito. Los gobiernos que solían controlar y restringir la entrada de multinacionales extranjeras pasaron ahora a hacer todo lo posible para que a estas les resultara atractivo invertir en el país. Este cambio de actitud puso en movimiento ingentes cantidades de dinero: desde 1990, la inversión internacional en cartera ha pasado de menos de 5.000 millones de dólares anuales a cerca de 50.000 millones en el año 2000;[7] la inversión directa extranjera anual pasó de 209.000 millones de dólares en 1990 a 560.000 millones en 2003.[8] También esto es beneficioso para los blanqueadores de dinero. Más transacciones equivalen a más oportunidades potenciales para reincorporar discretamente al ámbito legal el dinero ilícito.

En tercer lugar, el rasgo distintivo de las finanzas globales es la competencia por el capital, tanto entre países y empresas que emiten valores, como entre bancos, agentes de Bolsa, servicios de transferencias, gestores de activos y todos aquellos intermediarios que compiten para hacer llegar el capital a su destino. También esto resulta muy conveniente a los blanqueadores de dinero, puesto que manejan sumas en efectivo y saben que antes o después un banquero o un agente de Bolsa aceptará sus fondos sin hacer preguntas incómodas, sobre todo si se facilita el acuerdo pagando un soborno o una comisión.

Por último, la transformación de las finanzas globales no habría podido producirse sin la revolución de la información. Los bancos se cuentan entre las instituciones que antes y de manera más rápida adoptaron las nuevas tecnologías. El eje electrónico del sistema financiero proporciona transacciones instantáneas que se pueden realizar casi desde cualquier lugar del mundo. Obviamente, esto representa una gran ventaja si se es un blanqueador de dinero que suele moverse de un país a otro y se muestra especialmente hábil a la hora de ir siempre por delante de los agentes de la ley, mucho menos ágiles cuando se trata de actuar en jurisdicciones ajenas.

Así pues, la creciente comodidad de las transacciones ilícitas debe su ímpetu a los mismos avances que necesitan los usuarios legítimos para gestionar su dinero. Pero el hecho de que muchos de esos cambios resulten hoy familiares no significa que se comprendan en profundidad las consecuencias de la extraordinaria mutación que se ha producido en el sistema financiero internacional. La nueva oleada de blanqueo de dinero es una de ellas. Libres de las sutilezas de la toma de decisiones y la burocracia corporativas, los blanqueadores de dinero fueron probablemente de los primeros en adaptarse a la liberalización y la integración financieras de la década de 1990. Se encontraban en una posición inmejorable para descubrir antes que nadie que el número de instrumentos y métodos disponibles para poseer, trasladar y utilizar fondos ilegales no tenía precedentes históricos.

Discreción a la carta

Que hoy resulte tan fácil blanquear fondos no importaría mucho si la demanda de servicios financieros ilícitos fuese limitada. Por desgracia, sin embargo, el negocio está en plena expansión. En el mercado hay más dinero que nunca en busca de servicios financieros discretos capaces de eludir la ley. Se calcula que en la actualidad el blanqueo de dinero representa entre el 2 y el 5 por ciento del PIB mundial, es decir, entre 800.000 millones y dos billones de dólares. Algunas estimaciones incluso lo sitúan en el 10 por ciento del PIB global.[9] Añadamos a esto la evasión fiscal —intrínsecamente difícil de cuantificar— y los diversos tipos de fraude, y se verá que hay liquidez y demanda más que suficientes para sostener una industria enorme y muy rentable.

Resulta imposible evaluar con exactitud quién es responsable de qué parte del total; pero lo que está claro es que cada vez que una actividad comercial ilícita experimenta un auge, se produce una mayor afluencia de dinero negro al ciclo de blanqueo. Y cada vez que estos traficantes reorganizan o alteran sus rutas globales, surgen de inmediato nuevas necesidades de servicios financieros ilícitos en nuevos lugares. El blanqueo de dinero no solo constituye un tipo de comercio ilícito en sí mismo, sino que representa una necesidad imprescindible para los demás. En cierto sentido, es un reflejo de la economía global que no vemos.

En los últimos años, la atención se ha centrado sobre todo en la base financiera que sustenta las actividades terroristas. No obstante, tales conexiones también se dan de otras formas más flexibles, oportunistas y descentralizadas. Se cree que durante un tiempo los intereses del narcotráfico mexicano se asociaron con miembros de Hezbolá para importar pseudoefedrina, un componente de la metanfetamina, de Canadá a Estados Unidos.[10] Se ha sabido de células terroristas locales que dependían asimismo del comercio ilícito. En la década de 1990, una serie de miembros de Hezbolá y cómplices del jeque Omar Abdel Rahman —el responsable del primer atentado al World Trade Center en 1993—, que se habían establecido en Estados Unidos, utilizaron la distribución ilegal de cigarrillos entre distintos estados norteamericanos, así como fraudes con cupones de descuento y ventas de camisetas falsificadas, para financiar sus operaciones.[11] De modo similar, los sospechosos de los atentados del 11-M en Madrid tenían un negocio de falsificación de discos compactos, como ya he dicho antes.[12]

Estos vínculos prácticos y materiales ilustran una convergencia de intereses entre las organizaciones terroristas y el comercio ilícito que nace tanto de la necesidad como de la oportunidad. Ambos utilizan redes flexibles y adaptables como el método idóneo para confundir a los agentes de la ley al tiempo que explotan las ventajas de la globalización. Aunque sus fines últimos son distintos, sus intereses operativos resultan muy similares. Y pueden cooperar perfectamente sobre el terreno, puesto que ambos están tan descentralizados y bien camuflados que una colaboración local convenientemente manejada no tiene por qué dar al traste con el anonimato de ninguna de las dos partes. Esto significa que cualquier investigación concreta sobre las «finanzas del terrorismo» tendrá que enmarcarse, casi con certeza, en un panorama mayor: el del blanqueo de dinero y el comercio ilícito globales. Pero por la misma regla de tres, conviene ser precavidos y tener en cuenta que las finanzas del terrorismo solo representan una pequeña parte del sistema financiero clandestino mundial.

Los traficantes y los terroristas constituyen dos grupos de usuarios de los servicios financieros ilícitos. Un tercer grupo es el integrado por los individuos corruptos, cuyas transacciones no solo tienen identidad propia sino que a menudo representan un complemento de las transacciones de otros. Este grupo está compuesto por evasores de impuestos y otras personas que ocupan puestos clave en la administración pública, incluyendo políticos y jefes de Estado corruptos. Obviamente, varias generaciones de autócratas han ocultado el dinero expoliado a su país en cuentas secretas de bancos suizos. No hace falta decir que los líderes democráticamente electos no son inmunes a ello.

Calificar todas estas prácticas de delictivas resulta sencillo. Sin embargo, el caso de la evasión fiscal es algo más ambiguo. Solo unos pocos evasores de impuestos se dedican a sacar del país maletines llenos de dinero amparados por la oscuridad de la noche. Lo más frecuente es que la evasión de impuestos constituya una práctica cuasilegal que utiliza servicios financieros extranjeros para reducir las responsabilidades fiscales, infringiendo así el espíritu de la ley, pero no su letra. Además, en cada país las leyes tributarias tienen sus propias peculiaridades, de modo que cualquier persona o empresa que actúe en más de una jurisdicción puede, al menos en cierta medida, trasladar activos, ingresos, gastos y pasivos de un Estado a otro con el fin de minimizar sus pagos tributarios. Todo esto hace sumamente difícil determinar cuándo la evasión fiscal cruza la línea que separa lo lícito de lo ilícito.

En un caso detectado por las autoridades de Estados Unidos, esta frontera entre la reducción legal de impuestos y la evasión fiscal se cruzó nada menos que por un importe de 200 millones de dólares. En 2005, la Hacienda estadounidense acusó a Walter C. Anderson, un magnate del sector de las telecomunicaciones que se había hecho rico en la década de 1990, de ocultar 450 millones de dólares en paraísos fiscales con el fin de evadir impuestos por un importe estimado de 200 millones.[13] Anderson defendió su inocencia alegando que el dinero había ido a parar a su fundación panameña, dedicada a promover los derechos humanos, el control del armamento, la planificación familiar y el desarrollo de la investigación espacial. Aparte de afirmar que sus empresas situadas en paraísos fiscales no infringían ninguna ley, Anderson reconocía que «por cada empresa [legítima] establecida en un paraíso fiscal hay cincuenta que cometen fraude. Están allí para ocultar activos a sus socios y a Hacienda».

Ha surgido una nueva clase de profesionales dedicada a ayudar a encauzar el dinero hacia donde resulte más ventajoso, siempre en función de la apetencia de riesgo, la necesidad de discreción y el grado de predisposición a infringir la ley por parte del interesado. Entre ellos se incluyen blanqueadores de dinero profesionales, que se encargan de realizar todas las operaciones necesarias a cambio de una comisión, y que a veces incluso actúan como gestores de activos de las ganancias blanqueadas. Existe todo un ejército de abogados e intermediarios dispuestos a ayudar a ocultar las transacciones y protegerlas de la persecución judicial. Los asesores fiscales profesionales que recorren el mundo buscando lugares en los que crear empresas legales o fantasmas desempeñan su propio papel a la hora de sustentar el submundo financiero. Sigue siendo relativamente fácil encontrar un abogado dispuesto a ejercer de director o hasta de propietario de una empresa establecida en un paraíso fiscal que sea titular de activos que en realidad pertenecen a otra persona que permanece en el anonimato.

No cabe duda de que las rigurosas normas impuestas en Estados Unidos y otros países tras el 11-S incrementaron los riesgos para los blanqueadores de dinero, pero no de manera significativa, y mucho menos hasta el punto de constituir un elemento disuasorio para los flujos financieros ilícitos globales. En su mayor parte, los nuevos controles se han limitado a incrementar los costes de las transacciones y las comisiones que los testaferros cobran por sus servicios. En 2004, la evaluación más exhaustiva y rigurosa del régimen contra el blanqueo de dinero implantado en Estados Unidos concluía que «el riesgo de condena judicial que afrontan los blanqueadores de dinero es aproximadamente del 5 por ciento anual. Los datos de otros países industrializados indican niveles aún más bajos».[14]

Los nuevos paraísos fiscales

Como si de una especie de ave migratoria se tratara, el dinero dispone desde hace tiempo de una serie de refugios especiales donde reproducirse en paz. También desde hace tiempo se utiliza el término «paraísos fiscales» para designar el mundo financiero que se halla fuera del alcance de la ley y las autoridades tributarias.[15] Antes, esos «paraísos» representaban algo bastante tangible, un conjunto de lugares que podían localizarse en un mapa. En la actualidad, sin embargo, no resulta tan fácil identificar los «refugios» del capital ilícito.

Según los diccionarios, «paraíso fiscal» es una expresión que en economía designa un país o territorio (llamémoslo una «jurisdicción») en el que existe un régimen tributario atractivo para el capital extranjero. Los servicios financieros de los paraísos fiscales tienen el objetivo específico de atraer capitales de otros países mediante la aplicación de normas más indulgentes que las que encontrarían en estos. El país anfitrión se beneficia cobrando por la emisión de diversas licencias y documentos, como estatutos de constitución de sociedades o licencias para servicios bancarios y fondos de inversión y de protección.

El término se popularizó porque inicialmente muchos de los territorios que ofrecían esa clase de trato eran islas, con las connotaciones «paradisíacas» que ello comporta. A las más famosas de ellas podía accederse fácilmente desde los principales centros financieros. Eran lugares como las Bermudas o las islas Caimán, a escasa distancia en avión de Nueva York o Miami, o la isla de Man y las islas del Canal, muy cerca de París o Londres. Bastaban con unas pocas horas para hacer trámites, renovar licencias o llevar un maletín lleno de dinero en efectivo. Había también otros lugares, estos situados en tierra firme, como Mónaco, Panamá, Liechtenstein o Suiza, con su famoso secreto bancario. Estas «islas» tenían en común con las otras el que eran países pequeños —a veces muy pequeños—, con pocos recursos naturales, que mediante esa clase de oferta trataban de obtener ingresos y relevancia.

El panorama no ha cambiado fundamentalmente. De hecho, el número de territorios especializados en ofrecer los servicios propios de un paraíso fiscal incluso ha aumentado; y muchos de ellos, por cierto, son islas. El estado de Nauru, en el Pacífico, con una población de unos 12.000 habitantes, es sede de 40.000 empresas registradas, incluidos un número estimado de 400 bancos fantasma que en la práctica se reducen a un pequeño despacho con una placa de metal en la puerta.[16] Otros territorios que participan en este juego paradisíaco incluyen las Bahamas, Bahrein, Chipre, Malta, las Antillas Holandesas, la isla de Granada, Antigua o las Seychelles, además de regiones autónomas como Madeira, o incluso zonas reales o virtuales deliberadamente creadas como la isla de Labuan, en Malaisia, o el Servicio Bancario Internacional de Bangkok.

Evidentemente, no todas estas zonas aspiran de forma específica a atraer fondos ilícitos. Sin embargo, y como esta lista sugiere, los diversos países y territorios entran en el mercado de los servicios propios de los paraísos fiscales con distintos grados de credibilidad, y tienden a atraer a la clase de clientes propios de ellos. Los lugares más consolidados se han esforzado en diferenciarse del sospechoso montón. En un extremo del espectro, las islas Caimán (con una población de unos 43.000 habitantes) se han convertido en un importante centro financiero, con cerca de 600 bancos —incluyendo a 47 de los 50 más importantes del mundo—, junto con varios miles de fondos de inversión y varias decenas de miles de empresas extranjeras.[17] En el extremo opuesto del espectro se podría situar a Tuvalu, otro microestado del Pacífico, que ha alquilado a un intermediario su dominio de Internet —el tentador «tv»— y cobra una pequeña comisión cada vez que una dirección se registra con él.[18] Tuvalu ha alquilado también su prefijo telefónico internacional, el 688, a una línea erótica.

La idea de alquilar los activos soberanos de un país —como su identidad en un registro internacional o su sello oficial para respaldar documentos financieros— no es un invento reciente. Las llamadas «banderas de conveniencia» existen desde hace varias décadas en el negocio del transporte marítimo.[19] En la actualidad, el 60 por ciento de los buques comerciales del mundo están registrados en Liberia, Panamá o Grecia. De hecho, el registro de transporte marítimo de Liberia está gestionado por una compañía que tiene su sede en las afueras de Washington, lo que evita a quienes deseen registrarse la necesidad de viajar a Monrovia (también los propietarios de aviones saben qué países ofrecen un registro libre de requisitos tan onerosos como las inspecciones de seguridad). Los paraísos fiscales recientemente incorporados cuentan, por su parte, con modelos de éxito a los que emular, aunque en realidad muchos de ellos se ven empujados a tales actividades por la falta de recursos evidentes que vender o de mano de obra que exportar. El activo más lucrativo de lugares como las Seychelles, Niue o Tuvalu es su reconocimiento internacional como territorio o Estado legítimo; es decir, su soberanía.

Al igual que ha persistido la asociación del término «paraíso fiscal» con islas exóticas, prestigiosas o sospechosas, existe todavía cierta visión estereotipada de la vida en dichos paraísos, repletos de playboys y vividores, banqueros reservados y caballerosos ladrones. Aun en el caso de que ese estilo de vida perdure, la imagen que transmite resulta engañosa. Hay muchos más sitios donde blanquear dinero y donde hacer negocios sin que nadie pregunte que esa serie de islas. Son lugares estratégicos y están situados al filo de la ley, cuando no fuera de ella, quizá más ruidosos, pero en absoluto menos útiles para esta clase de tráfico.

Uno de ellos es Ciudad del Este, una población de unos trescientos mil habitantes situada en la «triple frontera» que Paraguay comparte con Brasil y Argentina, y que se ha convertido, gracias a esta estratégica situación, en un importante punto de encuentro para toda clase de contrabandistas.[20] Ciudad del Este es una encrucijada para prácticamente todos los tipos de comercio ilícito, incluyendo la falsificación de software y de material electrónico, artículos importados de contrabando y, según se afirma, armamento. Se ha asociado con tales actividades a diversas comunidades étnicas como taiwaneses, indios, libaneses y sirios. También se han establecido en Ciudad del Este miembros de comunidades de Oriente Próximo sospechosas de recaudar fondos y comerciar en representación de Hezbolá, Hamás y al-Qaeda. Pero lo que verdaderamente hace bullir de actividad el lugar es el dinero del narcotráfico, los ingresos derivados de la cocaína procedente de los países andinos, que los otros tipos de comercio ilícito —ayudados por los 55 bancos de la ciudad— contribuyen a reciclar. Se calcula que en 1997 Ciudad del Este blanqueó de ese modo 45.000 millones de dólares en ganancias derivadas del narcotráfico.

Lo que hace a las poblaciones como Ciudad del Este atractivas para las empresas es que las regulaciones son débiles, los gobiernos pasivos y las fuerzas del orden irrelevantes o fácilmente sobornables. Estos paraísos del blanqueo deben poseer asimismo un mínimo de infraestructuras financieras y de telecomunicaciones. Allí donde no hay bancos ni vínculos con el mercado global, las perspectivas de blanqueo de dinero se reducen. Las conexiones que unen a esos lugares, a menudo remotos, con el resto del mundo no tienen por qué ser variadas o complejas. De hecho, muchos de esos lugares son bastante primitivos y aislados, y apenas se relacionan con el mundo exterior, excepto por el hecho de que hay bancos y empresas de todo el mundo que afirman tener allí su domicilio legal. En este sentido, Ciudad del Este no resulta muy distinta del Transdniéster, en las proximidades del mar Negro, o de la provincia afgana de Badajshán. Todos ellos proporcionan o bien un servicio (servicios financieros ilícitos), o bien un producto (armas), o bien una materia prima (opio) que el resto del mundo desea ardientemente.

Bancos grandes, bancos pequeños, bancos fantasma

El blanqueo de dinero ha penetrado profundamente en el sistema. Ningún segmento del sistema bancario global es inmune a él. Para empezar, los grandes centros financieros como Nueva York y Londres cuentan con sus propias y abundantes historias de escándalos de blanqueo de dinero, y hoy se encuentran más expuestos que nunca. En parte, ello se debe a una mera cuestión de volumen. Los bancos de todo el mundo intercambian diariamente más de dos billones de transferencias y otras instrucciones. Sin duda, vigilar el origen, propósito y destino de cada una de ellas es algo que desborda la capacidad de la mayor parte de los bancos. Y el número de participantes en el juego se ha disparado. Cada vez se permite a un número mayor de instituciones trasladar dinero a través de las fronteras, se trate de bancos o no. Gracias a la tecnología, cualquier institución financiera de provincias puede convertirse en un cómodo y casi instantáneo origen o destino de fondos de y hacia cualquier lugar.

La comodidad del cliente resulta aquí primordial. Las tarjetas de crédito y de débito y los cajeros automáticos fueron instrumentos pioneros en la portabilidad bancaria y el control individual; actualmente, con unos cuantos avances tecnológicos más, la difusión de la banca electrónica resulta inexorable.[21] Se han abierto bancos puramente virtuales, entidades que solo tienen presencia en Internet y que jamás han visto a un cliente cara a cara. También va en aumento el uso del dinero virtual, concretamente en la forma de tarjetas inteligentes que admiten la carga previa de cantidades determinadas en un chip que llevan incorporado, lo que constituye una gran mejora con respecto a los cheques de viaje, entre otras cosas porque ofrece un gran potencial de anonimato. Por su parte, empresas como Western Union y sus competidores proporcionan hoy la posibilidad de hacer transferencias desde supermercados, paradas de autobús y colmados. Un flujo constante de transacciones interbancarias y operaciones electrónicas mantiene el sistema permanentemente activo.

La nueva sensación de emergencia política que produjeron los atentados del 11-S, las nuevas leyes promulgadas en Estados Unidos, las nuevas formas de colaboración interna y las nuevas tecnologías están aunando esfuerzos para que a los blanqueadores de dinero les resulte menos cómodo y más arriesgado el uso de esos instrumentos. Pero la realidad es que también en este ámbito los gobiernos van a la zaga de un grupo de comerciantes ilícitos que avanzan más rápido y llegan más lejos que quienes deberían combatirlos. Así, por ejemplo, un blanqueador de dinero que transfirió a Colombia, a través de Europa, 36 millones de dólares procedentes del tráfico de cocaína en Estados Unidos, lo hizo utilizando un centenar de cuentas repartidas en 68 bancos de nueve países.[22] Las transferencias electrónicas y otras herramientas bancarias han hecho que los blanqueadores dividan sus haberes en partes poco llamativas, lo que constituye un primer paso clave en cualquier plan de blanqueo de dinero. Separar las transacciones incrementa tan poco los costes que recomponer de nuevo los fondos no representa el menor inconveniente. Pese a las potentes nuevas tecnologías de que disponen las fuerzas de la ley y los organismos reguladores que controlan esas transacciones, dar caza a quien corresponde resulta un reto casi imposible.

Por otra parte, los bancos han forjado nuevas relaciones que facilitan las transacciones ilícitas. Los corresponsales bancarios constituyen una de ellas.[23] Ya sea para anticiparse a las necesidades de sus clientes o sencillamente para seguir el ritmo de la expansión de los mercados financieros, el caso es que los bancos más prestigiosos se han apresurado a establecerse en todos los mercados, ya sea directamente, abriendo sus propias sucursales o adquiriendo bancos locales, ya de manera indirecta, estableciendo redes de socios en todo el mundo. Estos corresponsales bancarios desempeñan un papel vital en las finanzas globales, transfiriendo dinero de y hacia lugares remotos, y beneficiando tanto a los inversores extranjeros como a los emigrantes. Pero con ello también abren un cauce hacia la red global de la banca internacional que esta no puede controlar ni vigilar, y a través del cual es posible transferir fondos con solo pulsar una tecla de ordenador.

Los corresponsales bancarios experimentaron un auge en la década de 1990 gracias a la expansión de los denominados «mercados emergentes». Pero a finales de esa década empezaban ya a hacerse evidentes algunos de sus escollos. En 1999 estalló un escándalo en el venerable Banco de Nueva York cuando 160 corresponsales en Rusia, junto con diversos servicios de transferencias, varios bancos registrados en Nauru y la complicidad de una ejecutiva y su marido, contribuyeron a canalizar hacia Estados Unidos 7.000 millones de dólares en dinero ruso de dudoso origen durante un período de tres años.[24] Esas transacciones habían hecho ganar al Banco de Nueva York varios millones de dólares en comisiones. El escándalo sacó a la luz la cuestión de las corresponsalías bancarias, provocando una investigación del Congreso estadounidense. Pero el problema no tiene fácil solución, ya que no solo se trata de una práctica generalizada, sino que satisface una necesidad real si se pretende que los mercados globales integrados funcionen eficientemente.

También los terroristas se han beneficiado de los corresponsales bancarios. Durante el tiempo en que se estableció en Sudán, entre 1991 y 1996, Osama bin Laden utilizó cuentas del Banco Islámico al-Shamal, de Jartum, para acceder al sistema bancario mundial.[25] Aunque no se había fundado hasta 1984, y además estaba situado en un país al que entonces se consideraba poco menos que un lugar atrasado y polvoriento, al-Shamal era corresponsal local del Crédit Lyonnais, el Commerzbank y el Barclays, además de la filial saudí del banco holandés ABN AMRO. Fue así como en 1993 las empresas constructoras sudanesas de Bin Laden transfirieron 179.955 dólares a una sucursal de Dallas del Bank of America para financiar la compra de un avión que al-Qaeda utilizaría más tarde para transportar misiles Stinger de Pakistán a Sudán. Tras los atentados del 11 de septiembre de 2001, se descubrió que las empresas de al-Qaeda disfrutaban de los servicios bancarios de Sudán, Yemen, Chipre, Alemania, Hong Kong, Sudáfrica y el Reino Unido.

Gracias a las recientes iniciativas de algunos gobiernos, «hacer la vista gorda» resulta ahora más costoso y arriesgado para los bancos. Pero los incentivos para blanquear dinero siguen siendo enormes, y la necesidad sigue estando ahí: ¿adónde, si no, irían los miles de millones generados por los diversos y florecientes tipos de comercio ilícito? Además, los beneficios implicados pueden compensar con holgura los costes añadidos, a la par que los mecanismos, instituciones y tecnologías que existen para mitigar los riesgos hacen que estos resulten, si no insignificantes, perfectamente soportables.

Una solución extrema para los blanqueadores de dinero consiste en ir a por todas y comprar su propio banco, lo que no les resultaría particularmente difícil. Muchas jurisdicciones especializadas en ofrecer los servicios propios de los paraísos fiscales facilitan enormemente la constitución de un banco fantasma. En Nauru, por ejemplo, no costaría más que 25.000 dólares. Pero hay otros países con un elevado nivel de corrupción, y que a la vez desempeñan un papel relativamente significativo en la economía global —como Rusia, Venezuela o Nigeria—, que constituyen lugares perfectos donde comprar un banco como un modo de infiltrarse en las finanzas mundiales. Actualmente existe el temor de que quienes manejan el comercio ilícito estén recurriendo cada vez más a este método, especialmente en África y América Latina.[26]

Recirculando el dinero negro

Tras conseguir inyectar con éxito dinero negro en el sistema global sin ser detectados, los blanqueadores pueden empezar a pensar en la forma de llevar a cabo lo que podríamos denominar la «segunda etapa» del blanqueado, en la que los fondos se ponen de nuevo en circulación hasta que su origen resulta indetectable.[27] El método clásico es la empresa tapadera, una especie de negocio basado en el uso intensivo de capital en el que es posible inyectar discretamente los fondos blanqueados. Pero la empresa tapadera ha crecido en sofisticación y ha dejado de ser la típica pizzería de antaño o la característica firma de «importación-exportación» que despertaba sospechas al instante.

Una de las nuevas variantes es la empresa «nominal», constituida en una determinada jurisdicción pero sin ninguna presencia física tangible. Algunos lugares —Nevis en el Caribe, o las islas Cook y Niue en el Pacífico— incluso permiten fideicomisos corporativos que ocultan la identidad de los auténticos propietarios. Sin embargo, la tapadera también puede ser un negocio en toda regla, y en pleno funcionamiento, que opere prácticamente en cualquier sector industrial. Es posible incluso que tenga su sede en cualquier país «normal». Según Nigel Morris-Cottrill, que dirige la publicación *World Money Laundering Report*, «los blanqueadores de dinero que buscan un marco legal que les sirva de cobertura harían bien en elegir Estados Unidos», donde ciertos estados son muy poco exigentes cuando de actividades empresariales se trata.

Algunos expertos han encontrado puntos débiles en la legislación comercial europea y temen que puedan beneficiar a las empresas tapadera.[28] Existen entre los países de Europa diferencias legislativas aparentemente esotéricas que se han convertido en potenciales oportunidades de ocultación y arbitraje. «El oscuro secreto de Londres: los ladrones pueden blanquear dinero a través de fideicomisos y empresas», editorializaba el *Financial Times* a finales de 2004,[29] y afirmaba que según algunos cálculos el Reino Unido representaba el 10 por ciento de todos los fondos blanqueados a escala global, debido a que «las autoridades británicas se muestran menos dispuestas a tomar medidas contra los blanqueadores de dinero que las de otros centros financieros». Irónicamente, las autoridades británicas habían obligado a diversos centros financieros extranjeros a endurecer sus normas, mientras que ellas descuidaban las suyas propias. Durante la década de 1990, 23 bancos con sede en Londres blanquearon más de 1.300 millones de dólares robados por el general Sani Abacha, el dictador nigeriano.[30] Las autoridades británicas no citaron —y mucho menos procesaron— a un solo individuo o institución por haber participado en la operación o haberla planeado.

No es fácil llevar a los tribunales los casos de blanqueo de dinero. Una empresa tapadera puede reciclar fondos blanqueados utilizando toda una serie de procedimientos. Facturar de más, facturar de menos o inflar los costes de transporte constituyen los métodos habituales, así como invertir en más empresas tapadera para permitir acuerdos fraudulentos entre ellas, y luego enterrar el rastro del dinero en una montaña de variadas y *mayoritariamente legales* órdenes de compra, facturas, certificados de embarque y demás papeleo. Actualmente, el término *matrioshka*, la muñeca de madera rusa que contiene otras más pequeñas en el interior de cada una de ellas, alude también a las empresas tapadera de Europa oriental que son filiales unas de otras en una cadena interminable; en Italia se las conoce como «cajas chinas».

Internet no hace sino añadir toda una serie de negocios que pueden funcionar como tapadera para el blanqueo de dinero. Desde las páginas de pornografía hasta los casinos online y las apuestas deportivas, se trata de negocios cuya laxa regulación los hace cuando menos tentadores, por no mencionar lo fácil que es conservar el anonimato y que no existe una jurisdicción clara a la que dirigir las quejas. Pese a las protestas en sentido contrario de la industria del juego y las apuestas, parece ser que los blanqueadores de dinero se han trasladado rápidamente a ese sector.[31]

Toma el dinero y corre

Los sofisticados medios de que hoy disponen los blanqueadores de dinero para penetrar en la normalidad bancaria y empresarial podrían hacernos pensar que el clásico maletín lleno de billetes de banco ha quedado obsoleto. Pues no. Cada día, sin que se sepa, grandes cantidades de dinero en efectivo recorren el mundo. A veces el transporte corre a cargo de «mulas», personas a las que se paga para que lleven los billetes, del mismo modo que se hace con las drogas. El dinero que entra y sale de Estados Unidos suele dividirse en envíos de 10.000 dólares, el límite legal por encima del cual hay que declarar la cantidad que uno lleva. Los fajos de billetes son transportados por empresas de mensajería como DHL y FedEx. En los puestos fronterizos, perros especialmente entrenados olfatean en busca del dinero oculto en diversos artículos. Las autoridades estadounidenses han interceptado dinero destinado a Colombia escondido en coches, muñecas, televisores e incluso envíos de semen de toro congelado.[32]

También las transferencias bancarias tienen su equivalente extraoficial y ajeno al sistema. Se trata de sistemas que transfieren valor por medio de operaciones que se compensan en cada plaza. Estos sistemas de remesas basados en la confianza, que evitan tanto los gastos del intercambio legal de divisas como el riesgo y los inconvenientes de las transferencias ilegales, constituyen un sistema antiguo. Las *hawalas* empleadas por las comunidades musulmanas de todo el mundo se enmarcan en esta clase de operaciones, que en Estados Unidos fueron investigadas en el contexto de las medidas emprendidas contra los cauces financieros de al-Qaeda inmediatamente después del 11-S.[33] Pero las *hawalas* y sus equivalentes, como el *fie chen* («dinero volante») chino, no solo representan servicios vitales para los emigrantes, sino que sirven de tapadera para actividades ilícitas.[34] Así, por ejemplo, un obrero de la construcción paquistaní que trabaje en Dubai y necesite enviar dinero a su familia, se lo entrega a su *hawaladar* de confianza, que a su vez da instrucciones a su homólogo de Karachi para que entregue la misma suma al destinatario designado, descontando una comisión. Los saldos pendientes que se acumulan entre los distintos *hawaladares* se liquidan semanal o mensualmente, en su mayor parte por medio de pagos en especies que van desde alfombras hasta oro y diamantes. En un caso célebre se llevaron armas y drogas a Pakistán y, desde allí, a Afganistán, escondidas en contenedores llenos de la codiciada miel de Sudán.[35]

Estos sistemas resuelven los problemas asociados con el dinero en efectivo, como lo engorroso de su transporte y y lo difícil que resulta manejar grandes cantidades sin llamar la atención. Otra forma de eludir esos obstáculos consiste en convertir en dinero en efectivo en mercancías valiosas fácilmente transportables. Dubai, por ejemplo, presenta una atractiva combinación para los blanqueadores de dinero, ya que constituye un centro de transporte internacional, una plaza bancaria off-shore y uno de los principales mercados de oro del mundo. También los diamantes han resultado ser un medio atractivo de almacenar valor, y se dice que al-Qaeda los utilizó en un caso notorio. Según el periodista del *Washington Post* Doug Farah, cuando en 1999 Estados Unidos congeló diversos activos vinculados a al-Qaeda, la organización logró salvar varios millones de dólares comprando diamantes ilegales a los rebeldes de Sierra Leona a través de sus contactos en Liberia.[36] Entre 1999 y 2001 aparecieron en la región diversos intermediarios libaneses y paquistaníes, que durante un tiempo compraron todos los diamantes del mercado a un precio superior a la media local.

El comercio ilícito de minerales representa una forma de blanqueo de dinero, y puesto que tiene lugar en zonas en conflicto o en las que los gobiernos son corruptos, tiende a reforzar la tendencia a la violencia y a la decadencia política. Por ejemplo, el mineral denominado coltán, utilizado en los chips de los teléfonos móviles, proviene de una región del Congo asolada por la guerra civil desde hace una década. Pero este conflicto no evita que el coltán salga de allí gracias a la acción de grupos rebeldes, mercenarios y ejércitos extranjeros. La madera de alta calidad empleada en revestimiento para suelos desempeña un papel similar en Indonesia, África occidental y Brasil. Se conoce un caso en el que unos delincuentes brasileños crearon compañías madereras a través de las cuales compraron madera talada ilegalmente con dinero procedente del narcotráfico, aunando así varias clases de comercio ilícito y de impacto negativo en una especie de círculo vicioso que resulta demasiado común.[37]

En el proceso de blanqueo, las drogas, cuyo comercio produce el dinero que hay que blanquear, pueden convertirse en un sustituto del mismo. Un paquete de heroína o de cocaína, compacto y fácilmente transportable, ocupa mucho menos espacio que su equivalente en billetes de banco. A menudo son las drogas y otras mercancías las que ayudan a ocultar el dinero, y no al revés. Pero en la economía ilícita global han ocurrido cosas mucho más extrañas.

Los gobiernos reaccionan

Fue precisamente gracias a las drogas —es decir, gracias al auge del narcotráfico organizado en la década de 1980— que el blanqueo de dinero saltó al primer plano en la lucha contra la delincuencia internacional. Suele admitirse que hasta entonces el problema no se comprendía demasiado bien y se trataba básicamente como una ramificación del crimen organizado de ámbito nacional. El espectacular crecimiento del tráfico de cocaína y de heroína en la década de 1980 hizo que los gobiernos tomaran conciencia del flujo de dinero procedente del narcotráfico que cruzaba las fronteras: según sus cálculos, el tráfico de drogas generaba cada año alrededor de 85.000 millones de dólares que luego había que blanquear. Existía así la posibilidad de atacar a los cárteles de la droga desactivando sus operaciones financieras.

Sin embargo, faltan los métodos para poner esta idea en práctica. Algunos países tienen leyes propias contra los delitos financieros, pero en el ámbito internacional ha habido escasa cooperación o poca conciencia del problema, y, de hecho, no se ha alcanzado acuerdo sobre definiciones o reglas. Los últimos años de la década de 1980 presenciaron numerosos esfuerzos por revertir ese estado de cosas. En diciembre de 1988, la ONU aprobó la Convención de Viena sobre el tráfico de drogas, que requería la participación de los diversos países para penalizar el blanqueo de dinero y cooperar en las investigaciones y extradiciones. El mismo mes, el Comité de Supervisión Bancaria de Basilea, que forma parte de la organización que agrupa a los bancos centrales de todo el mundo, enumeraba los principios básicos que deben seguir estas instituciones para evitar el blanqueo de dinero.[38] Ninguno de ellos tenía nada de extraordinario —identificar a los clientes, llevar registros correctos, negarse a realizar transacciones sospechosas—, pero era la primera vez que estas normas de sentido común bancario se exponían oficialmente como una declaración pública de principios.

No obstante, el avance más significativo se produjo en 1989 cuando el G-7 (el grupo formado por los siete países más industrializados del mundo) decidió crear un grupo de trabajo para aunar sus conocimientos sobre el blanqueo de capitales. El llamado Grupo de Acción Financiera (GAFI) carecería de burocracia y solo dispondría de un pequeño secretariado.[39] Sería un grupo voluntario y de índole práctica, en el que inicialmente solo se invitó a participar a los países del G-7 y a otros estados europeos. Además, funcionaría por medio de exhautivas evaluaciones mutuas —las denominadas «revisiones paritarias»— destinadas a difundir unas prácticas financieras «limpias». En 1995, el GAFI había completado la primera ronda de evaluación de sus miembros. Después el grupo se amplió y se crearon otros similares en distintas áreas geográficas.

Este pragmatismo diferenció de inmediato a los nuevos programas contra el blanqueo de dinero de los métodos más antiguos y laboriosos de cooperación internacional. Pese a ello, el problema seguía empeorando. Fuera de los países del GAFI, el volumen de dinero blanqueado se hallaba en franca expansión, y se descubrían nuevos casos y nuevos métodos a un ritmo mucho mayor del que necesitaban las autoridades para contrarrestarlos o controlarlos siquiera. Surgían con rapidez nuevas jurisdicciones que ofrecían servicios propios de los paraísos fiscales y solo en apariencia aceptaban las normas del GAFI; pero incluso dentro de este, no todo el mundo estaba aplicando al mismo ritmo las recomendaciones. En cuanto a los organismos nacionales, tendían a exhibir distintas prioridades y formas de aplicación, configuradas por la política de cada país. Todas estas diferencias se traducían en oportunidades para el flujo de dinero negro. Como si pretendieran mofarse de los reguladores, no dejaban de producirse casos escandalosos y de gran resonancia pública, desde los 70.000 millones de dólares transferidos de Rusia a Nauru durante la crisis del rublo de 1998 hasta el caso de dictadores como Slobodan Milosevic, que movían fondos de un lado a otro sin obstáculo alguno. Las estimaciones sobre el blanqueo de dinero en todo el mundo alcanzaban cifras de billones de dólares que escapan a cualquier cálculo.

Hacia 1996, espoleados sobre todo por la administración Clinton, los gobiernos de varios países poderosos cambiaron de rumbo, dirigiendo su atención a las naciones y territorios especializados en ofrecer servicios propios de los paraísos fiscales, y poniendo en práctica los nuevos mecanismos acordados. El G-7 empezó a dividir esas jurisdicciones en tres grupos: de alta, media y baja calidad. En 2000, el GAFI dictó sentencia: declaró deficientes a 29 jurisdicciones que actuaban como paraísos fiscales, y calificó a las 15 peores como «países y territorios que no cooperan».[40] Una iniciativa similar en el marco de la Organización de Cooperación y Desarrollo Económico (OCDE) elaboró una lista de paraísos fiscales. Luego el G-7 indicó que estaba dispuesto a basarse en esas listas negras para aplicar sanciones contra los infractores más graves, como prohibir las relaciones con bancos de los países miembros.

Se trataba de una amenaza seria, y algunos de los afectados respondieron rápidamente. En el plazo de unos meses, las Bahamas, las islas Caimán, las islas Cook, Israel, Liechtenstein, las islas Marshall y Panamá dieron importantes pasos —nuevas leyes e incremento del control y la vigilancia— para cumplir con las nuevas normas. Del mismo modo, algunos de los países de la OCDE lograron ser borrados de la lista de paraísos fiscales. Pero nada de ello ocurrió sin que hubiera recelos y cierta resistencia. Unos cuantos países se negaron a actuar, como Nauru, o bien impulsaron leyes que no llegaron a promulgarse, como en el caso de Rusia. Varios de ellos se quejaron de que se les obligaba a tomar unas medidas que ni siquiera los países del GAFI y de la OCDE habían aplicado de manera uniforme. Y no les faltaba razón: los propios informes del GAFI reconocían que varios de sus miembros no estaban dándose mucha prisa. De hecho, los países ricos aún tenían que ponerse de acuerdo con respecto a qué flujos de dinero eran susceptibles de ser declarados ilegales. Tal era el caso de la evasión fiscal, que algunos consideraban equivalente al blanqueo de dinero, mientras que otros apenas la penalizaban.

Los países más poderosos distaban de hablar con una sola voz. Las disputas y la desconfianza mutua crecieron. Y en lugar de representar un consorcio de varios países dedicado a perseguir y a frenar el tráfico internacional de dinero ilícito, las reuniones del GAFI se convirtieron en negociaciones no muy distintas de las habituales en la Organización Mundial del Comercio sobre normas comerciales, donde cada país protege sus propios intereses. Aunque no se puede decir que se estuviera dando marcha atrás, sí parecía que al cabo de diez años la cruzada contra el blanqueo de dinero estaba perdiendo impulso.

Un baño de agua fría

Los atentados del 11 de septiembre de 2001 representaron un baño de agua fría. Al cabo de unos días, los periódicos empezaron a publicar revelaciones sobre la red de al-Qaeda y análisis de las finanzas terroristas.[41] Frente a los requerimientos de bloquear los activos de las personas y grupos vinculados a los terroristas según las listas publicadas por las autoridades estadounidenses, los bancos respondieron planteando toda una serie de dificultades. Una pequeña caja de ahorros británica encontró 1.800 clientes que quizá tuvieron —aunque luego resultó que quizá no— algún tipo de relación con los nombres que aparecían en las listas de sospechosos de terrorismo. Los bancos se esforzaron en convencer a las autoridades de que rastrear todos sus archivos podía llevar semanas, y no unas pocas horas.

Ante esta situación, la política estadounidense dio un giro drástico. Declarando la «guerra contra el terrorismo», Estados Unidos pidió que las normas mundiales sobre registros financieros se hicieran más estrictas, que se levantara el secreto bancario y que se permitiera la incautación de activos de las personas sospechosas. «La actitud de la comunidad internacional debe [...] cambiar de manera rápida y permanente», advertía un informe firmado por el entonces secretario del Tesoro, Paul O'Neill, y el fiscal general, John Ashcroft.[42] «Lo quieran o no —declaraba un funcionario del Departamento de Justicia en una reunión de banqueros estadounidenses—, van a tener que estar en primera línea en la guerra contra el terrorismo.»[43] Unas semanas después, Estados Unidos apoyaba un conjunto de medidas relacionadas con la identificación de clientes que hacía poco había rechazado; muchas de ellas se incluyeron en la denominada «Patriot

Act». La respuesta global fue positiva. El Consejo de Seguridad de las Naciones Unidas exigió a los países miembros que penalizaran la recaudación de fondos con fines terroristas y congelaran los activos de los sospechosos de terrorismo. Prácticamente todas las organizaciones que luchaban contra el blanqueo de dinero catapultaron la cuestión de las finanzas terroristas al primer plano de actualidad.

El reto de desentrañar y eliminar estas finanzas terroristas reactivó los esfuerzos internacionales para combatir el blanqueo de dinero. Pero a la vez plantea ciertas dudas. Existe el temor de que centrarse excesivamente en la lucha antiterrorista haga que los agobiados funcionarios pierdan de vista el problema que supone el blanqueo de dinero a escala global, con un volumen de operaciones de billones de dólares. Otro temor legítimo afecta a la coordinación y el intercambio de información entre los diversos organismos. Debido al imperativo del secretismo, puede que a los reguladores financieros les resulte difícil comprender lo que se les pide, y no digamos llevarlo a cabo. Así, por ejemplo, en 2004 el principal responsable de las regulaciones financieras en los Países Bajos, antiguo jefe de los servicios secretos de su país, se quejaba de que «la falta de información coloca a los reguladores en peor situación que el hombre que busca la proverbial aguja en el pajar». Y añadía: «Ni siquiera se nos dice si tenemos que buscar una aguja o un alfiler».[44]

Sin embargo, pese a que la confusión, la ineficacia y las rencillas siguen afectando a los esfuerzos para combatir el blanqueo de dinero, no cabe duda de que el 11-S dio a esta cuestión una prioridad que no había tenido nunca. Y eso significa que algunos gobiernos van a echar mano de la tecnología más avanzada de que dispongan para rastrear, detectar y confiscar el dinero ilícito que recorre el mundo. Algunos de esos instrumentos ya se encuentran disponibles, mientras que otros están siendo desarrollados con rapidez. Asimismo, las fuerzas de la ley han reclutado a mejores expertos en contabilidad, ingenieros de sistemas y expertos financieros para aplicar leyes contra el blanqueo de dinero y desarrollar nuevos sistemas y controles que harán que a quienes cometen este delito les resulte más difícil llevar a cabo sus operaciones sin ser detectados o con total impunidad.

Existen, no obstante, otras tendencias, y tienen que ver con una serie de realidades pertinaces que entorpecen los esfuerzos de los gobiernos ansiosos por controlar el blanqueo de dinero. El problema más evidente es que no todos los gobiernos conceden la misma prioridad a esa actividad. E incluso entre aquellos que la consideran su prioridad principal, muchos carecen de las capacidades financieras, tecnológicas y organizativas necesarias para combatirla con eficacia. Como me decía Rudolph Hommes, ex ministro de Hacienda de Colombia: «Para nosotros estaba claro que el blanqueo de dinero era un problema importante. Recuerdo perfectamente lo angustioso que me resultaba decidir gastar lo que para Colombia representaba un montón de dinero en financiar nuestra unidad de delitos económicos, pues sabía que aquello seguía siendo apenas una fracción de lo que realmente se necesitaba. Yo era consciente de que la cantidad que estábamos gastando resultaba minúscula en comparación con los recursos de los narcos, y sabía también que, mientras continuáramos gastando dinero en eso, habría otras importantes necesidades sociales para las que seguiría sin haber fondos suficientes».[45]

Hommes es bien conocido por su integridad y su competencia. Pero no todos los ministros de Hacienda lo son. De hecho, se puede decir sin temor a equivocarnos que un número significativo de sus homólogos de América Latina o de otras regiones del mundo no están comprometidos en la lucha contra los blanqueadores de dinero. Y se puede decir también que para algunos países el tener un régimen eficaz contra este delito a escala global muy probablemente no favorezca sus intereses nacionales. Además, puede resultar demasiado caro, mermar su competitividad nacional, estimular la fuga de capitales, constituir una amenaza para poderosos grupos de electores, y en algunos países incluso ir contra los intereses *personales* de destacados políticos, funcionarios y altos mandos militares. Y ahí radica, precisamente, otro de los problemas a los que he aludido. Para que la lucha contra el dinero negro tenga alguna esperanza de éxito ha de constituir un esfuerzo multilateral, en el que numerosos países compartan objetivos, prioridades y compromisos similares.

La relativa eficacia e impunidad de la que disfrutan los blanqueadores de dinero se basa en su habilidad para mover fondos a través de las fronteras y jurisdicciones, a menudo con gran rapidez. Eso significa que los combates unilaterales entre los gobiernos individuales —o incluso los organismos que agrupan a unos pocos gobiernos— y los blanqueadores se decantan siempre a favor de estos últimos, independientemente de la tecnología y los recursos de que dispongan los gobiernos en cuestión. Obviamente, si un país poderoso como Estados Unidos decide dar prioridad a la captura de un individuo o una red concretos dedicados al blanqueo de dinero en una determinada jurisdicción extranjera, es posible que lo consiga gracias a sus recursos y a su capacidad para coaccionar al país involucrado o persuadirlo de que colabore. Pero esta actitud propia de un héroe de película no puede reemplazar a una política internacional contra el blanqueo de dinero estable y fiable, y en la que la colaboración activa y voluntaria de todas las partes implicadas —o la mayoría de ellas— constituye un requisito indispensable. El subsecretario de Hacienda alemán, Caio Koch-Weser, me lo explicaba así: «A menos que se dedique una mayor atención al más alto nivel por parte de los gobiernos, una reflexión más profunda y una mayor cooperación de los distintos países para frenar los abusos del blanqueo de dinero comunes en el sistema financiero internacional, las sociedades estarán librando una batalla perdida».[46]

Por desgracia, cuando las sociedades libran batallas perdidas hay ciertos grupos e individuos que se benefician de ello. En Zurich entrevisté a un banquero privado especializado en la «gestión de patrimonio» de clientes muy adinerados.[47]

—En la actualidad, si una persona requiere sus servicios para «gestionar», pongamos por caso, cincuenta millones de dólares —le pregunté—, ¿le resulta muy difícil ayudarla a mantener el dinero oculto al control de las autoridades en comparación con lo que podía ser diez años atrás?

Él sonrió, y respondió:

—La principal diferencia es que ahora le cobro más.

8

¿Qué tienen en común los orangutanes, los riñones humanos, la basura y Van Gogh?

Este hombre, de origen alemán, solo tenía treinta años de edad, y cuatro años de enfermedad renal le habían robado gran parte de su vitalidad y su juventud.[1] Necesitaba un trasplante, pero la lista de espera superaba ampliamente el número de riñones disponibles, por lo que la espera podía durar muchos años. Finalmente, sus amigos decidieron acelerar las cosas: juntaron una gran suma de dinero y decidieron obtener un riñón por otros medios. Apareció un intermediario israelí, que le ofreció varias opciones. Por un cuarto de millón de dólares, podía someterse a un trasplante rápido en un hospital de primera categoría, con toda la documentación médica en regla, a elegir entre Alemania, Sudáfrica o Estados Unidos. Pero por un precio algo más bajo, 160.000 dólares, también podía escoger Turquía. El hombre optó por esta oferta. Unas semanas después salía de un hospital de Estambul dispuesto a iniciar una nueva vida, albergando en su cuerpo el riñón de un extraño cuyo nombre, sexo o nacionalidad jamás conocería.

Para las redes de tráfico ilícito, aquello solo representaba otro cliente satisfecho, otro importante beneficio obtenido a costa de lo que muchos consideramos una valiosa parte de nuestro cuerpo, pero que para los traficantes no es más que otro producto. Y ello porque, si la naturaleza aborrece el vacío, y la codicia forma parte de la naturaleza humana, entonces también la codicia aborrece el vacío. De ahí que cualquier oportunidad de beneficio no permanezca sin explotar durante mucho tiempo, ni siquiera cuando hacerlo sea ilegal o inmoral. Así pues, no debería sorprendernos que las redes con capacidad para transportar productos ilícitos a través de las fronteras se hayan diversificado y añadido nuevas líneas de productos a las ya existentes. Y como suele ocurrir en los negocios, los recién llegados son los primeros en detectar las nuevas oportunidades y en disponerse a explotarlas antes, o en lugar de quienes ya están establecidos en el mercado. Son estas nuevas incorporaciones las que suelen aprovechar los terrenos sin explotar que aparecen gracias a la existencia de nuevas ofertas, nuevos tipos de clientes o nuevas tecnologías.

El comercio internacional de riñones humanos constituye un mercado completamente virgen, pero en expansión gracias a las nuevas tecnologías. Y no es el único. El saqueo generalizado de Bagdad en 2003, incluyendo su principal museo arqueológico, renovó la oferta internacional de antigüedades robadas, como ocurrió anteriormente tras la desintegración de la Unión Soviética. Nuestra nueva conciencia medioambiental engendra nuevas regulaciones públicas que hacen que la gestión de la basura doméstica y los residuos industriales resulte cada vez más cara, creando así oportunidades para quienes saben cómo hacerlos desaparecer de manera rápida y barata. En este caso, «rápido y barato» suele significar «ilegalmente y en otro país». Aparte de las cinco grandes clases de comercio ilícito analizadas en los capítulos anteriores, existen muchos más mercados globales ilícitos que han crecido enormemente y a los que dan impulso fuerzas similares. Las redes que manejan otros productos más oscuros —como órganos humanos, animales y plantas en peligro de extinción, basura y otros residuos tóxicos, objetos artísticos robados, etcétera— operan con los mismos métodos que las responsables de los tipos de tráfico ilícito más conocidos. De hecho, suelen ser las mismas.

Estas clases de comercio —y otras, como los coches robados, la tala ilegal o el contrabando de tabaco— solo pueden considerarse «secundarias», en el sentido de que no han merecido la misma atención oficial o cobertura mediática ni han desencadenado el mismo grado de alarma social que las formas más notorias de tráfico analizadas hasta aquí. Todavía no han alcanzado el valor de algunos de los principales tipos de tráfico, aunque resulta difícil saberlo porque las leyes nacionales e internacionales siguen siendo vagas en sus definiciones y los datos disponibles resultan insuficientes. De lo que no cabe duda, sin embargo, es de que todos están creciendo. Y eso no constituye ninguna sorpresa, puesto que cada uno de ellos, a su manera, es un subproducto de los mismos cambios tecnológicos, políticos, económicos y sociales que se han acelerado a partir de la década de 1990. El tráfico de órganos se deriva de las importantes innovaciones científicas y de la difusión generalizada de nuevos equipos para trasplantes, fármacos y métodos quirúrgicos destinados a prolongar la vida humana. El tráfico de especies amenazadas se halla estrechamente vinculado a la propagación de los asentamientos humanos, a la necesidad de recursos naturales y a nuestros gustos culinarios y de ocio. El tráfico de residuos se deriva sencillamente de la enorme expansión del consumo. Y el comercio de objetos de arte robado —aunque tan antiguo como el propio arte— se ha extendido en la medida en que diversos cambios políticos han estimulado la oferta a la par que las reformas del mercado y el fuerte crecimiento económico, y con él el número de ricos, incrementaban la demanda. Digamos que es su lado oscuro: los mismos avances que tanto valoramos y buscamos generan también infames oportunidades de tráfico y beneficios ilícitos.

Órganos sin fronteras

Los riñones representan un gran negocio. Pero también otras partes del cuerpo como córneas, hígados y páncreas, o corazones y pulmones. También están en venta algunas sustancias corporales: en muchos países, las «donaciones» de sangre y esperma están remuneradas, y ciertos establecimientos médicos comercializan plasma y médula. Los órganos internos, sin embargo, son harina de otro costal. No hay ninguna ley internacional que defina y regule su comercio. Las leyes nacionales varían desde los países que han prohibido cualquier venta de órganos hasta los que permiten, a causa de un vacío legal, venderlos libremente.[2] Paralelamente, la oferta y la demanda no paran de crecer. La difusión de la tecnología médica y la prolongación de la vida humana en los países ricos produce legiones de candidatos al trasplante, al tiempo que la perspectiva de una vida poco prometedora y la miseria hacen de la donación de órganos en vida una opción perfectamente aceptable, e incluso atractiva, para los pobres de muchos países. Asimismo, la falta de protección legal se traduce en que los donantes muertos —hayan fallecido de enfermedad, a causa de un accidente o ejecutados— a veces se transformen en parte de la oferta mundial de órganos.

En conjunto, pues, se dan las condiciones perfectas para un mercado global. Y con el fin de conectar a los siempre bien dispuestos compradores con los más o menos dispuestos vendedores, ha surgido un sistema global altamente desarrollado del que forman parte médicos y cirujanos, intermediarios, transportistas, responsables del mantenimiento de pisos francos, encargados de buscar donantes y funcionarios públicos que participan conscientemente en el tráfico de órganos a cambio de sobornos o comisiones. Los países que constituyen el centro neurálgico de los trasplantes con donantes vivos son aquellos que combinan la existencia de instalaciones hospitalarias de alta calidad con un control laxo o fácilmente corrompible. Algunos, como la India, China y Brasil, constituyen importantes proveedores de órganos. Otros, como Turquía y Sudáfrica, tienden a acoger los trasplantes de «donantes» llegados de otros lugares, como Brasil, Mozambique o Rumanía. Muchos saben de intermediarios que han operado desde Israel, donde las leyes sobre la materia son permisivas desde hace ya tiempo; otros flotan en el ciberespacio, ofreciendo sus servicios y poniendo en contacto a compradores y vendedores a través de Internet, donde también hay médicos que, en un intento de eliminar a los intermediarios, se anuncian directamente. Como resultado de todo ello, las transacciones cruzan fronteras y océanos. Una red desarticulada en 2003 se extendía desde Recife hasta Tel Aviv, y realizaba las operaciones quirúrgicas en un importante hospital de Sudáfrica.[3]

También la demanda de órganos de donantes muertos está experimentando un período de expansión, con la ventaja de que a veces se pueden solicitar y expedir al por mayor. Si las condiciones de empaquetado son correctas y el tiempo de transporte relativamente corto, es posible introducir un órgano en un vuelo comercial como equipaje de mano, o, según los medios de que disponga, en un avión privado alquilado a tal efecto. La tecnología de los trasplantes, en otro tiempo muy poco habitual y altamente especializada, se ha generalizado; la ciclosporina, un fármaco que reduce el riesgo de rechazo en pacientes trasplantados, está disponible en todas partes. Como consecuencia, los cirujanos especializados en trasplantes ya no necesitan ser una especie de raros gurús dotados de pericia y conocimientos extremos, ya que cualquier cirujano competente con acceso al equipamiento adecuado está en condiciones, al menos en teoría, de montar una clínica de trasplantes. Y muchos lo hacen.

Los riñones constituyen el principal motor de este tráfico.[4] En ningún lugar hay, ni de lejos, la suficiente cantidad de riñones disponibles para abastecer la demanda de trasplantes de los países ricos, y esta diferencia no hace sino agravarse. En Estados Unidos, por ejemplo, las donaciones de órganos de donantes muertos aumentaron solo ligeramente en la década de 1990, mientras que la lista de espera de pacientes necesitados de trasplantes creció más del triple. Por consiguiente, cada año solo puede disponerse de 8.000 riñones, mientras que el número de quienes necesitan un trasplante se acerca ya a los 80.000; en otros países ricos se dan déficits similares. La enfermedad renal, obviamente, es un fenómeno universal, pero en los países ricos la mayor esperanza de vida y el mayor nivel general de salud hacen que los pacientes tengan menos probabilidades de fallecer y más de someterse a un trasplante. En los países en vías de desarrollo, por su parte, los receptores de los órganos que han sido objeto de tráfico proceden en su mayoría de la élite económica.

Y desde luego, no escasean los vendedores. En Brasil, la India, Filipinas, Rumanía y otros lugares, vender un riñón se ha convertido en una forma común de ganar dinero, por regla general para hombres y mujeres jóvenes que a veces incluso se anuncian abiertamente, ahorrándoles el trabajo a los encargados de buscar donantes. La tarifa vigente rara vez supera los 10.000 dólares. El rango de precios más común, que oscila entre los 2.000 y los 5.000 dólares, se da bastante a menudo para atraer a vendedores de zonas geográficas en las que esa cantidad es superior al salario medio de todo un año. En cuanto a los precios que se cobra a los receptores, las cifras varían de unos lugares a otros, pero son universalmente elevadas. Un israelí de cuarenta años pagó 100.000 dólares —una ganga— por un trasplante en Sudáfrica.[5] En cambio, hay un intermediario que busca pacientes árabes acaudalados para trasplantes en «reputados hospitales extranjeros» por un precio de hasta medio millón de dólares.[6] Con semejantes márgenes, la calidad del servicio constituye un requisito imprescindible. Algunos intermediarios complementan la operación con billetes de avión de primera clase y recorridos turísticos. Los vendedores de riñones, por su parte, no disfrutan de esos lujos. Se les mantiene en pisos francos, y se les mete y saca del país y del hospital donde se realizará el trasplante lo más rápidamente posible. No hay seguimiento médico alguno, ni protección frente a posibles complicaciones. Por desgracia, el tráfico internacional de órganos humanos está estrechamente relacionado con el tráfico internacional de personas. El enorme contingente de inmigrantes ilegales pobres, asustados, hambrientos y sin la menor protección legal constituye un atractivo coto de caza para las redes internacionales que han de abastecer una demanda de órganos casi ilimitada.

Estos casos afectan a donantes voluntarios. Pero abundan también las historias terribles sobre «donaciones» forzosas.[7] En la India y Brasil circulan relatos sobre pacientes con afecciones menores que son engatusados para dejarse operar y luego se despiertan con un riñón de menos; no se trata de una leyenda urbana, sino de un gran negocio. En un caso, por ejemplo, se le dijo a una mujer, después de operarla, que su quiste de ovario había crecido hasta el punto de afectar un riñón. En otras ocasiones se atrae al involuntario donante con la perspectiva de un empleo en el extranjero y, una vez allí, averigua cuáles son las verdaderas intenciones del intermediario. Pero para entonces ya es demasiado tarde. Cuando un sujeto está moribundo o muerto, se pueden aprovechar varios órganos, lo que abre la puerta a toda una serie de horribles posibilidades. Los huérfanos, o los «niños de la calle» de padres desconocidos —un fenómeno demográfico creciente en muchos países debido a las dificultades económicas, la guerra, las drogas y el sida—, resultan especialmente vulnerables. En Azerbaiyán han desaparecido niños cuando eran trasladados de orfanatos a hospitales, y el gobierno sospecha que han sido asesinados para extraerles los órganos.[8] En Afganistán, el reclutamiento de niños que luego son exportados a través de Pakistán bien sea para el trabajo doméstico o sexual, bien para extraerles los órganos, constituye un único proceso, en el que solo difiere el destino final de los niños.[9]

Hoy, el sistema penitenciario chino es un importante proveedor de órganos tanto para el mercado interno como para el internacional. En la isla de Hainan, un intermediario ofreció un trato al por mayor al activista Harry Wu, que llevaba a cabo, de incógnito, una investigación sobre el tema: cincuenta órganos de prisioneros al año, a precios que iban desde los 5.000 dólares por un par de córneas hasta los 25.000 por un hígado.[10] En otro caso, un médico comunicó que había presenciado cómo se le extraían los riñones a un preso todavía vivo que iba a ser ejecutado a la mañana siguiente. Los ingresos obtenidos con los órganos extraídos a los reclusos van a manos de las autoridades. Algunos investigadores sospechan que el lucrativo mercado de órganos constituye una razón adicional por la que China ha ampliado el abanico de delitos castigados con la pena de muerte: cuantas más ejecuciones, más órganos y mayores beneficios.[11]

No todos los órganos van a parar al mercado de trasplantes. Hay algunos que se destinan a la industria farmacéutica para la investigación, mientras que las facultades de medicina necesitan cadáveres completos. En varios países africanos son comunes las historias sobre diversos órganos —cerebro, corazón, pulmones, hígado, genitales masculinos y femeninos— empleados como ingredientes en medicina tradicional, ya sea para consumo local, ya sea para la exportación. Las zonas en constante guerra civil constituyen terrenos especialmente fértiles. Así, por ejemplo, en la región nororiental de la República Democrática del Congo, asolada por la guerra, existen fuertes indicios de que las milicias venden órganos humanos a compradores extranjeros. Dichos órganos representan una mercancía más junto al coltán, el cobre, los diamantes, las armas, los niños soldados y las esclavas sexuales, con los que se trafica al amparo del conflicto que devasta la zona.[12] En 2004, una monja brasileña que residía en Mozambique fue asesinada después de que empezara a investigar la aparición de cadáveres de adultos y niños a los que se les había extraído los órganos vitales.[13]

Puede parecer sorprendente que existan tantos lugares en los que el cuerpo humano se ha hecho más valioso como fuente de órganos de recambio que por su inteligencia o su capacidad de trabajo. Pero las disparidades económicas internacionales, la enfermedad y la guerra, por una parte, y la facilidad para anunciarse, reclutar donantes y viajar, por la otra, han creado las condiciones propicias para un tráfico lucrativo. Incluso allí donde este comercio está explícitamente prohibido, los traficantes han encontrado la manera de burlar las leyes. Varios investigadores de Brasil han presenciado cómo se «regalaban» riñones —aparentemente de forma gratuita y, por lo tanto, legal— entre pacientes procedentes de entornos obviamente distintos y que no se conocían con anterioridad, pero no han podido intervenir debido a la falta de pruebas concretas de la existencia de una transacción. El remedio no resulta claro, y está plagado de dificultades legales y éticas. Mientras que algunos países abogan por unas leyes más estrictas y una mayor vigilancia en su aplicación, otros, incluyendo Israel y Estados Unidos, han empezado a propugnar que se establezca alguna forma de comercio legal y regulado de órganos para trasplante. Por ahora, la mera fuerza de la oferta y la demanda, y los inmensos beneficios que se obtienen, hacen que las perspectivas de poner fin a este tráfico sea por el medio que sea resulten bastante escasas.[14]

De caviar y orangutanes, maderas y cactus

El tráfico de especies en peligro de extinción no incluye solamente, ni mucho menos, el marfil y las pieles de animales. Más de treinta mil especies de animales y plantas se consideran actualmente protegidas, y con mil de ellas está absolutamente prohibida cualquier clase de comercio. El control y actualización de la lista corresponde a la CITES (siglas en inglés de Convención sobre el Comercio Internacional de Especies Amenazadas de Flora y Fauna Silvestres), uno de los acuerdos internacionales de más larga tradición, firmado inicialmente en 1963 y hoy ratificado por 166 países.[15] Una red internacional formada por grupos conservacionistas tanto públicos como privados, denominada TRAFFIC, controla el comercio ilícito y actúa como una especie de centro de intercambio de información de la CITES, analizando el comercio global y evaluando los recursos legislativos y económicos necesarios para el cumplimiento del acuerdo. Por otra parte, muchos países cuentan con sus propias leyes de protección de especies amenazadas y con sus parques nacionales y refugios de fauna y flora, a lo que hay que agregar que la opinión pública occidental está muy sensibilizada en lo que a la conservación —especialmente la de los animales— se refiere. A diferencia de algunas otras víctimas del comercio ilícito, las especies amenazadas y protegidas cuentan con muchos defensores.

Sin embargo, no por ello el mercado deja de encontrar multitud de usos a las especies protegidas. Las cabezas y las pieles de animales siguen considerándose un valioso elemento de decoración, y tanto en la medicina tradicional china como en la africana se emplean órganos de animales. Los coleccionistas europeos buscan plantas inusuales, como algunas variedades de cactus mexicanos.[16] Las maderas protegidas aparecen en los catálogos de muebles de conocidas marcas. La demanda de mascotas no tradicionales es mayor que nunca, sobre todo en Estados Unidos, el principal mercado de animales tan exóticos como pitones, boas, macacos, capibaras, pavos reales, etcétera, muchos de los cuales han logrado escapar de su cautiverio y ahora están reproduciéndose en el clima tropical del sur de Florida.[17] Los cazadores furtivos siguen matando elefantes para obtener marfil, que luego llega a la ciudad china de Cantón, donde los comerciantes lo exhiben abiertamente pese a la absoluta prohibición mundial de comerciar con él.[18] Según TRAFFIC, los seis países más implicados en el tráfico de marfil son China, Tailandia, Camerún, la República Democrática del Congo, Etiopía y Nigeria.[19] Pero no son los únicos. Singapur, por ejemplo, es bien conocido por ser un importante punto de tránsito, a pesar de lo cual nunca se producen incautaciones. Y, obviamente, existe también una constante demanda de manjares culinarios de toda clase que proceden de especies en vías de extinción. Entre ellos se incluyen la carne de ballena en Japón (uno de los pocos países que todavía permite su captura), el caviar de contrabando procedente de esturiones del Caspio y la merluza negra o róbalo de fondo, muy apreciada en numerosos restaurantes.[20]

No todos esos usos son ilegales en todas partes, pero eso importa cada vez menos a los traficantes que en un mismo cargamento de animales pueden mezclar especies, fines y destinos distintos. En muchos casos resulta difícil determinar si un envío determinado cumple o no las normas. El control se basa en gran medida en trámites burocráticos. Así, por ejemplo, en el negocio del cocodrilo (que abarca el cocodrilo, el aligátor y el caimán), existe un sistema de certificados de origen que supuestamente asegura que la piel teñida o el bolso o los zapatos que se ofrecen en una tienda de lujo se ajustan a las normas y cuotas globales.[21] En la práctica, sin embargo, dichos certificados —como ocurre con los de usuario final en el comercio de armas— son fáciles de falsificar o de comprar. Para estas y otras especies, la oferta lícita e ilícita se fusionan fácilmente en un único mercado mayorista mundial.

Algunas rutas de tráfico de fauna son ampliamente conocidas; otras surgen a medida que evoluciona el mercado. Por razones que no están del todo claras, Alemania y la República Checa se han convertido en importantes destinos del comercio de cactus, con varios envíos interceptados en los aeropuertos de ambos países, así como de otras naciones europeas. La incautación en el Tíbet, en 2003, de un envío en el que se incluían las pieles de 31 tigres, 581 leopardos y 778 nutrias ayudó a descubrir una importante ruta de tráfico entre la India, Nepal y China, a través de la cual las pieles de los tigres —cuyo comercio está absolutamente prohibido por la CITES— pasaban a convertirse en elementos decorativos de las residencias elegantes.[22] Un chal confeccionado con lana de antílope tibetano se vende por 15.000 dólares en las boutiques de Milán o de París. En 2004, la interceptación de un camión cargado con 600 pangolines —un mamífero parecido al oso hormiguero— por la policía forestal tailandesa confirmó la existencia de un comercio generalizado de especies protegidas procedentes de Indonesia y Malaisia que, a través de Tailandia y Laos, eran enviadas a China con fines alimenticios.[23] Tailandia parece ser un punto de tránsito: en 2003, en un período de tres meses, las autoridades de dicho país recuperaron 33.000 animales de manos de los traficantes, desde tigres y osos hasta pájaros pertenecientes a mil especies protegidas.[24] La cuenca del Amazonas, por su parte, se ha convertido en una importante zona de abastecimiento, con múltiples rutas de salida a través de Brasil, Perú, Venezuela y Colombia (sirviendo a dos desagradables propósitos al mismo tiempo: en el aeropuerto de Miami fue interceptado un cargamento de boas constrictor, y se descubrió que los animales llevaban preservativos llenos de cocaína en su aparato digestivo; pocas serpientes sobrevivieron).[25]

Las redes que comercian con fauna salvaje son difíciles de descubrir, y lo normal es que se capture a los actores secundarios —cazadores furtivos, conductores de camiones, vendedores—, que no resultan esenciales para el negocio. Las incautaciones regulares de órganos y pieles de animales en Sudáfrica, Mozambique y otros lugares raramente se traducen en la detención de los eslabones superiores de la cadena.[26] Con frecuencia, los proveedores e intermediarios realizan actividades dudosas a plena luz, protegidos por leyes ambiguas o incompletas, por la corrupción o por favores políticos. Existe un tratante de animales belga que se ha especializado en comprar «excedentes» de animales raros criados en zoológicos británicos para luego venderlos sin preguntar el destino o el propósito.[27]

El caso de «los cuatro de Taiping» ofrece un ejemplo representativo de esta clase de comercio.[28] Se trata de cuatro jóvenes y raros gorilas a los que se había dado caza furtivamente en 2001 en Camerún, luego se habían enviado de contrabando a Nigeria y, desde allí, se habían vendido por un millón de dólares a un zoológico de Taiping, Malaisia. En 2004, después de que los grupos conservacionistas denunciaron la ilegalidad de la transacción, el zoo decidió enviar a «los cuatro de Taiping» a otro zoológico, esta vez en Sudáfrica. También la tecnología está teniendo un gran impacto en el comercio con especies amenazadas. Un informe de TRAFFIC concluía que Estados Unidos era uno de los países más expeditivos a la hora de incautarse de marfil ilegal, pero que a la vez representaba un importante mercado para el contrabando de este producto. ¿A qué se debe esta paradoja? Uno de los factores es eBay, que en 2004 realizó una media de mil subastas de marfil *semanales*.[29] «No podemos decir que no a la venta de marfil, ya que ello no sería justo con quienes venden marfil de forma legal», declaró un portavoz de eBay al *Washington Post*. Pero TRAFFIC afirmaba que había traficantes chinos que estaban utilizando las subastas para anunciar sus productos, a los que denominaban «huesos».

En Indonesia, una empresa propiedad de un miembro del Parlamento, Abdul Rasyid, estuvo talando ilegalmente árboles de una especie protegida llamada ramin en el corazón de un parque nacional; cuando aparecieron los investigadores de un grupo de defensa de la naturaleza, el personal de la compañía los retuvo contra su voluntad y los golpeó. Según la organización Environmental Investigation Agency (EIA), la madera, vendida por intermediarios malayos, ha aparecido en los productos de importantes tiendas de venta al público.

El saqueo de las selvas de Indonesia ilustra el círculo vicioso que engendran los efectos del comercio ilícito. Casi las tres cuartas partes de la tala de madera en ese país, que ha perdido una cantidad similar de sus selvas, se producen en condiciones ilegales.[30] Además, al ver reducido su hábitat, crece la amenaza a especies animales en peligro de extinción, como los orangutanes, que son objeto de caza furtiva por su carne o son capturados para satisfacer la demanda de coleccionistas privados. En numerosos países, la tala de madera ilícita ha expuesto a diversos asentamientos humanos a deslizamientos de tierras e inundaciones debido a la degradación del suelo.

Pero se vislumbran en el horizonte consecuencias aún más funestas. Los investigadores relacionan el incremento del tráfico descontrolado de animales con la creciente incidencia de la denominada zoonosis, es decir, la transferencia de enfermedades animales a portadores humanos, como el SARS de las civetas y el Ébola de los monos.[31]

Cuando la basura se convierte en riqueza

En la primavera de 1987, el caso de «las barcazas errantes» captó la atención del público.[32] Durante varios meses, dos viejas barcazas, una de Nueva York y la otra de Filadelfia, vagaron por el océano en busca de un lugar donde vaciar su carga, consistente en varias toneladas de cenizas tóxicas procedentes de una planta incineradora. Una de ellas, la *Mobro*, regresó a Nueva York después de probar sin éxito, uno tras otro, con varios países caribeños. La otra, la *Khian Sea*, gestionada por una empresa de las Bahamas y registrada en Liberia, vivió una aventura mucho más larga. Rechazada por las Bahamas, las Bermudas, la República Dominicana, las Antillas Holandesas y Guinea-Bissau, en África occidental, al final reapareció en Gonaives (Haití), en cuyas playas descargó 4.000 toneladas de cenizas. En la documentación del puerto constaba que el cargamento era de fertilizante. A continuación, y todavía con una gran parte de su carga, la barcaza se dirigió nuevamente a Filadelfia, para aparecer más tarde en Yugoslavia, rebautizada como *Felicia*, y finalmente en Singapur, ya sin cenizas: el capitán se había limitado a vaciar las 10.000 toneladas que quedaban en medio del océano.

Sin embargo, visto retrospectivamente, en aquellos primeros días el vertido internacional de residuos era una cuestión más simple que en la actualidad. Hoy día el comercio ilícito de residuos peligrosos forma parte de un fenómeno de mayor envergadura denominado «delito medioambiental», que incluye redes especializadas y la panoplia habitual de empresas tapadera en múltiples países, una sofisticada estructura financiera, profundos vínculos con políticos, militares y agentes del orden en determinados países clave, y operaciones de alcance global.[33] Este tráfico incluye no solo residuos químicos y cenizas tóxicas, sino también componentes de ordenadores y televisores, teléfonos móviles, refrigeradores y barcos, entre otras cosas.[34] Al mismo tiempo, el vertido tradicional continúa a buen ritmo. Según algunos activistas italianos, Somalia, que desde 1991 carece de un gobierno nacional efectivo, alberga hoy tres enormes vertederos de materiales radiactivos manejados por trabajadores que no llevan ningún equipo de protección.[35] Sudán, Eritrea, Argelia y Mozambique constituyen otros cuatro destinos sospechosos de la basura radiactiva de Italia, que se vierte o bien en tierra, o bien hundiendo contenedores —cuando no barcos enteros— en sus aguas territoriales.

El negocio global de la basura refleja toda una serie de realidades políticas al tiempo que una especie de triste eficacia económica. Los países ricos, que generan un enorme volumen de detritos, han aplicado una lógica que podríamos definir como «no en mi patio», hasta el extremo de tratar de exportar su basura. Por su parte, es posible que los países pobres —o las élites que los gobiernan— se vean tentados de aceptar la propuesta. Además, en ocasiones no resulta fácil diferenciar la basura tóxica de la «limpia» en el contexto de un vasto comercio legal de productos reciclados, desde viejos autobuses urbanos hasta coches de segunda mano, pasando por los montones de ropa mil veces usada que se han convertido en el atuendo habitual de toda una generación de jóvenes africanos. El negocio del reciclaje crea puestos de trabajo e ingresos: el desguace de barcos representa un negocio importante para los astilleros de la India y otros países; asimismo, de forma más dispersa y caprichosa, escarbar en los detritos constituye una importante fuente de materiales para toda una serie de comercios callejeros de los países en vías de desarrollo.[36]

Sin embargo, estos cribadores y recicladores profesionales de basura se encuentran casi siempre en situación de riesgo. Después de que en 1997 la empresa taiwanesa Formosa Plastics vertiera cenizas que contenían mercurio (derivadas de la fabricación de PVC) junto a una aldea camboyana, los lugareños, desconocedores de su contenido, quisieron aprovechar los envoltorios de plástico que contenían los bloques de ceniza, arrancándolas para ello con las manos desnudas, e incluso con los dientes.[37] Asimismo, en China, Pakistán, la India y diversos países africanos, los trabajadores que desmantelan los artefactos domésticos y productos de electrónica se ven expuestos al ácido, el plomo y las toxinas que se liberan al quemar los restos. Hay al menos dos áreas de China, Guiyu y Taizhou, que se han convertido en centros de esta actividad y han sufrido una contaminación extrema;[38] según algunos activistas, todos los pozos de Guiyu están contaminados y hay que llevar el agua en camiones cisterna.

Las leyes que regulan el comercio con residuos peligrosos aún no están plenamente desarrolladas. La Convención de Basilea sobre este comercio, firmada en 1989 y vigente desde 1992, ha sido ratificada por 160 países,[39] aunque Estados Unidos no se cuenta entre ellos (actualmente es el único país desarrollado que no ha ratificado el tratado). Pero incluso en la Unión Europea, donde las exportaciones de residuos peligrosos en teoría están prohibidas, un estudio oficial sobre seis puertos importantes reveló que casi la cuarta parte de las exportaciones de residuos eran ilegales.[40] Los métodos más comunes incluían la falsificación de documentos o el traslado de las sustancias de un puerto a otro dentro de la propia Unión Europea a fin de que resultara difícil seguirles la pista, envasándolas y etiquetándolas varias veces durante el proceso. Con frecuencia, los materiales peligrosos lograban salir sencillamente porque las autoridades portuarias tenían dificultades para diferenciar los cargamentos aprobados de los ilegales.

Como de costumbre, las redes de traficantes explotan estas ambigüedades. En Italia, donde este tráfico resulta común tanto a escala internacional como nacional (la basura tóxica del norte se vierte en el sur), se emplea el término *ecomafia* para designar tanto a quienes realizan esta clase de actividades como las actividades en sí mismas.[41] Y de hecho, un número considerable de incidentes de ámbito nacional están vinculados a la Camorra, la 'Ndranghetta y la Cosa Nostra, lo que recuerda la implicación de la Mafia estadounidense en el negocio de los residuos tóxicos. Sin embargo, y como señalan los activistas italianos, la palabra *ecomafia* resulta engañosa. En realidad, tanto en Italia como en otros lugares, el tráfico de basura implica la existencia de una serie de redes que pueden o no estar relacionadas con el crimen organizado, y en las que las empresas legales e ilegales pueden coexistir, asociarse o proporcionarse servicios mutuos siempre que resulte conveniente.

Comerciando con la atmósfera

Se sabe desde hace tiempo que los clorofluorocarbonos (CFC), empleados normalmente en refrigeración, son la principal causa de la reducción de la capa de ozono. El acuerdo internacional para eliminar su uso, conocido como Protocolo de Montreal, constituye en ciertos aspectos uno de los que mayor éxito han tenido a escala global.[42] El número de países que lo suscriben ha aumentado de los 27 firmantes iniciales de 1988 a 188 en 2004. El protocolo ha merecido grandes elogios por su enfoque pragmático, ya que permite el comercio con CFC usados que se recuperen para equipamientos industriales,[43] y proporciona a los países en vías de desarrollo un plazo adicional para suspender el uso de estos productos químicos, permitiéndoles consumir un «mínimo nacional básico» mientras se desarrollan productos químicos sustitutivos y nuevas tecnologías. En principio, los CFC deberían desaparecer completamente de la circulación en 2010.

Pero el mercado no opina lo mismo. En la misma medida en que han entrado en vigor las normas para controlar los CFC, ha surgido y florecido un comercio que las viola de forma sistemática, con un volumen de 30.000 toneladas y de 300 a 450 millones de dólares anuales. Como resultado de ello, las industrias de los países en vías de desarrollo no están adaptándose a los productos químicos sustitutivos al ritmo previsto. Al mismo tiempo, el precio de los CFC en el mercado sigue siendo bajo, mientras que, por el contrario, el de los sustitutivos, que cabría esperar que descendiera a medida que su uso se generalizara, no ha experimentado modificación alguna. La Unión Europea, donde su uso está totalmente prohibido, sigue siendo una importante productora de CFC para el mercado legal internacional. Pero los CFC derivados de esta producción también aparecen en el mercado de contrabando, bien en bombonas con etiquetas engañosas o camufladas entre productos químicos permitidos, bien envasado en latas más pequeñas que se ocultan en cajas de otros productos, ya sea etiquetados como lubricantes o pinturas. También en Estados Unidos aparecen envíos de CFC etiquetados con otros destinos o certificados como materiales reciclados —algo que dicho país permite—, cuando en realidad pueden muy bien ser recién fabricados.

Los productores y consumidores de CFC raramente entran en contacto. Lejos de ello, el negocio funciona a base de agentes e intermediarios, que mezclan su tráfico ilícito con transacciones permitidas y el comercio con otros productos. Los activistas de la EIA enviaron varios delegados a Singapur —un importante centro de este comercio junto con Dubai— haciéndose pasar por miembros de una empresa interesada en enviar CFC a Sudáfrica, que prohíbe su importación.[44] No tuvieron dificultad en conseguir ofertas de entrega inmediata; los agentes discutieron abiertamente varios métodos «creativos» de burlar la prohibición, incluyendo documentación fraudulenta, bombonas con etiquetas falsas y el tránsito por países vecinos con controles más laxos. Los agentes dejaron claro que utilizaban varios intermediarios, lo que les permitía eliminar rápidamente sus propios nombres de la transacción y dejar la parte más arriesgada del negocio en manos de personal autóctono, que conocía mejor el terreno y disponían de los contactos necesarios. «El transportista establece el contacto con sus propios clientes —les dijo uno de los agentes a los investigadores encubiertos—, y ellos pueden hacer lo que quieran.»

El comercio permitido con gas reciclado también ha generado interesantes oportunidades. Otro equipo de la EIA descubrió una red que enviaba CFC recién fabricados a Sudáfrica, donde se utilizaban para reemplazar el gas de los sistemas de refrigeración de las minas de oro, que a su vez se vendía a Estados Unidos como reciclado. Abunda asimismo el contrabando clásico por tierra mediante camiones que siguen rutas siempre cambiantes en función de lo que dicte la demanda y la vigilancia. Hoy día, por ejemplo, pocos CFC entran en la India procedentes de Nepal; en cambio, florece el contrabando por la frontera de Bangladesh, mucho más fácil de cruzar, utilizando métodos tan sencillos como entregar la bombona en mano por encima de la valla.[45] En Pakistán hay cada vez más pruebas de que el tráfico de CFC y el de heroína van de la mano; no solo los narcóticos, sino también los CFC han inundado el país a través de la frontera afgana desde que en 2001 fue derribado el régimen talibán.[46]

Lo sublime choca con lo criminal

En otro tiempo, el robo de obras de arte era obra de «ladrones de guante blanco» cultos y educados, cuyos gustos elegantes contrarrestaban sus viles motivaciones, o al menos así se les retrataba. Nada de caballeresco tienen, en cambio, los robos que en la actualidad se producen con extraordinaria frecuencia y creciente uso de la fuerza en los museos y residencias privadas de todo el mundo. La mejora de la seguridad significa que la agilidad y la astucia del pasado ya no valen; lo que hoy predominan son los atracos en toda regla. El descarado robo de los cuadros de Edvard Munch *El grito* y *La Virgen* del Museo Munch de Oslo, en agosto de 2004, se realizó a punta de pistola y a plena luz del día.[47] En el bien surtido Museo de Arte Contemporáneo de Caracas, recientemente ha desaparecido un Matisse, *Odalisca con pantalón rojo*, valorado en varios millones de euros.[48]

¿Adónde van a parar esas obras de arte? Existen registros internacionales de obras robadas o perdidas, algunas de las cuales se mantienen en las listas durante décadas.[49] Según un cálculo del *New York Times*, en 2004 se hallaban en paradero desconocido 551 obras de Picasso, 43 de Van Gogh, 174 de Rembrandt y 229 de Renoir.[50] Por razones obvias, solo excepcionalmente algunas de estas aparecen en el mercado legítimo. Muchos ladrones de arte se encuentran con muy pocas opciones dado el carácter único y fácilmente reconocible de su botín. En el mundo del arte incluso hay quien sostiene que el ladrón típico es uno de poca monta sin un plan preconcebido.[51]

Sin embargo, también esta actividad cambió en la década de 1990. Existen indicios, por ejemplo, de que las numerosas obras de arte que hoy están en circulación forman una especie de reserva monetaria, además de representar una opción para ocultar ganancias ilícitas. En 2001, en Boston, dos tratantes de arte neoyorquinos le ofrecieron a un agente encubierto dos cuadros —*Mujer de ojos azules* de Modigliani y *El peinado* de Degas— por 4,1 millones de dólares, junto con las señas de un intermediario especializado en servicios de blanqueo de dinero que podía asesorarle acerca de cómo organizar la reventa, transferir el dinero e intercambiar efectivo, gemas y obras de arte cuando lo necesitara.[52] En otro caso, un príncipe saudí y su amante, junto con un banquero español establecido en Suiza y un colombiano, participaron en 1999 en una red que transportó 20 millones de dólares en cocaína desde Caracas hasta París en un jet privado, y que, no se sabe cómo, desembocó en la aparición en Miami de un cuadro de Goya y de otro de un célebre artista japonés, Tsuguharu Foujita.

Dada la abundancia de grandes sumas de dinero en busca de inversiones discretas, es probable que, después de todo, el mercado de obras de arte robadas no se halle en recesión, sino que sencillamente se esté decantando hacia nuevas oportunidades. Desde luego, no hay problema de suministro, menos aún con la afluencia de tesoros de los antiguos museos soviéticos, muchos de ellos originariamente confiscados por los nazis. Un registro internacional de obras de arte robadas creado en 1991 con 20.000 entradas, hoy exhibe más de 145.000.

Sin embargo, el mercado que está realmente en expansión en el terreno que nos ocupa es el de las antigüedades. En muchos lugares del mundo, desde China hasta Camboya, pasando por Perú, se desentierran constantemente objetos antiguos, que con frecuencia son objeto de expolio antes de que las autoridades acierten a protegerlos. En enero de 2001, los habitantes de una población llamada Jiroft, en la zona sudoccidental de Irán, descubrieron por azar un importante yacimiento arqueológico rico en objetos que databan del IV milenio a.C.[53] Cuando la noticia llegó a Teherán, el Ministerio de Cultura envió a un equipo de expertos a explorar el yacimiento, pero lo que encontraron fue una enorme excavación organizada por los lugareños —en la que cada familia inspeccionaba su parcela—, que se prolongó durante todo un año antes de que la policía pudiera finalmente clausurarla. Desde entonces han aparecido diversos objetos de Jiroft en el mercado internacional de arte, incluyendo algunas de las más prestigiosas salas de subastas del mundo. Un periodista londinense especializado en arte informó de la existencia de ochenta piezas en venta por casi un millón de dólares, y vio personalmente otra colección en «una prominente galería de Londres». Además, según le dijo el marchante, en el mercado también estaban apareciendo falsificaciones, posiblemente fabricadas en la propia Jiroft; al fin y al cabo, tanto los modelos como las materias primas estaban allí.

La acumulación de riqueza en los mercados de arte internacionales ha disparado los precios de las antigüedades procedentes de Asia y otros lugares, y los traficantes han tomado buena nota de ello.[54] Las antigüedades ofrecen varias ventajas. En primer lugar, son los propios habitantes locales quienes hacen el trabajo sucio, consistente en descubrir los yacimientos y excavarlos; también son los que asumen un mayor riesgo, ya que están más expuestos que nadie a las medidas policiales —es un hecho conocido, por ejemplo, que en China se ejecuta a los saqueadores de poca monta, mientras que los traficantes siempre se escapan—, y además no hay que pagarles demasiado. La mayor parte de los beneficios del tráfico de antigüedades va a parar a los diversos estratos de mediadores y redes de intermediarios organizadas que incluyen galerías de arte, salas de subastas, empresas de transporte, conservadores de museos, funcionarios y banqueros. En segundo lugar, las antigüedades no son objeto, ni de lejos, del minucioso análisis que suele dedicarse a las pinturas y esculturas de los grandes maestros; los tratantes se muestran menos puntillosos sobre el origen de las piezas cuando se trata de antigüedades asiáticas o africanas, especialmente si algunas de ellas provienen de excavaciones recientes y apenas están documentadas.

Los traficantes de arte no tienen por qué ser especialistas. En Italia, un importante centro del negocio del arte ilegal, los grupos mafiosos se han limitado a añadir el tráfico de obras de arte a sus actividades comerciales.[55] Además, los instrumentos de este comercio son los mismos: el aprovechamiento de las lagunas legales y las diferencias de legislación entre países, la falsificación de documentos y, por supuesto, la corrupción y la complicidad oficial. Así, por ejemplo, el intento de vender en Estados Unidos un antiguo objeto peruano por 1,6 millones de dólares contó con la participación de un ex coronel de la policía, así como de un diplomático peruano, que introdujo la pieza en Nueva York en valija diplomática.[56]

Pese a lo dicho, el tráfico ilícito de obras de arte posee algunos rasgos peculiares. En primer lugar, no existe ningún acuerdo internacional claramente definido relativo a leyes y penas; los traficantes pueden trasladar esculturas, iconos o monedas antiguas con mucho menos riesgo que, pongamos por caso, armas o drogas, y con un beneficio potencial mucho mayor. En segundo lugar, el cumplimiento y aplicación de la ley depende en gran medida de la autorregulación por parte de los museos y salas de subastas, además de los chivatazos: un excéntrico y solitario investigador holandés, Michel van Rijn, antiguo ladrón de obras de arte reformado, es responsable de la puesta en marcha de algunas de las investigaciones recientes más notorias. Sin embargo, el tráfico ilegal de obras de arte y piezas antiguas procedentes en su mayor parte de países en vías de desarrollo cuna de civilizaciones antiguas, ha recibido una atención mucho menor, a pesar de su extraordinario e incontrolable crecimiento.[57]

Órganos y chatarra

¿Qué tienen en común todos estos tipos de comercio ilícito? Primero, que su funcionamiento presenta más similitudes de lo que podrían sugerir sus diferentes productos. Y segundo, que hasta ahora han pasado relativamente inadvertidos, por razones principalmente vinculadas a los propios productos, ninguno de los cuales ha interesado a la opinión pública o ha impulsado la redacción de nuevas leyes en la medida que lo han hecho, por ejemplo, las drogas. Pero cada vez más estos productos se encuentran disponibles, combinados y mezclados, junto con bienes y servicios legítimos, de manera que su tráfico no seguirá en la sombra por mucho tiempo.

Si esta clase de comercio ilícito ha recibido una atención menor por parte de la opinión pública, quizá se deba a que está vinculado a la insaciable demanda de consumo de los países ricos. La demanda de trasplantes en dichos países impulsa el tráfico internacional de órganos. Los muebles, prendas de vestir y complementos de lujo constituyen el motor del comercio con especies amenazadas. Los compradores finales de las obras de arte robadas y las antigüedades saqueadas son, en esencia, los ricos del mundo. Y no hay ejemplo más ilustrativo de la interconexión del comercio ilícito global con las desigualdades económicas que el recorrido de los residuos peligrosos.

Así pues, los órganos van en una dirección y la chatarra, en la dirección opuesta. Tal como ha hecho siempre, el comercio ilícito sencillamente se deja llevar por la corriente. Solo que ahora esa corriente se ha convertido en un torbellino más fuerte de lo que el mundo había presenciado jamás.

9

¿Qué hacen los gobiernos?

Aduana, le presento a la patrulla de fronteras; Inmigración, le presento a los guardacostas. En el invierno de 2002-2003, un equipo de diez personas, integrado por miembros de varios organismos de control de fronteras de Estados Unidos, recorrió una muestra representativa de los principales puertos y poblaciones fronterizas del país —Nueva York, Baltimore, Detroit, El Paso, entre otros—, visitando las respectivas instalaciones, intercambiando información sobre su misión y compartiendo sus procedimientos organizativos, recursos y tecnología.[1] Se preguntaron entonces por qué no lo habían hecho antes. Pese a su proximidad en primera línea, apenas se conocían mutuamente. Algunos de esos organismos, como el Servicio de Inspección Sanitaria de Animales y Plantas (APHIS), cuyos funcionarios controlan todos los productos de índole animal y vegetal que entran en Estados Unidos, trabajaban en una oscuridad casi total pese a hacerlo codo con codo con los servicios de aduanas e inmigración. Algunos departamentos incluso realizaban misiones cuyo contenido coincidía parcialmente. Tampoco ayudaba el que cada uno de ellos tuviera un jefe distinto: el servicio de aduanas se halla integrado en el Departamento del Tesoro; inmigración pertenece a Justicia, y el APHIS, al Departamento de Agricultura, etcétera.

Todo eso, sin embargo, estaba a punto de cambiar, y además muy pronto. El 1 de marzo de 2003, esos organismos independientes se unirían bajo un mismo techo en el nuevo Departamento de Seguridad Nacional, la histórica respuesta administrativa del gobierno estadounidense al nuevo clima de inseguridad resultante de los atentados del 11 de septiembre de 2001.[2] Asimismo, los planificadores de Washington consideraban que tal vez resultase útil para los diversos organismos el que se conocieran un poco mejor unos a otros con vistas a su futuro matrimonio forzoso; esa era la razón de aquella expedición fronteriza. El desconocimiento mutuo que la misma puso de manifiesto ejemplificaba los problemas que el nuevo departamento tendría que afrontar.

Unir a 22 agencias federales que sumaban 186.000 empleados, con un presupuesto cercano a los 36.000 millones de dólares —mayor que el de la economía íntegra de muchos países—, suponía un desafío sin precedentes. Y cualquier error podía costar miles de vidas y poner en peligro la seguridad nacional de Estados Unidos. Era lógico, pues, que el nacimiento de este gigantesco departamento viniera acompañado de ansiedad, estrés, dudas y duros enfrentamientos políticos. Sus defensores argumentaban —o esperaban— que tener todas esas funciones y agencias bajo un solo techo institucional, a las órdenes de un solo jefe, con un solo presupuesto y unas responsabilidades claras, potenciaría en gran medida la eficacia global del gobierno estadounidense en la crucial tarea de asegurar las fronteras del país y neutralizar a los terroristas. Una consecuencia inmediata de la medida sería un cambio en el modo en que Estados Unidos controlaba sus fronteras. El servicio de aduanas y la patrulla fronteriza se fusionarían en un solo departamento, y las funciones de índole policial de los servicios de aduanas y de inmigración se unirían en una única fuerza, la Oficina de Inmigración e Intervención Aduanera, que no tardaría en conocerse por su acrónimo en inglés: ICE.

Dirigida por un joven y ambicioso fiscal de Brooklyn, Michael Garcia, la ICE iba a convertirse en un importante protagonista de la respuesta de Estados Unidos a la ofensiva de los contrabandistas globales.[3] Con gran experiencia en las investigaciones sobre terrorismo —había trabajado en el primer atentado al World Trade Center en 1993, y había frustrado un complot de al-Qaeda para derribar simultáneamente doce aviones comerciales estadounidenses sobre el Pacífico—, Garcia sabía muy bien que los terroristas solían financiar sus células mediante lo que obtenían con el tráfico ilegal. Pero es posible que estuviera menos preparado para hacer frente a los desafíos de su nuevo departamento. Fusionar algunos (aunque no todos) servicios de aduanas con algunos (aunque no todos) servicios de inmigración equivalía a unir diferentes culturas, conocimientos, redes informáticas y procedimientos operativos, además de numerosos empleados molestos o inseguros con respecto a sus nuevas tareas. Los veteranos de aduanas se quejaban del uso del sistema informático de inmigración, que juzgaban ineficaz y obsoleto, y algunos de ellos incluso volvieron al papel y el lápiz. Además, los funcionarios de aduanas necesitaban cursillos rápidos sobre inmigración, y viceversa. Asimismo estalló una disputa sobre las armas de fuego: ¿la nueva agencia debía adoptar la pistola de nueve milímetros del servicio aduanero, o el revólver calibre cuarenta de los agentes de inmigración?[4] Paralelamente, los centros de detención carecían de suficientes camas.[5] El espacio para oficinas era escaso. Nadie sabía quién estaba a cargo de qué. Muchos agentes ni siquiera sabían bien en qué consistía su nuevo trabajo.[6]

Tampoco estaba claro cómo iba a llevar a cabo su trabajo la ICE, suponiendo que primero resolviera sus problemas. Con más de 20.000 empleados, se anunciaba como la «segunda agencia de investigación en tamaño» del gobierno estadounidense, superada únicamente por el FBI, y los jefes gordos presionaban para que la unidad se rebautizara simplemente como Investigación e Intervención Criminal. Cuando el FBI —es decir, la Oficina Federal de Investigación— anunció que ninguna otra agencia gubernamental podía utilizar el término *investigación*, dio comienzo un año de negociaciones de alto nivel sobre el nombre. Mientras tanto, los agentes de la ICE iban sin insignias: ¿qué se iba a poner en ellas?[7] El FBI acabó ganando la batalla. Paralelamente, también la Administración de Ejecución de las Leyes sobre Drogas (DEA) estaba evaluando la situación de su nuevo y advenedizo socio. La poderosa DEA se había mantenido adscrita al Departamento de Justicia, pero su intento de anexionarse durante la fusión la brigada de narcóticos del servicio aduanero había sido rechazado. La brigada había ido a parar a la ICE, lo que haría que las misiones de las dos agencias coincidieran parcialmente y produjera un soterrado recelo mutuo en cuestiones de presupuesto, ámbito de trabajo y prestigio.

La frustración y la ansiedad iban en aumento. Un alto funcionario de aduanas me decía: «Yo solía dormir mal preguntándome qué nueva jugada nos preparaban los contrabandistas, los ladrones y, desde el 11 de septiembre, los terroristas, pero de pronto me encontraba con que me despertaba preocupado porque sabía que nuestras propias disputas internas les facilitaban las cosas en un momento en el que necesitábamos ser lo más eficientes posible. Yo sabía que los malos son extremadamente rápidos, creativos y peligrosos, y ahí estábamos nosotros, perdiendo el tiempo en reuniones y mirando presentaciones de PowerPoint hechas por abogados y políticos».[8] Tampoco ayudaba demasiado el que la ICE pronto se encontrara cargada con tareas adicionales que parecían apartarla de su misión originaria, incluida la gestión del Servicio de Protección Federal (FPS), encargado de la seguridad de los edificios públicos, y el programa de Policía Aérea Federal, responsable del despliegue de agentes de policía camuflados en los vuelos comerciales para frustrar posibles secuestros. Asimismo se le asignó la tarea de proteger el espacio aéreo de la ciudad de Washington. Pero aún hubo otras sorpresas que jalonaron las etapas iniciales del nuevo organismo. Misteriosamente, Garcia decidió dedicar las primeras medidas importantes de la ICE no al narcoterrorismo, al tráfico de seres humanos o al contrabando de armas, sino a la pedofilia y la pornografía infantil en Internet; una noble empresa, desde luego, pero que no encajaba exactamente con la esencia de su misión.[9] «La ICE parece una versión modernizada de la INS [la antigua agencia de inmigración] con una unidad de delitos sexuales», declaró a un periodista un desconcertado agente. En realidad, la ICE aún seguía buscando su sitio, una especialidad que pudiera considerar propia, librándose de las disputas territoriales. Según todos los indicios, la búsqueda continúa.

«No se puede»

La anterior no es una anécdota local y aislada. Es una tendencia global: los gobiernos están mal organizados para combatir el tráfico internacional ilícito. Los problemas de coordinación entre los diversos organismos que luchan contra los contrabandistas globales no son exclusivos de Estados Unidos. Sencillamente, debido a su espectacular escala, la experiencia estadounidense pone de manifiesto las dificultades que subyacen en las grandes organizaciones gubernamentales en todo el mundo. Casi en todas partes, dichos organismos tienden a estar fragmentados y a resultar difíciles de manejar. Demasiado a menudo, sus actividades son víctima de poderosas fuerzas distorsionadoras en la forma de intereses creados, corrupción, inercia burocrática, politización, o simple ineptitud. Rusia, por ejemplo, creó en 2003 un nuevo organismo de lucha contra la droga, la Agencia Federal de Control de Narcóticos, que, con unos efectivos de 40.000 personas, es cuatro veces mayor que su homóloga estadounidense, la DEA.[10] Pero luego, como explicaba Susan Glasser, del *Washington Post*, una serie de «recursos que podían haberse dedicado a luchar contra los grandes traficantes o a reprimir la guerrilla chechena, se han destinado a campañas contra veterinarios, médicos y dentistas, vendedores de camisetas que llevan dibujos de hojas de marihuana y librerías que venden libros sobre los usos médicos de diversas drogas ilegales».

El Departamento de Seguridad Nacional de Estados Unidos y la división antidroga de Rusia solo son dos de las numerosas iniciativas que están adoptando los diversos gobiernos para responder a los avances de los traficantes globales y demás lacras. Tras explorar la naturaleza del tráfico en nuestra época y el comportamiento de los actuales traficantes, volveremos los ojos hacia quienes dirigen el contraataque: nuestros gobiernos. ¿Cómo afrontan este desafío? ¿Con qué instrumentos? ¿Quiénes son los soldados que libran esas batallas en nuestro nombre?

Las respuestas, obviamente, varían de un país a otro, e incluso entre los diversos organismos de un mismo país, ya que la experiencia y formación de los agentes que luchan contra el blanqueo de dinero son distintas de las de quienes combaten el tráfico de seres humanos o de drogas. No obstante, existen algunas pautas comunes. Los ejemplos más ilustrativos provienen de los esfuerzos realizados por

Estados Unidos. Estos han sido tan intensos, tan enormes y tan cuestionados públicamente, que su análisis proporciona una serie de esclarecedoras ideas sobre tan importante tarea política y los desafíos a los que se enfrenta.

Todo empieza con los atentados del 11 de septiembre de 2001. A partir de esa fecha se produjeron grandes cambios en el modo en que los gobiernos combaten a los criminales y terroristas transnacionales en casi todo el mundo, de Asia a Europa, pasando por América Latina. Pero en ningún lugar fueron estas reformas tan radicales como en Estados Unidos. Y en ningún lugar han ilustrado de manera tan fiel lo difícil que les ha resultado a los diversos gobiernos aunar sus esfuerzos contra el terrorismo y el tráfico ilegal. Un informe elaborado en 2004 por el inspector general del Departamento de Justicia estadounidense, Glenn A. Fine, señalaba que el FBI, al convertir la lucha contra el terrorismo en su principal prioridad, estaba prestando menos atención a su lucha contra el crimen organizado. Entre 2000 y 2003, las unidades del FBI encargadas de combatir el crimen organizado y el tráfico de drogas perdieron a 758 agentes, que fueron destinados a la lucha antiterrorista, con recortes que se concentraron principalmente en las unidades que luchaban contra los cárteles mexicanos.[11] Dos años después, Porter Goss, el nuevo jefe de la CIA, declaró al Congreso estadounidense que le preocupaba que al-Qaeda estuviera tratando de introducir clandestinamente a sus agentes a través de la frontera mexicana.[12]

Por alarmista que parezca, este no es más que el principio del problema. Como ya hemos visto, esas redes de contrabando de personas o de drogas ya no son solo mexicanas, y se han adaptado rápidamente al contrabando de cualquier mercancía. Los gobiernos todavía tienen que dar una respuesta efectiva a esos desafíos, pero en lugar de eso se centran en reforzar los controles fronterizos, y ello en un momento en que es cada vez más difícil controlar las fronteras. Sobre esto, una vez más, Estados Unidos ofrece un interesante ejemplo. Cada año, sesenta millones de personas entran en el país en más de 675.000 vuelos comerciales y privados, mientras que otros 370 millones lo hacen por tierra. Además, 116 millones de vehículos cruzan las fronteras terrestres. Más de 90.000 barcos mercantes y de pasajeros atracan en los puertos estadounidenses, transportando nueve millones de contenedores, cargados con 400 millones de toneladas. Otros 157.000 barcos más pequeños hacen escala en los puertos de Estados Unidos. La idea de que un organismo gubernamental —por mucho que tenga 186.000 empleados— consiga sellar una frontera tan porosa representa, cuando menos, todo un desafío.[13] Robert Hutchings, que dirigió el Consejo de Inteligencia Nacional de la CIA entre 2003 y 2005, me contestó sin rodeos cuando le pregunté si en su opinión era posible sellar las fronteras: «No se puede hacer».[14]

Agentes, analistas, guardias

¿Decepcionante? Es posible, al menos cuando se tiene en cuenta la preocupación pública por la seguridad y las declaraciones políticas en el sentido de que el Departamento de Seguridad Nacional ya estaba ocupándose de que Estados Unidos fuera un país más seguro. Pero no para alguien acostumbrado a trabajar para una burocracia o a tratar con ella.[15] Desde los estudios pioneros de Max Weber, los sociólogos han mostrado que la primera intención de cualquier organismo administrativo es perpetuarse, mientras que los politólogos, por su parte, explican que las instituciones públicas tienen un talante «pegastoso»; es decir, una vez que se han creado, resultan muy difíciles de desmantelar. Por fuerte que resultase el campanazo de alarma del 11-S, no podía competir con el impulso natural interno de la preservación y la rivalidad burocráticas.

Nadie debería haber esperado otra cosa. Las burocracias y sus procedimientos constituyen una parte integrante de los gobiernos, y es a estos a los que acudimos en primer lugar para responder a los traficantes. Pero para hacerlo, los gobiernos han utilizado hasta ahora sus herramientas tradicionales: presupuestos, leyes, organizaciones, tribunales, policía, funcionarios, tratados internacionales… En la actualidad, la mayor parte de los países cuentan con su propio ejército de agencias dedicadas, de una u otra forma, a frenar el comercio ilícito, y cada una de ellas dispone de múltiples unidades, especialidades y personal. Durante varios siglos, el comercio ilícito se percibió sobre todo como un problema de control de fronteras, endémico pero localizado, y normalmente obra de actores secundarios, como las bandas locales que cruzaban las fronteras de los países vecinos. Todo eso lo convertía en una cuestión básicamente de aduanas y guardias fronterizas. Pero en el siglo XX, las nociones tradicionales de «países vecinos» se vieron sacudidas por el advenimiento de los viajes y el comercio masivos. Hoy, en términos de narcotráfico, puede considerarse «vecinos», por ejemplo, a Colombia y España, del mismo modo que Nigeria e Italia lo son en lo relativo a las redes de contrabando de seres humanos. El auge del término *tráfico* —y su asociación implícita con el crimen organizado— vino a transformar nuestra comprensión del comercio ilícito, llamando también la atención sobre el papel que debe desempeñar la policía a la hora de combatirlo.

La propia actividad policial es bastante reciente, al menos en la forma en la que ahora la conocemos. A principios del siglo XX, la actividad policial, como función pública, se había convertido en la norma en las sociedades «avanzadas», a la par que, como oficio, se había hecho más sofisticada y había desarrollado especializaciones concretas. No hay dos países que organicen y gestionen su policía de la misma manera. Aunque las raíces de la actividad policial son locales, en la actualidad muchos estados cuentan con un servicio de policía nacional dividido en distintas ramas, aunque todas ellas bajo un solo mando unificado. Estados Unidos es un caso extremo, con más de 18.000 fuerzas distintas, de las que 60 operan a escala nacional.[16] En gran número de países la policía pasó a asumir el control de fronteras, una función que antes correspondía al ejército. Pero la innovación más importante con respecto al crimen organizado fue la creación de poderosas y prestigiosas unidades de investigación como el FBI estadounidense, fundado en 1908, o la Police Judiciaire francesa, creada en 1907.

Sin embargo, las aduanas y la policía solo representan una parte del panorama. A medida que el arte y la ciencia de gobernar se perfeccionaron a lo largo del siglo XX, y la función pública creció como profesión, también lo hizo la especialización. Como resultado, la lucha contra el tráfico implica hoy día a empleados públicos de muchas clases: no solo guardias, soldados y policías de aduanas, sino también abogados, fiscales, contables, diplomáticos, expertos en comunicaciones y tecnología, investigadores, analistas y espías. Cuál de estas profesiones tiene el papel preponderante es algo que depende de la clase de comercio ilícito contra la que se luche. El blanqueo de capitales, por ejemplo, requiere la intervención de contables, especialistas en informática y abogados en el marco de unidades de inteligencia especializadas en delitos financieros. La represión del tráfico de drogas constituye una actividad tradicional de la policía; la mayor parte de los países cuentan con algún tipo de departamento de narcóticos, aunque su estructura y supervisión varían. Responder al tráfico ilegal de armas es una tarea que suele recaer en el ejército o en los servicios de seguridad del Estado, mientras que combatir la falsificación normalmente es responsabilidad de los ministerios de comercio.

Tanta especialización constituye, sin embargo, un arma de doble filo. Ha generado un considerable nivel de conocimientos y experiencia, pero al mismo tiempo ha creado la necesidad de una intensa coordinación y a menudo ha alimentado una debilitadora miopía organizativa. Los responsables de combatir el narcotráfico tienden a saber o a preocuparse mucho menos de los traficantes de seres humanos, y viceversa. Sin embargo, y como hemos visto, los traficantes han llegado a un punto en el que pueden cambiar fácilmente de producto así como de mercado. Muchas de las redes globales tienen la capacidad de organizar la adquisición, el transporte y el pago de cualquier «mercancía» que tengan que transportar.

Aparte de la mencionada miopía que la especialización puede generar, la eficacia de los gobiernos se ve perjudicada por otros dos obstáculos intrínsecos. Uno es que las burocracias suelen estar organizadas de formas rígidamente jerárquicas, lo que les resta agilidad a la hora de compartir información o coordinar esfuerzos con otras personas u organismos ajenos a sus cadenas verticales de mando. El segundo es su dependencia de una serie de procedimientos operativos. Desde las compras de material hasta la utilización de los recursos, pasando por la promoción y las pagas del personal, la administración se basa en una serie de normas y procedimientos predeterminados. Esas pautas crean estabilidad, predictibilidad y transparencia, además de homogeneidad en las operaciones del gobierno; pero también son fuente de una gran rigidez y lentitud a la hora de responder a circunstancias imprevistas. Se han hecho grandes esfuerzos en averiguar cómo «reinventar el gobierno» y hacer más ágiles a sus diversos organismos, pero lo cierto es que el sector público sigue estando limitado por numerosas reglas explícitas e implícitas que parecen generar el mismo comportamiento organizativo en casi todos los sectores.

Constituye casi un axioma que el trabajo en equipo entre las distintas divisiones de un ministerio o una fuerza policial se ve complicado por rivalidades, disputas territoriales y conflictos de intereses personales e institucionales. Lo mismo puede decirse —a menudo con más razón— cuando se desarrolla entre distintos organismos. Y las barreras resultan casi insuperables cuando se hace necesaria la coordinación transfronteriza. En palabras del primer secretario de Seguridad Nacional estadounidense, Tom Ridge, «la seguridad nacional tiene que ver con la integración de los países. Debemos [...] compartir información y buenas prácticas, y desarrollar tecnologías de última generación que nos protejan de cara al futuro».[17] No es una tarea pequeña. Si la CIA y el FBI ya tuvieron problemas para compartir una información básica que tal vez hubiese evitado los atentados del 11-S, imaginemos la dificultad de conseguir que el FBI y sus equivalentes ruso, tailandés o búlgaro coordinen sus acciones y compartan sus recursos con la misma rapidez y eficacia que las redes internacionales a las que combaten.

Dado que la función pública se basa en rígidas escalas salariales, que suelen ser inferiores a las equivalentes del sector privado, las retribuciones asignadas a los profesionales que combaten el tráfico ilícito apenas varían en relación con su rendimiento. Obviamente, hay muchas personas en el sector público motivadas por un profundo sentido del deber, por su patriotismo y por la defensa de los valores en los que creen. Pero a su lado hay otros compañeros de trabajo menos competentes, cuando no abiertamente venales.

Una actuación ineficaz de las fuerzas policiales refleja a menudo la existencia de bajos niveles de compromiso por parte de funcionarios mal pagados, lo que les lleva a eludir responsabilidades y al pluriempleo, algo común en casi todos los países. La desmotivación hace a los agentes del gobierno vulnerables a la corrupción, algo muy común cuando se considera que los traficantes siempre tienen qué ofrecer. La cooperación entre los diversos organismos públicos requiere por parte de cada uno de ellos un grado de confianza en el compromiso, la dedicación, la ética y la competencia del otro que en la práctica resulta extremadamente raro. Y es aún mucho más difícil entre organismos de gobiernos distintos. «¿De verdad cree que voy a dar los nombres de mis informadores dentro de la Hermandad de Solntsevo a la policía de aquí?», preguntaba con una sonrisa irónica un agente estadounidense al que entrevisté en Moscú, aludiendo a una de las redes criminales rusas de las que se sabe que tienen «amigos» en las altas esferas del Kremlin.[18]

Mejorar la colaboración entre los diversos organismos —incluso entre los de un mismo gobierno— requiere bastante más que reorganizar sus procedimientos formales. Y los obstáculos que se interponen en la actividad de las fuerzas del orden —algunos de índole burocrática, pero otros necesarios para mantener su responsabilidad y la confianza pública— contrastan poderosamente con las innovaciones organizativas de los traficantes, financieros e intermediarios del comercio ilícito. Consideremos, por ejemplo, el modo en que muchos organismos participan en el que constituye el instrumento básico de la lucha contra el tráfico ilícito: la redada. Una típica captura a gran escala suele requerir la participación de varios cuerpos nacionales o locales. Ni los métodos ni los resultados han variado de forma notable en los últimos años pese al cambio de mentalidad que siguió al 11 de septiembre. Pero los traficantes sí han adaptado sus acciones sacando el mayor provecho posible de los obstáculos que lastran a los gobiernos.

Ilícito, ilegal, indefinido

Tal vez suene banal señalar que el comercio ilícito es una clase de delito. Al fin y al cabo, este se da, por definición, al margen de las normas. Pero surge entonces un problema complicado: *¿las normas de quién?* Estas raramente coinciden de un país a otro, lo cual constituye también una diferencia estratégica que los traficantes han aprendido a explotar.

Obviamente, algunas formas de tráfico resultan moralmente repugnantes y criminales en todas partes. Pero no todos los casos resultan tan sencillos. Desde finales de 2004, por ejemplo, en Estados Unidos ya no se considera un delito poseer un arma de asalto de carácter militar.[19] Como me decía el ex presidente de Colombia Andrés Pastrana: «Mientras nuestros agentes de policía y soldados son abatidos constantemente por las narcoguerrillas, Estados Unidos facilita la posesión y el comercio de las ametralladoras más peligrosas del mundo. Si lo hubiéramos hecho nosotros, probablemente el Departamento de Estado norteamericano nos habría incluido en alguna lista negra».[20] Por poner otro ejemplo, mientras el gobierno federal de Estados Unidos está tomando enérgicas medidas contra los extranjeros ilegales, muchos estados norteamericanos les conceden permisos de conducir.[21] Asimismo, cualquier persona a la que cojan introduciendo un alijo de cocaína en el país se enfrenta a penas mucho más duras que los «coyotes» que pasan personas a través de la frontera.[22] Y estamos hablando de Estados Unidos, un país donde las leyes antitráfico son relativamente avanzadas. Muchos otros países todavía tienen que redactar leyes o establecer penas para algunas de las modalidades de comercio ilícito más difundidas.

Así, en la práctica, lo que es «ilícito» en un país quizá no lo sea en otro. Es frecuente que las leyes vayan un paso por detrás con respecto a la evolución del comercio ilícito, creando nuevos conceptos y definiciones como los de «ciberdelincuencia» y «piratería digital» con el fin de trazar la frontera entre lo que constituyen prácticas innovadoras que se consideran positivas para la sociedad y otras que se juzgan dañinas. A veces las leyes redefinen un viejo problema: la noción de «tráfico de seres humanos», por ejemplo, ayuda a centrar la atención y a establecer reglas y penas para una serie de prácticas que, de otro modo, serían subestimadas o ignoradas. Pero incluso cuando dos países acuerdan considerar delictiva una determinada práctica, es posible que le concedan distinta importancia política o, incluso, moral, lo que se traduce en diferencias en las sanciones que imponen. Y está claro que lo que en la práctica resulta permisible en un país determinado suele ir más allá de lo estrictamente legal, a veces porque las fuerzas del orden están desbordadas, andan cortas de personal o son corruptas, y en ocasiones porque los legisladores aún no se han puesto al día en lo que a innovaciones delictivas se refiere. Para los traficantes, todas esas diferencias —multiplicadas por los más de doscientos países del mundo— producen un mapa bastante peculiar; para ellos, se trata de un mapa de incentivos para comerciar en el que, cuanto más difusa resulte la legalidad de un área, mayor será la oportunidad de obtener beneficios.

Las reglas nunca dejan de ser cuestionadas, no solo por los traficantes, sino también por las rivalidades políticas, la manipulación por parte de expertos en aprovecharse del sistema y, a menudo, la avalancha de innovaciones y nuevas circunstancias. La distinción entre evasión fiscal y reducción legal de impuestos a menudo depende más de la pericia de un asesor fiscal que de la aplicación clara y rígida de una serie de normas. La definición exacta de qué prácticas financieras constituyen blanqueo de capitales es algo que cambia constantemente, no solo debido a las diferentes políticas, sino también porque el abanico de transacciones financieras disponibles no deja de crecer y complicarse. Esta ambigüedad no reduce en modo alguno el carácter moralmente aborrecible de una gran parte del comercio ilícito, pero, de todos modos, los traficantes tienden a operar al margen de cualquier consideración moral. Para ellos, reglas que no paran de cambiar significan, sencillamente, mayores oportunidades. Cojamos dos países cualesquiera, y lo más probable es que un traficante lo bastante experto encuentre el modo de aprovechar todas sus diferencias, tanto en leyes como en normas tributarias, regulaciones bancarias, regulaciones medioambientales, normativas laborales, etcétera.

La colaboración: difícil, pero indispensable

Contar con leyes internacionales que funcionen y sean vinculantes ayudarían a clarificar el panorama. Pero no debería sorprendernos que la elaboración de normas internacionales comunes para combatir el comercio ilícito se haya revelado una tarea tediosa y escurridiza. Aunque después de la Segunda Guerra Mundial la disciplina del derecho internacional experimentó cambios significativos, siguió centrada en las relaciones entre estados, y no en los delitos cometidos por individuos. Se dejó que cada país gestionara por sí mismo los delitos penales. Solo recientemente se ha producido una oleada de actividad legislativa internacional que ha establecido algo que se aproxima a tener pautas globales sobre el tráfico ilícito. Sin embargo, la eficacia de dichas pautas se ha visto limitada precisamente por la herramienta que suele utilizarse para consagrarlas: el tratado internacional.

En el pasado siglo, el alcance de los tratados se amplió no solo para prevenir los motivos de los conflictos militares, sino también para codificar los acuerdos entre países a la hora de abordar problemas concretos, y a veces también los métodos para hacerlo. Los nombres oficiales de tales acuerdos se han multiplicado —«convención», «protocolo», etcétera—, como también el número de participantes. La fundación de la ONU creó el foro y la sede naturales de esta clase de discusiones. El resultado ha sido la creación dentro de la ONU de organismos especializados responsables de investigar y difundir los conocimientos sobre el comercio ilícito, en especial la Oficina de las Naciones Unidas sobre Narcóticos y Delincuencia, con sede en Viena, lo que no ha impedido que muchos miembros de la ONU se mofaran abiertamente de las recomendaciones de dicho organismo.

El historial de los tratados contra el comercio ilícito presenta ambigüedades similares. Antes del año 2000, solo un importante tratado internacional tenía el tráfico ilícito como principal objetivo: la Convención Internacional sobre el Opio, aprobada inicialmente en 1912; pero las otras formas de comercio ilícito no merecían la misma atención que los narcóticos. La limitada eficacia de esos acuerdos desencadenó una nueva oleada de tratados internacionales cuando en la década de 1980 la espectacular expansión del tráfico de drogas llamó la atención de los políticos y espoleó la necesidad de un gran avance en materia legal.[23] Por primera vez, expertos en leyes y autoridades judiciales empezaron a pensar en el derecho internacional como un modo de regir algo más que las actividades de los estados. Surgió entonces un término especializado, el de *delito transnacional*, definido como «una actividad que se considera un delito penal en al menos dos países». La Convención de las Naciones Unidas contra el Tráfico Ilícito de Narcóticos y Sustancias Psicotrópicas —la última encarnación del viejo acuerdo sobre el opio, aprobada en 1988 y en vigor dos años después— ponía en práctica este concepto. Por primera vez, los estados miembros se comprometían a elaborar una lista de actividades relacionadas con las drogas, delitos penales y bases para la extradición.

A lo largo de la década de 1990, los especialistas se esforzaron en definir las diferentes formas de tráfico ilegal y en proponer pautas globales para hacer frente a este delito. En 2000 y 2001, varias conferencias de la ONU expusieron sus resultados en la escena mundial. La firma en diciembre de 2000 de la Convención de las Naciones Unidas contra el Crimen Organizado Transnacional, celebrada, no casualmente, en Palermo, establecía por primera vez pautas globales sobre una serie de delitos relacionados con el tráfico ilícito. La convención estipulaba todo lo relativo a penalización, extradición y demás procedimientos relacionados con ellas, incluyendo asistencia mutua y programas de formación para ayudar a cumplir los compromisos. Incluía también dos importantes protocolos, uno sobre el contrabando de inmigrantes, y el otro sobre el tráfico de personas, a los que los distintos estados podían optar por adherirse.

Pero la ONU, sin la que esos acuerdos probablemente no habrían visto la luz, puede hacer bien poco para garantizar su aplicación. Para los países miembros, votar a favor de la convención era sumamente fácil. Firmarla, ratificarla y, finalmente, aplicarla, supone vencer un gran número de condicionantes sobre los que ninguna organización internacional tiene control alguno y que son objeto de toda clase de impedimentos, tanto políticos como prácticos. En el año 2004, por ejemplo, el número de países que habían ratificado la Convención de Palermo era de 94, y los protocolos sobre contrabando de emigrantes y tráfico humano, de 64 y 76, respectivamente. Otro protocolo, este sobre el tráfico ilícito de armas, todavía es objeto de negociación y está pendiente de acuerdo.[24]

El mayor valor de esos instrumentos reside en que establecen normas y definiciones y, en consecuencia, los fundamentos de la autoridad moral, la presión diplomática, el activismo político y la conciencia pública. Pero independientemente del grado en que a largo plazo se adopten y ratifiquen, dichos tratados no pueden crear confianza a partir de la nada, ya que en los asuntos internacionales son los recelos los que suelen triunfar.

Policías contra fronteras

«El crimen es internacional; la ley también.» Con esta solemne frase, una voz en off abría cada episodio de una serie de la televisión británica titulada *Man from Interpol* [El hombre de Interpol], que se empezó a emitir en 1959.[25] El protagonista era Anthony Smith, detective británico asignado a la organización policial internacional, y el papel lo interpretaba Richard Wyler, un actor que había regresado a Gran Bretaña tras fracasar en Hollywood. En la serie, el sofisticado Smith perseguía a los malos a través de las fronteras durante treinta minutos de disparatadas aventuras que terminaban con el obligado final feliz. El detective se enfrentaba a asesinos, secuestradores, estafadores, extorsionistas y, por supuesto, contrabandistas, incluidos los traficantes de diamantes y de tabaco falsificado, y los que se dedicaban a lo que entonces se llamaba «trata de blancas». A pesar de que no se tomaba las cosas con demasiada seriedad, la serie representaba una evocación del impresionante poder de las fuerzas policiales cuando trabajan juntas; aunque eso sí, generosamente salpicada de glamour e intriga, como una especie de James Bond en versión pobre.

Sin embargo, la imagen resultaba engañosa, ya que partía de una falsa premisa. La ley *no* era internacional: ni sobre el papel ni en la práctica; y mucho menos su cumplimiento. La cooperación policial se hallaba todavía en una especie de prolongada infancia, y resultaba limitada, experimental y dominada por secretos y recelos. Su manifestación concreta, la Interpol, carecía de personal, de fondos y de autoridad. Se dedicaba a poco más que canalizar las comunicaciones entre las diversas fuerzas policiales nacionales utilizando el código Morse. Y eso era, prácticamente, lo que admitía la voz en off en el resto de la introducción a la serie: «El hombre de la Interpol está en contacto permanente con las fuerzas de policía de todo el mundo», lo cual no se puede decir que sonara precisamente muy eficaz.

Los avances tecnológicos producidos a finales del siglo XIX y comienzos del XX abrieron las puertas de la cooperación policial. El telégrafo, el teléfono y el automóvil hicieron posible el trabajo en equipo, y al mismo tiempo lo hicieron necesario, puesto que esos mismos avances estaban ampliando las oportunidades de delinquir y el radio de acción de los delincuentes. Pero otros avances, tales como los métodos fiables para obtener huellas dactilares, proporcionaron a la policía fuertes incentivos para compartir sus conocimientos. Una serie de conferencias internacionales de fuerzas policiales celebradas en Europa a partir de 1888 se tradujeron en la creación, en 1923, de la Organización Internacional de Policía Criminal. El nuevo organismo, dirigido por el jefe de la policía de Viena, estableció su cuartel general en dicha ciudad. Pero la institución no era una organización internacional respaldada por los gobiernos de una serie de estados, sino una asociación voluntaria de fuerzas policiales. Cuando en 1938 los nazis invadieron Austria, poco se pudo hacer para evitar que tomaran el mando de la institución. Entonces los demás socios la abandonaron, y a la larga dejó de funcionar.[26]

Después de la Segunda Guerra Mundial, las fuerzas de policía europeas resucitaron la institución, cuya dirección pasó a asumir Francia. Al cabo de no mucho tiempo pasó a conocerse por su acrónimo telegráfico, Interpol. Su estructura era ahora más sólida, centralizada y poderosa. La mayor parte de los países europeos habían establecido sus propias fuerzas policiales nacionales. Estados Unidos, por su parte, disponía del FBI, dirigido por el indomable J. Edgar Hoover. Y las nuevas naciones que surgían del proceso de descolonización también creaban sus propios organismos. Parecía que la Interpol era un modelo idóneo para la investigación y la persecución del delito. Así, cuando en el periódico de la mañana se podía leer que «Se ha alertado a la Interpol», ello confería al delito en cuestión cierta dosis de gravedad extra, haciendo que sus responsables parecieran aún más siniestros y astutos. Sin embargo, lo que eso significaba en realidad era que los sospechosos se habían desvanecido al otro lado de alguna frontera; las autoridades locales les habían perdido el rastro y emitían el equivalente a una orden de búsqueda internacional. Pese a todos los esfuerzos de unos cuantos visionarios, la cooperación policial entre países seguía significando más bien poco.[27]

¿Interpol o «Minipol»?

Sesenta años después, las dificultades persisten. Una vez más, las nuevas tecnologías han hecho que el aspecto técnico del trabajo policial resulte más avanzado y eficaz que nunca; ahí están, para demostrarlo, la generalización del análisis de ADN y otros progresos de carácter forense, la transmisión codificada instantánea de datos a casi cualquier parte del mundo, las técnicas biométricas que identifican de manera concluyente a las personas mediante una información única de cada individuo, como los escáneres de iris, etcétera. Pero la labor policial es también intrínsecamente secreta y territorial, y los intentos de los países de colaborar con organismos policiales del otro lado de las fronteras chocan tanto con cuestiones de soberanía como con problemas fundamentales de confianza que no han disminuido con el tiempo.

La contradicción deja a la Interpol en una posición ambigua. Hasta mediados de la década de 1990 había sido una institución relativamente impasible. En 1986, un atentado terrorista realizado por un grupo anarquista europeo tuvo como único resultado un cambio de sede, que pasó de un edificio anodino en las afueras de París a un complejo moderno y extremadamente fortificado en Lyon. Dentro, sin embargo, las cosas seguían avanzando con lentitud. Por una parte, la Interpol funcionaba más como una burocracia que como una policía, al estilo de una rutinaria oficina con un limitado horario laboral (es probable que la famosa cocina de Lyon también se tradujera en largas comidas). Por otra parte, su misión —vincular a las fuerzas policiales y albergar una base de datos centralizada sobre delincuentes y sus actividades— adoptaba formas cada vez más obsoletas. Las comunicaciones empleaban el código Morse, y el propio lenguaje codificado de la Interpol y los archivos eran hileras de expedientes en papel entre los que los analistas se deslizaban utilizando sillas montadas sobre raíles. Hasta 1994 la institución no empezó a establecer un sistema de comunicaciones moderno. Y en el año 2000 todavía estaba dando sus primeros pasos en el mundo de Internet, cambiando su obsoleta red interna por un sistema más moderno.

Ese mismo año, la Interpol tuvo el primer secretario general —su máximo cargo— de origen no francés desde hacía décadas. El estadounidense Ronald Noble había sido funcionario del Tesoro en la administración Clinton, y responsable, entre otras cosas, de las aduanas y el servicio secreto.[28] Asimismo representaba a Estados Unidos en la junta ejecutiva de la Interpol, y se sentía tan fascinado por el potencial de la organización como alarmado por la pérdida de relevancia de esta. Noble, que domina varias lenguas y es hijo de padre afroamericano y madre alemana, tiene un instintivo talante internacional. Tras realizar una ardua campaña para acceder al máximo puesto de la institución, asumió el cargo en noviembre de 2000.

Como director, Noble inició los cambios desde arriba. Trabajando hasta altas horas de la noche, en su primer año de mandato convirtió la Interpol en un organismo que funcionaba a todas horas durante todos los días del año. Redujo rápidamente el tiempo que la organización necesitaba para distribuir sus «avisos» —que es como se designa las circulares de varias clases que envía a sus miembros— de hasta tres meses a solo tres días. Eso solo no bastaba, obviamente, así que Noble desarrolló un programa de innovaciones tecnológicas a fin de crear un sistema basado en Internet para que cualquier fuerza policial del mundo pudiera disfrutar de una base de datos global y transmitir los avisos en tiempo real. Asimismo destinó más personal a las tareas relacionadas con la comunicación directa con los miembros de las fuerzas de policía nacionales. Los atentados del 11 de septiembre de 2001 no hicieron sino animarlo a trabajar con más ahínco, convenciéndolo de la urgencia de su tarea.

En teoría, el programa de Noble tiene sentido. Más que casi cualquier otro especialista en su terreno, Noble percibe el explosivo aumento y la continua mutación de la economía clandestina global —las redes de tráfico, las células terroristas, los mercados paralelos, etcétera—, y se da perfecta cuenta de que los gobiernos no están dando una respuesta a la altura de las circunstancias. Tanto esta visible necesidad como las avanzadas tecnologías disponibles para mejorar la labor policial deberían traducirse en un enorme abanico de oportunidades para la Interpol. Sin embargo, la organización no tiene autoridad sobre sus miembros y se ve obligada a convivir con la falta de cooperación incluso en áreas que resultan fundamentales para su trabajo.

Una primera restricción es la que impone el dinero. Aunque desde el año 2000 el presupuesto de la Interpol ha aumentado, sigue siendo ridículo: en 2004 rondó los cincuenta millones de dólares, el equivalente, por ejemplo, al 2,5 por ciento del presupuesto de la ICE de Estados Unidos para ese mismo año, o la quinta parte de los fondos de que, se calcula, disponía Osama bin Laden en 2001. Eso obliga a Noble a actuar menos como un jefe de policía que como el representante de un grupo de presión o el encargado de buscar donantes y recaudar fondos para una institución, recorriendo el mundo para «vender» la nueva Interpol a los países miembros y exhortarles a que contribuyan a su financiación. Obviamente, resultaría más fácil financiar la Interpol si todos los países miembros estuvieran plenamente comprometidos con su misión; pero el grado real en el que cada país está dispuesto a participar varía de modo considerable, lo que a menudo impide que la Interpol lleve a cabo algunas de sus principales actividades. Todavía hoy, por ejemplo, Estados Unidos no reconoce sus «avisos rojos», como se denominan las órdenes de detención internacionales.

Por desgracia, resulta demasiado fácil comprender por qué los miembros de la Interpol se muestran tan reservados. Por incoherente que parezca, se enfrentan a los retos de la cooperación entre burocracias celosas de su información exclusiva, procedimientos operativos rígidos y una cultura interna que desconfía de otras organizaciones así sean de su propio gobierno, y si son de otro, aún más. Sin embargo, aun en el caso de que un reformador ideal de la institución policial lograra tener éxito a la hora de superar esas barreras, la visible corrupción de las policías de muchos países también haría la colaboración más difícil. La nueva brigada de narcóticos de Rusia, por ejemplo, no tardó en ser víctima de la corrupción.[29] En México, los federales, una fuerza de élite creada en gran medida para frenar la corrupción endémica en las fuerzas de policía locales, se han visto afectados por la misma lacra a la que pretendían combatir, por no mencionar el conflicto interno que produjo y las deserciones de sus filas para pasarse al crimen organizado.[30] La ausencia de incentivos para colaborar de una forma plena y franca en tales instituciones, así como la falta de voluntad para compartir abiertamente la información, resultan evidentes.

Así pues, existe un límite interno a lo que la Interpol puede lograr, por lo que no debe sorprendernos que le hayan surgido rivales por doquier: organismos de ámbito regional como la Europol de la Unión Europea, o la Aseanapol del sudeste asiático, creadas explícitamente siguiendo el modelo de la Interpol, pero a las que se ha dotado de una mayor eficacia gracias a los crecientes vínculos políticos entre los países miembros y a la mayor dotación de recursos. Los defensores de la Interpol responden que sigue existiendo la necesidad de un sistema de investigación y notificación de alcance auténticamente global. Y tienen razón. Sin embargo, por ahora las tendencias señalan que la cooperación policial en el mejor de los casos tiene un alcance regional, y sigue caracterizándose por un elevado grado de desconfianza entre las organizaciones que deben colaborar entre sí para que el sistema funcione.

El éxito... y sus límites

Un día de primeros de marzo de 2004, un equipo de la DEA se acercó a un restaurante de carretera de las afueras de Buffalo, en el estado de Nueva York, siguiendo a un vehículo al que llevaba vigilando desde que había cruzado la frontera procedente de Canadá. Cuando el conductor entró en el local a comer, uno de los agentes abrió el coche con una llave maestra y se lo llevó, mientras los demás simulaban un robo esparciendo trozos de cristal por el suelo del aparcamiento. Cuando se pusieron a inspeccionar el coche, los agentes encontraron 30.000 pastillas de éxtasis, junto con unos 4,5 kilogramos de marihuana de primera calidad «de propina», tal como les había dicho la persona que les había dado el chivatazo.

El alijo era solo un incidente en las últimas fases de una investigación que duraba ya tres años, llamada Operación Caja de Bombones, en la que participaron 64 fuerzas policiales de Estados Unidos y Canadá.[31] Según las autoridades, la red contra la que se actuaba llegó a suministrar en un momento dado hasta el 15 por ciento del éxtasis consumido en Estados Unidos, que se elaboraba en unos laboratorios canadienses capaces de producir un millón de pastillas al mes. El corazón de la red estaba formado por una serie de empresas tapadera vinculadas a dos mujeres. Las autoridades detuvieron a Ze Wai Wong, una inmigrante china a la que se acusó de dirigir la red de distribución, mientras que Mai Fuong Le presuntamente coordinaba el blanqueo de dinero a través de diversas empresas vietnamitas establecidas en más de una decena de ciudades, incluyendo servicios de transferencia de dinero perfectamente legales. Casi todo el dinero había sido transferido mediante transferencias electrónicas, excepto la parte que se había enviado mediante correos humanos u oculto en automóviles. Los bancos estadounidenses habían aceptado en depósito considerables sumas y las habían transferido a cuentas bancarias de todo el mundo sin el menor recelo. Menos de tres semanas después del incidente de Buffalo, la investigación concluyó con un gran golpe: 150 arrestos coordinados en 19 ciudades de Canadá y Estados Unidos, desde Toronto hasta Jacksonville pasando por Boston y San José.

Como demuestra esta historia, la lucha de las fuerzas del orden contra el tráfico ilegal no siempre está envuelta en el depresivo y sombrío halo de la burocracia. También hay agentes que trabajan de firme y forman equipos, y realizan redadas. Cada semana, un anuncio de algún destacado cuerpo policial revela una importante desarticulación o aprehensión. A las pocas semanas de la Operación Caja de Bombones, la denominada Operación Aerodinámica desarticuló una red que transportaba cientos de kilogramos de heroína de extrema pureza de Colombia a Estados Unidos a través de Nicaragua y Argentina, y que luego blanqueaba las ganancias por medio de transferencias o bien trasladando el dinero en efectivo utilizando correos humanos.[32] La Operación Decollo (que en italiano significa «despegue») culminó con 75 detenciones realizadas por los carabineros italianos, con redadas simultáneas en España y Colombia. Durante cuatro años, los agentes de ocho países habían estado investigando una serie de grandes envíos de cocaína desde Colombia y Venezuela hacia diversos destinos de Australia y Europa, siguiendo una pista que los condujo hasta la Mafia calabresa.[33] La Operación Águilas Unidas se tradujo en el arresto por parte de los federales mexicanos de dos conocidos miembros de la organización de Arellano Félix, con el respaldo de más de una docena de cuerpos estadounidenses y mexicanos.[34] Por otra parte, un buque de la armada francesa interceptó en alta mar a un remolcador togolés que transportaba dos toneladas de cocaína desde Venezuela hacia diversos puntos de transbordo de África occidental.[35]

Éxitos como estos son, sin duda, buenas noticias. Algunos de ellos —como la interceptación del carguero *BBC China*, que contribuyó a desentrañar el negocio de centrifugadoras nucleares del doctor A. Q. Khan— tienen importantes consecuencias para la seguridad mundial. Otros, sin embargo, parecen repetirse mes a mes sin que la oferta de productos ilícitos disminuya durante algo más que un breve período; y estas, obviamente, son malas noticias. Una de las razones de este problema es que las redes comerciales ya no se reducen a los cabecillas: la captura de un blanqueador de dinero vietnamita en Canadá, de un capo mafioso en Calabria o del lugarteniente de un cártel mexicano pone fuera de la circulación a una serie de personas; pero su red de socios comerciales directos o indirectos, regulares u ocasionales, conscientes o inconscientes, solo sufre un daño transitorio. Su naturaleza de red descentralizada hace al sistema como un todo casi inmune a la decapitación de una de sus partes.

Las investigaciones internacionales realizadas por varios organismos a lo largo de varios años resultan impresionantes, y tienen la ventaja de ser voluntarias y estar dirigidas contra objetivos concretos. Implican a un número limitado de personal que tiene tiempo y motivos para familiarizarse y establecer vínculos de confianza. No afectan a organizaciones enteras y, lo que es más importante, tampoco requieren que nadie divulgue cuanto sabe. En el mundo de las fuerzas del orden, información es poder, y la gente vigila muy bien cómo juega sus cartas. Un alto funcionario de la administración de George W. Bush, John Bolton, explicaba que la estrategia estadounidense contra el tráfico favorece este tipo de operaciones frente a otras clases de cooperación más estructuradas: «En lugar de depender de engorrosas burocracias basadas en acuerdos —escribía—, esta administración ha lanzado iniciativas que implican una acción de cooperación con otros estados soberanos».[36] Bolton presentaba esta política como una innovación, pero en realidad se remonta a la época anterior a los acuerdos.

Equidistante de estos dos polos —los acuerdos y las asociaciones *ad hoc*—, ha empezando a vislumbrarse una tercera vía ilustrada por el ejemplo de los esfuerzos de ciertos gobiernos para luchar contra el blanqueo de dinero. El Grupo de Acción Financiera (del que ya he hablado en el capítulo 7) ha logrado coordinar las normas bancarias de todos los países del G-8, excepto Rusia, así como de un creciente número de otros países, combinando de manera novedosa las dos estrategias tradicionales. El GAFI fue comprometiendo a los países miembros uno a uno, de forma voluntaria, hasta que se vieron implicados todos los principales centros financieros «legales»; luego volvió su atención hacia los países más conocidos como destinos de los blanqueadores de dinero, y los amenazó con aislarlos de los mercados de capitales y los sistemas bancarios mundiales. El GAFI se basa en las denominadas «revisiones paritarias», lo que significa que el sector financiero de cada país acepta ser inspeccionado por un equipo de expertos de otros países miembros, que identifican las reformas necesarias y supervisan su materialización. Esta clase de control, que representa la suspensión de soberanía más radical que ha presenciado jamás la lucha contra el tráfico ilegal, resulta difícil de imaginar aplicado a las fuerzas policiales. Pero al menos en el sector financiero ha funcionado mejor que en otras áreas de la lucha global contra el crimen.

Sin embargo, el GAFI no representa tanto el éxito de un nuevo enfoque para combatir el comercio ilícito como una adaptación razonablemente eficaz a algunos de los límites con que se ha encontrado esta lucha. Que el planteamiento más eficaz contra el tráfico haya resultado ser uno basado en la labor de contables y analistas sentados frente a ordenadores en las sedes centrales de las diversas fuerzas del orden, revela la falta de éxito de los gobiernos a la hora de penetrar en las redes de comercio ilícito mediante agentes infiltrados y llevar a cabo operaciones eficaces. Además, el GAFI se ha visto obligado a alterar su agenda para mantener el apoyo de los poderosos gobiernos que lo respaldan. En el verano de 2001 estuvo a punto de desaparecer, cuando la recién estrenada administración Bush consideró la posibilidad de debilitar las normas de Estados Unidos contra el blanqueo de dinero; los países afectados, envalentonados, se dispusieron entonces a oponerse a las normas del GAFI. Tuvieron que producirse los atentados del 11-S para que la administración Bush cambiara de postura. La contrapartida ha sido la exigencia política de que el GAFI —y otras organizaciones— dedicaran más personal y recursos a investigar la financiación del terrorismo. Se trata de una tarea importante, sin duda, pero que solo representa una pequeña parte del problema.[37]

Héroes al rescate

En su lucha contra las redes de tráfico globales los gobiernos se ven gravemente perjudicados por toda clase de obstáculos. Aun así, en ocasiones surge de entre las sombras de la burocracia y las rencillas entre organismos una sorprendente arma secreta: el héroe. La lucha contra el tráfico ilícito todavía atrae a algunos extraordinarios y abnegados funcionarios dispuestos a afrontar enormes riesgos personales para detener a los delincuentes. Más que de determinación tenaz, se puede hablar de un trabajo realizado por amor al arte, quizá incluso con verdadera obsesión.

Estos profesionales desempeñan su tarea en algunos de los entornos más peligrosos; países como Colombia, por ejemplo, donde la infiltración de los traficantes en la vida pública ha llegado a convertirse en algo común. Colombia, que ya es un lugar peligroso cuando uno es periodista, resulta aún más peligroso para los jueces y fiscales. Pocas personas envidiarían, en este sentido, el trabajo de María Cristina Chirolla.[38]

Cuando Chirolla se convirtió en jefa de la división de blanqueo de capitales y activos de la fiscalía del Estado colombiano, pasó a hacerse cargo de algunas de las actividades policiales más peligrosas del mundo. Su tarea pasaba a consistir en cerrar los laboratorios de droga montados en la selva colombiana, incautarse de las mansiones de los traficantes, así como de sus aviones privados y artículos de lujo, e infiltrarse en las redes financieras que repatrían desde Estados

Unidos las ganancias obtenidas con la heroína y la cocaína. Chirolla, una abogada de unos cuarenta y pico años de edad, debió enfrentarse a enemigos internos: la corrupción y el soborno. Todos los funcionarios cuya ayuda necesitaba para la realización de su trabajo eran potencialmente vulnerables a los sobornos: los investigadores, los gobernadores regionales, los altos mandos de la policía y las fuerzas armadas, los jueces... Durante las redadas era posible que en un descuido algunos agentes o soldados se apropiaran de dinero en efectivo o de alijos de drogas. Tampoco los colegas de Chirolla eran inmunes a ello. En poco tiempo, varias denuncias de violaciones del código ético habían acabado con la carrera de algunos de sus colegas responsables de operaciones contra el narcotráfico y el crimen organizado. Chirolla se hizo cargo de sus expedientes, convirtiéndose en una figura importante en la lucha contra el crimen de su país; y en consecuencia, en posible objetivo de asesinos.

Resulta difícil imaginar que su entusiasmo de fiscal fuera la única motivación de Chirolla para aceptar el puesto, o que la ambición la hubiera cegado hasta el punto de hacerla asumir riesgos potencialmente letales. La historia de su trayectoria profesional resultaba bastante más personal y compleja. Chirolla se había integrado en la función pública a principios de la década de 1990 al convertirse en ayudante del alcalde de Bogotá como responsable de la asistencia y rehabilitación de las prostitutas. El tiempo que dedicó a las mujeres de la calle la puso en contacto con las realidades del mundo de la droga; no los peligros del tráfico internacional, sino la sórdida caída de las prostitutas en una espiral sin fin: drogas para aliviar el dolor y sexo para pagar las drogas. Chirolla ayudó a las mujeres de una organización a recaudar fondos y a financiar tratamientos y programas ocupacionales para romper ese círculo vicioso de prostitución y adicción. A la larga acabó por dejar el ayuntamiento y actuar como abogada de la organización, hasta que una ex prostituta estuvo preparada para reemplazarla.

La historia podría haber acabado aquí, pero Chirolla pronto vio la crisis de la droga en Colombia desde el otro extremo del espectro; ya no desde la perspectiva de la calle, al ser testigo del modo en que la adicción destrozaba unas vidas ya de por sí desesperadas, sino desde la realidad, no menos catastrófica, del papel de Colombia en el narcotráfico global. Tras incorporarse al Ministerio de Justicia, Chirolla recibió el encargo de supervisar el cumplimiento por parte de su país de los acuerdos y convenciones internacionales. En la práctica, ello se reducía al narcotráfico y aquellos aspectos relacionados con él, como la interpretación de los acuerdos globales, la elaboración de nuevas leyes, la asistencia a otras ramas del gobierno en la lucha contra la producción y el tráfico de drogas para hacer que Colombia cumpliera los compromisos asumidos, etcétera. Llegó a hacerse tan experta que posteriormente la nombraron jefa de la División de Sustancias Controladas del Ministerio de Sanidad. Allí su perspectiva se amplió de nuevo, y de un modo que ella no esperaba. Tomó conciencia de una paradoja: mientras Colombia luchaba contra el tráfico y la venta de drogas, los pacientes de los hospitales y clínicas colombianos sufrían un dolor innecesario debido a la falta de narcóticos como la morfina. El número de pacientes en esa situación era bajo, pero el coste humano muy elevado. Por otra parte, lanzar un programa público para *distribuir* narcóticos requería la cooperación y un estrecho control por parte de los funcionarios de sanidad a lo largo del proceso hasta que los pacientes llegaran al hospital. No obstante, Chirolla no solo tuvo éxito, sino que el sistema que diseñó se convirtió en un modelo para otros países, y llegó a contar con el respaldo de la Organización de Estados Americanos.

Como fiscal jefe, Chirolla volvió al ámbito de la actividad policial y la represión, aunque «consciente de que este es solo un aspecto del mundo de la droga». Su trayectoria personal, en la que vio el tráfico de cocaína y heroína no solo como un delito, sino también en sus complejos aspectos sociales, médicos y económicos, le proporcionó una perspectiva envidiable y una gran capacidad para centrar sus objetivos. Sin embargo, esa trayectoria, ese compromiso, también pudo haber sido lo que la llevó a aceptar mayores riesgos a medida que avanzaba su carrera. En 2004, Chirolla dijo que sabía de la existencia de un complot para asesinarla en el que estaban implicadas las fuerzas paramilitares derechistas de Colombia, y habló de la perspectiva de ser asesinada o exiliarse, de que había evaluado los costes personales que su labor implicaba y de que sentía la necesidad de continuar. «Es extraño —me dijo en una ocasión—, pero aprendes a vivir con la idea de que hay gente muy mala que quiere matarte.»

Chirolla no está sola. Cada país cuenta con sus luchadores heroicos dispuestos a combatir independientemente de lo terribles o desmoralizadoras que sean las condiciones de la batalla a librar. Y en última instancia, la masiva aplicación del poder y los recursos del Estado en la lucha contra el comercio ilícito —sobrecargado por la burocracia, erosionado por la corrupción y condicionado por los obstáculos de índole práctica— se reduce a personajes como ellos. Estas personas, a las que impulsan motivaciones personales por lo general mucho más profundas y psíquicamente complejas que el mero deseo de tener un puesto de trabajo como funcionarios, forman una especie de fraternidad que se enfrenta a las arremetidas de la globalización, a la vez que cada una de ellas representa un solitario luchador en uno de tantos miles de frentes de batalla, y al que se suele proclamar como héroe después de que ha caído.

Contar con el sacrificio personal de funcionarios públicos de los que se espera conductas heroicas no parece ser la estrategia más eficaz para hacer frente a bandas globales con inmensos recursos financieros, tecnológicos y políticos.

10

Ciudadanos contra delincuentes

Los investigadores se apuntaron un buen triunfo. Haciéndose pasar por clientes que querían enviar a China un cargamento de merbau, un árbol tropical que produce madera de gran calidad y cuya exportación está prohibida en Indonesia, contactaron en Yakarta con un intermediario que estaba más que dispuesto a explicarles, con bastante candidez, las numerosas maneras en que él y sus colegas violaban la ley. «En Indonesia —les dijo Yaman Yeo— todo es posible.» A continuación explicó que su concesión maderera en la remota provincia de Papúa estaba vigilada por soldados del ejército a los que pagaba por hacerlo, que empleaba documentos malayos falsificados para disfrazar el verdadero origen de la madera y que conocía a gente con las conexiones necesarias en los organismos oficiales para garantizarles que podrían sacar la madera del país. Obviamente a cambio de una comisión. Su audacia solo era superada por su candidez, ya que en la página web de su empresa esta se autoproclamaba «consciente de la necesidad de proteger el medio ambiente». En realidad, y como sabían bien los investigadores, Yeo y sus colegas se aprovechaban de los vacíos legales, la intimidación de las poblaciones indígenas locales, los sobornos descarados y la complicidad oficial para deforestar Papúa, la tercera selva tropical del mundo, con miles de especies únicas de animales y plantas. Cada año un área equivalente a la superficie de Suiza es talada ilegalmente.

Los agentes secretos estaban uniendo todas las piezas del rompecabezas. En la propia Papúa, encontraron a miembros de las comunidades locales dispuestos a explicarles el modo en que los empresarios madereros engañaban a los lugareños para hacerles firmar acuerdos de cooperación que les garantizaban el acceso a los territorios tribales a cambio de pequeñas compensaciones —una motocicleta, una iglesia para la aldea, etcétera—, ridículas en comparación con los inmensos beneficios que les proporcionaba ese comercio ilegal. Cuando los lugareños trataban de protestar, topaban con las amenazas de los soldados a sueldo de los traficantes. Siguiendo la ruta comercial a través de diversos intermediarios en Singapur y Hong Kong, los agentes acabaron en Zhangjiagang, una ciudad portuaria china próxima a Shanghai que en solo cinco años se ha convertido probablemente en el mayor centro comercial de maderas tropicales del mundo, adonde llegan enormes cantidades de madera para abastecer las necesidades crecientes de la construcción y la vivienda en dicho país, así como sus exportaciones de muebles y parquets. Un comerciante les dijo a los agentes que cada año llegan allí alrededor de 600.000 metros cúbicos de merbau ilegal procedente de Indonesia, acompañado de documentación falsa: «Se hace todo el juego completo [de documentos] —les explicó—. Yo soy un experto en eso».

Así pues, nos hallamos ante pruebas contundentes, gracias a una gran labor policial encubierta. Salvo que los supuestos agentes no eran policías, sino activistas de la Environmental Investigation Agency (EIA) —que no es un cuerpo policial sino una ONG con sede en Londres— y de su grupo asociado indonesio Telapak, con sede en la ciudad de Bogor.[1] Sus métodos, sin embargo, revelan hasta qué punto las ONG han evolucionado y se han alejado del estereotipo de las «organizaciones sin ánimo de lucro», como todavía se las califica en ocasiones. Realizar actividades de vigilancia, obtener pruebas forenses y hacerse pasar por posibles clientes forma parte de los nuevos métodos con que los grupos de activistas luchan contra el comercio ilícito.

Lo mismo ocurre con las operaciones encubiertas. En marzo de 2003, aproximadamente en las mismas fechas en que el equipo de la EIA peinaba los alrededores de las remotas aldeas de Papúa, otro equipo encubierto de una ONG presionaba a la policía de Camboya para llevar a cabo una redada conjunta de otra clase de traficantes: los que alquilan niños con fines sexuales. En este caso, los agentes trabajaban para una organización estadounidense llamada International Justice Mission (IJM), con sede en las afueras de Virginia. Su objetivo eran los burdeles de Svay Pak, una destartalada aldea situada en las proximidades de Phnom Penh famosa en el sórdido mundo del turismo sexual pedófilo.[2] Allí, y durante todo el día, los proxenetas enviaban a chicas adolescentes a hacer proposiciones a los expatriados y turistas que bebían sentados a las polvorientas mesas de improvisadas tabernas. En los burdeles, las niñas eran más pequeñas todavía. Muchas de ellas habían sido objeto de tráfico dentro de la propia Camboya, o bien procedían de Vietnam o China, de donde habían sido trasladadas para revenderlas en Malaisia o Tailandia. Pero nada de todo esto impedía que los burdeles de Svay Pak funcionaran abiertamente. Un periodista británico incluso fue testigo de cómo las policías se acercaban paseando a la puerta de un burdel y recogían distraídamente un sobre; se trataba de una transacción común en aquel lugar.

Estaba claro que había que clausurar Svay Pak. El problema era que eso ya se había hecho antes, mediante redadas policiales dirigidas desde la capital que los proxenetas siempre parecían saber por adelantado. Así, casi todos los chulos y madames tenían tiempo de sobra para desmontar el burdel. Y aquellos a los que cogía la policía no tardaban mucho en volver tras recuperar la libertad con un simple soborno. Todo esto resultaba tan familiar que casi se había convertido en un ritual. Una de esas redadas se produjo solo dos meses antes de la llegada de la IJM.[3] Por entonces, el jefe de la policía local le había dicho a un periodista que en esa ocasión «la clausura era permanente». Pero Svay Pak no tardaría en recuperar su viejo y terrible aspecto. En consecuencia, la IJM adoptó un nuevo enfoque. Los miembros enviados no solo contrataron a ex policías, investigadores locales y al menos una empresa de seguridad multinacional para documentar las actividades de los burdeles, sino que el día de la redada también llevaron consigo a un equipo del popular programa de la televisión estadounidense *Dateline NBC*. Unos días antes, los reporteros de televisión se habían unido a los investigadores en una visita de incógnito a los burdeles equipados con cámaras ocultas. Ahora regresaban con la idea de cubrir la redada para su audiencia.

Al final, sin embargo, la redada no fue un éxito completo. Algunos de los proxenetas se enteraron de la operación y se mantuvieron alejados del apartamento al que los agentes trataban de atraerlos. Aun así, varios acudieron, y fueron arrestados de inmediato, al tiempo que se trasladaba a 37 víctimas de abusos sexuales a un refugio perteneciente a una ONG local. Más tarde, algunas de ellas saltaron los muros que rodeaban el refugio y huyeron, probablemente para regresar a los burdeles. Pero para la IJM, una organización cristiana evangélica, aunque solo se lograra rescatar a una persona, el esfuerzo valía la pena.

La hora de los activistas

Como todas estas historias demuestran, la lucha contra el tráfico ilícito no se limita a los gobiernos y los organismos internacionales; por el contrario, las ONG se han convertido en un arma esencial de la misma, tanto porque en la última década se han vuelto extremadamente activas, como porque disponen de instrumentos y capacidades que los gobiernos no tienen, especialmente la flexibilidad para moverse rápidamente de un país a otro. Lo mismo ocurre con las corporaciones y las organizaciones empresariales, que han pasado a encabezar la lucha contra determinados sectores del comercio ilícito que perjudican su reputación y merman sus beneficios. El manido término que suelen utilizar los sociólogos, «sociedad civil», no llega a transmitir la increíble diversidad y vitalidad de toda una serie de grupos privados que han pasado a involucrarse en esta lucha, y que necesariamente desempeñarán un papel crucial en cualquier progreso que se logre.

Esta especie de auge constituye un rasgo distintivo de la década de 1990, que presenció no solo el florecimiento de nuevas organizaciones no gubernamentales, sino también la expansión internacional de las ya existentes. Algunas de ellas nacieron con vocación global; tal es el caso de Transparency International, una organización sin ánimo de lucro cuyo objetivo es combatir la corrupción. Fundada en 1993, cuenta con una estructura explícitamente global y delegaciones en numerosos países.

También las empresas se han ido involucrando cada vez más en este activismo internacional, a través de organizaciones comerciales, programas filantrópicos, campañas de relaciones públicas y proyectos para mostrarse como «buenos ciudadanos corporativos». Asimismo, el papel de los medios de comunicación ha sufrido grandes transformaciones; aunque sus editoriales siempre han desempeñado el papel de conciencia social, la expansión de la libertad de prensa en un país tras otro ha estimulado mucho el periodismo de investigación y las denuncias de corrupción. Y los nuevos instrumentos y tecnologías de la comunicación, desde las transmisiones de vídeo por satélite hasta las minicámaras, pasando por los blogs, no han hecho sino acentuar esta tendencia.

El rápido avance y el alcance geográfico del activismo internacional parece equiparable al de la delincuencia internacional. Al fin y al cabo, las mismas nuevas políticas y tecnologías que ayudan a las redes criminales a funcionar en el mundo ayudan también a las ONG a hacer otro tanto. La estrecha colaboración entre la EIA y sus colegas indonesios de Telapak no habría sido posible veinte años atrás, pues no existían ni las condiciones políticas ni los instrumentos prácticos. Pero, en la actualidad, las distintas ONG están en condiciones de colaborar con otros organismos similares de todo el mundo, del mismo modo que los diferentes eslabones de las redes criminales pueden coordinar sus actividades casi sin ninguna limitación geográfica, lo que proporciona tanto a unas como a otras una enorme ventaja a la que los gobiernos pueden aproximarse, pero jamás igualar.

Gracias a esta ventaja, las ONG se distinguen en la lucha contra el tráfico ilegal por hacer aquello que los gobiernos no pueden o no quieren hacer. En primer lugar, son capaces de operar a través de las fronteras sin necesidad de tediosas negociaciones diplomáticas. Un selecto grupo de ONG de ámbito global —con nombres tan conocidos como Human Rights Watch, Greenpeace, Oxfam o Médicos sin Fronteras— tiene delegaciones en varias docenas de países, gestionadas por personal experto. Pero otras ONG de ámbito más restringido también han visto ampliado su radio de acción al acceder a los organismos y los recursos internacionales, la asistencia técnica y las capacidades que pueden aportar las organizaciones más consolidadas de los países ricos. Entre estas últimas se incluyen no solo las ONG de ámbito global, sino también organismos dedicados a subvencionar proyectos internacionales, como la Fundación Ford o el Open Society Institute.

En segundo lugar, las ONG pueden recaudar fondos —a escala internacional, de ser necesario— y dedicar esos recursos a un objetivo o interés muy concreto, a diferencia de los gobiernos, que cuando asignan fondos para la lucha contra el tráfico ilícito deben tener en cuenta centenares de otras prioridades presupuestarias. Para un contribuyente resulta imposible determinar si la inversión que se ha hecho para combatir el comercio ilícito le resulta rentable; pero le es mucho más fácil calibrar si la ONG a la que ayudó el año anterior ha cumplido sus promesas y merece que siga apoyándola. La competencia por recaudar fondos a menudo obliga a los grupos activistas a precisar más sus objetivos, y un grupo pequeño cuya labor se considera crucial y bien gestionada puede llegar a adquirir gran influencia en poco tiempo.

Otra de las ventajas que poseen los grupos activistas sobre los gobiernos es su capacidad para exponer públicamente casos de corrupción en los que hay complicidad oficial. Pueden asimismo llamar la atención de los medios de comunicación informando directamente a estos, o bien empleando elaboradas campañas de relaciones públicas. El activismo ha acabado por convertirse en una profesión global, con sus innovadores y sus figuras emblemáticas, además de abogados, empresas de relaciones públicas, recaudadores de fondos, asesores financieros y otros profesionales dispuestos a ofrecer sus servicios. Pese a los nobles objetivos de muchos activistas, sin embargo, las ONG más exitosas suelen tener vínculos muy claros y medibles entre su desempeño y sus éxitos, y el apoyo financiero que logran recaudar y sus posibilidades de seguir existiendo. Lo mismo no es cierto en el caso de las agencias gubernamentales que viven del erario público.

No obstante, la mayor ventaja que aportan las ONG es su habilidad —en algunos casos, su predilección— para ir más allá de los límites, para encontrar nuevas y agresivas maneras de documentar los problemas y despertar las conciencias y la necesidad de intervención. En gran medida, ello se debe a que muchos activistas son idealistas, aunque también lo son muchos de quienes eligen la política como profesión. Los gobiernos no solo están constreñidos por sus propias fronteras, sino que se ven limitados por sus procedimientos: los funcionarios públicos solo pueden hacer lo que la ley explícitamente les autoriza. Los ciudadanos pueden hacer todo menos lo que está explícitamente prohibido. Esta asimetría explica mucho de las ventajas de las ONG sobre los gobiernos.[4]

Obviamente, lo que cada una hace con su libertad de acción varía según el caso. Las ONG que se enfrentan al comercio ilícito suelen tener motivaciones morales: acabar con la explotación humana y la esclavitud, proteger a especies en peligro de extinción, evitar el deterioro del medio ambiente, ayudar a los drogadictos a superar su hábito, detener la financiación de grupos rebeldes y dictadores... Pero sus ideas sobre cómo hacerlo, ya se deriven de una ideología política, de determinado credo religioso o sencillamente de la compasión, pueden resultar divergentes o incluso opuestas, lo que conduce inevitablemente a diferencias en los métodos que aplican. En el sudeste asiático, por ejemplo, los activistas evangélicos de la IJM que trabajaban para clausurar los burdeles infantiles habían tenido dificultades para colaborar con ONG locales, como el Centro Camboyano de Mujeres en Crisis o AFESIP, un grupo fundado por una pareja franco-camboyana. Y no porque no estuvieran de acuerdo en la maldad inherente al tráfico de niños, sino debido a sus métodos, ya que los grupos locales se quejaban de que la tendencia de la IJM a hacer redadas «de rescate», tan espectaculares como efímeras, era contraproducente para la tarea, más a largo plazo, de rehabilitar a las víctimas y ayudarlas a aprender un oficio a fin de que no volvieran a los burdeles.[5]

A veces, el motivo de esas diferencias de planteamiento hay que buscarlo en el modo en que las ONG priorizan sus objetivos. El tráfico de seres humanos puede contemplarse como una cuestión relacionada sobre todo con los derechos de las mujeres y los niños, o con la pobreza, o con las condiciones laborales. Así, por ejemplo, el Centro de Solidaridad —una ONG filial de la poderosa federación sindical estadounidense AFL-CIO— vincula el tráfico de seres humanos a las fábricas y talleres donde se explota atrozmente a los trabajadores, y a las prácticas comerciales injustas; una perspectiva menos escandalosa desde el punto de vista moral que la de la esclavitud y la coacción sexual, pero muy importante de todos modos.[6] Trabajando de manera mucho más discreta, existen diversas redes de organizaciones que combaten el tráfico de inmigrantes centrándose en los derechos humanos.

No obstante, en ocasiones esas diferencias tienen motivos menos altruistas. Un debate que puede afectar a la lucha contra el tráfico de seres humanos es el que enfrenta a quienes consideran que la prostitución, en todas sus formas, constituye una forma de explotación, con quienes creen que debe haber un lugar para el trabajo sexual y que este debe contar con garantías y regulaciones legales. En Rusia estalló una disputa en este sentido entre la denominada Coalición Ángel, que favorece la ilegalización y la represión de la prostitución como una herramienta para poner fin al tráfico sexual, y otros grupos de la sociedad civil que defendían la liberalización, aunque la Coalición sospechaba que estaban en realidad diversos políticos corruptos implicados en el comercio del sexo.[7] Por otra parte, existen evidentemente otras ONG que recelan de las medidas antitráfico porque temen que perjudiquen a sus propios partidarios; la estadounidense Asociación Nacional del Rifle, que se ha opuesto a los esfuerzos a favor de la regulación internacional del comercio de armas cortas, constituye un conocido ejemplo.

EL MARKETING DEL ACTIVISMO

¿Dan resultados los activistas? Si se considera en términos de información y de concienciación, la respuesta es sí. Muchas de las fuentes de información más importantes, reputadas y completas sobre el comercio ilícito no son organismos internacionales, sino ONG, fundaciones e instituciones que se han especializado en campos determinados. El anuario *Small Arms Survey*, por ejemplo, se ha convertido en una fuente clave de información global sobre el comercio de armas.[8] Puede que no adorne las librerías de muchos hogares, pero tiene una gran influencia en los círculos políticos. El anuario es obra del Instituto de Estudios Internacionales de Posgrado, un organismo de investigación con sede en Ginebra. Human Rights Watch, Global Witness, Amnistía Internacional, Greenpeace y Oxfam se cuentan entre las organizaciones que se han convertido en referentes en su campo. Por su parte, otras ONG de países en vías de desarrollo y ámbito más reducido están realizando iniciativas pioneras allí donde los gobiernos han fracasado. Viva Río, una ONG brasileña que lucha contra la violencia, creó el primer centro de recolección de armas de fuego gestionado por civiles. Aplicando una sabia política preventiva, los trabajadores del centro inutilizan las armas *antes* de entregárselas a la policía.[9]

Su dominio de los datos ha permitido a las ONG dirigirse a los gobiernos con autoridad creciente, midiendo sus éxitos por la aprobación de nuevas leyes o la asignación de fondos a la lucha contra los diversos tráficos. De nuevo, la más visible es aquella que afecta al tráfico de seres humanos. Así, por ejemplo, la Ley de Protección a las Víctimas del Tráfico que Estados Unidos aprobó en 2000 le debe mucho al esfuerzo combinado de diversas organizaciones cristianas evangélicas y grupos activistas de talante progresista. Del mismo modo, en Rusia, los líderes de la Coalición Ángel colaboraron en la redacción, en 2003, de la primera ley antitráfico del país.[10]

Junto con la presión ejercida y el apoyo a la aprobación de determinadas leyes, los activistas desempeñan un papel fundamental como creadores y divulgadores de nuevas ideas. Una contribución en este sentido es el concepto de «reducción del daño», que los activistas suelen aplicar al tráfico de drogas.[11] Esta noción supone considerar el efecto total de las drogas y su tráfico, y evaluar cada nueva medida en función de si reduce el daño en lugar de incrementarlo. En la práctica, eso significa dedicar más recursos a la prevención y el tratamiento, y considerar asimismo la despenalización o la legalización de algunas drogas. Este es un tema políticamente delicado, por lo cual sus defensores suelen referirse a él en términos estrictamente técnicos, basando sus argumentaciones en razones económicas antes que políticas. Ethan Nadelmann, un influyente defensor de la política de reducción del daño en Estados Unidos, no es precisamente un activista radical, sino un respetado sociólogo y escritor, licenciado en derecho y en ciencias políticas por la Universidad de Harvard. Tropezó con el mundo de la droga casi por accidente, cuando buscaba temas para sus estudios de posgrado. Desde 1994 lidera un grupo estadounidense, hoy conocido como Drug Policy Alliance, que es uno de los más firmes partidarios de la política de «reducción del daño», y que incluso ha recibido fondos del filántropo George Soros.[12]

La información que ofrecen es buena, y las ideas son aún mejores; pero ¿qué ocurre con los resultados concretos? Existen numerosos casos de éxitos a pequeña escala —redadas de traficantes, alijos de drogas, denuncia de políticos corruptos, aprobación de nuevas leyes, etcétera— que deben mucho a los esfuerzos de grupos activistas privados. Pero la constante expansión del comercio ilícito a partir de 1990 —durante el mismo período en que se produjo el auge de la sociedad civil internacional— muestra que los activistas no pueden cambiar las cosas por sí solos. Una de las razones es que, pese a todas sus ventajas operativas sobre los gobiernos, se encuentran con las mismas limitaciones que las burocracias debido a dos factores: los recursos y la estrechez de su enfoque. Si los gobiernos ya lo tienen difícil para disponer de los mismos recursos que los traficantes, las organizaciones no gubernamentales se enfrentan a un problema mucho mayor. Por otra parte, y al igual que los gobiernos, también se ven debilitadas por su visión especializada y, en consecuencia, parcial, que las hace centrarse en un solo aspecto del problema, con el riesgo de ignorar las conexiones que permiten prosperar a los traficantes. El tráfico de productos copiados está ligado al de seres humanos, y los dos al del blanqueo de dinero. Combatir uno solo es, por definición, muy limitado. Pero es lo común. Tanto para los gobiernos como para las ONG. De hecho, los grupos activistas se ven forzados, al menos en cierta medida, a esa estrechez de enfoque, dado que deben competir con otros organismos por los fondos del público, así como por mantener su atención y apoyo.

Tampoco es ningún secreto que algunos objetivos «se venden» mejor que otros. En general, cuanto más intensamente se enfoque el objetivo en cuestión —por ejemplo, poner fin al tráfico sexual de menores en Europa oriental, promover la conservación de especies en peligro de extinción, o enseñar a los cultivadores de coca a producir cultivos alternativos—, más fácil resultará vender la causa, recaudar fondos y convertirse en una voz relevante en lo que al tema se refiere. El modo en que los activistas eligen sus objetivos representa el resultado de una especie de competencia entre diversas cuestiones sociales, o al menos entre las palabras e imágenes que emplean cuando transmiten dichos objetivos a la opinión pública. En este contexto, sus habilidades competitivas pueden traducirse en diferencias enormes de recursos. Existe asimismo la posibilidad de recabar el apoyo y la financiación de filántropos, de empresas, de los fieles que asisten a iglesias y mezquitas, o de los pequeños donantes que depositan la calderilla que llevan encima, apadrinan a un niño o compran un calendario. Y al mismo tiempo habrá otros muchos grupos de enorme valor que tendrán que trabajar con muy pocos medios, ya que su misión, por más noble que sea, no logra «venderse» bien al público.

Así pues, la fuerza de las organizaciones no gubernamentales constituye también su debilidad fundamental cuando de combatir el comercio ilícito se trata. Su capacidad de recaudar dinero y despertar conciencias contextualizando un problema con habilidad puede hacerlas extraordinariamente influyentes. Pero eso mismo las obliga también a especializarse, y centrarse en una única forma de comercio ilícito se aviene mal con el enfoque cada vez menos especializado de los traficantes ilícitos, que, como hemos visto, entran y salen de distintas «líneas de productos» con gran flexibilidad y rapidez.

Asimismo, no hay demasiadas garantías de que las iniciativas que las ONG «venden» en los países ricos a la opinión pública (y a quienes contribuyen financieramente a ellas) resulten de verdadera ayuda a los activistas de los países en vías de desarrollo, que a menudo abordan el problema del comercio ilícito en contextos completamente distintos, de pobreza demoledora, de cambios económicos y sociales acelerados, o de guerras civiles. Muchas de las ONG de mayor éxito centran sus esfuerzos y destinan el dinero recaudado en Occidente a los países «de origen» de los esclavos, las especies animales, las drogas, etcétera. Aunque muchos de estos programas son dignos de elogio, es improbable que reduzcan de manera duradera el comercio ilícito, a menos que logren convencer a la opinión pública occidental de que reduzca su demanda de los productos que los traficantes contribuyen a suministrar.

Las policías del sector privado

Hablemos de la policía del software. No, no se trata de una fuerza de policía convencional. Pero al igual que los grupos de investigación de las ONG, los esfuerzos de importantes empresas en la lucha contra el comercio ilícito se parecen cada vez más a las tradicionales tareas policiales. La policía del software, como se la conoce, es la organización denominada Business Software Alliance (BSA), un consorcio de 26 grandes empresas informáticas de todo el mundo que van desde Adobe hasta Veritas, pasando por Avid, Intel, Microsoft y Symantec.[13] Desde mediados de la década de 1990, la BSA ha asumido la misión de tomar medidas contra el software ilegal y fraudulento dondequiera que se utilice; y como ya hemos visto en el capítulo 6, eso significa en todas partes. Para ello, ha establecido delegaciones en tres continentes, realizando diversas actividades en decenas de países, incluyendo la creación de hotlines para denunciar la piratería.

Pero este grupo hace mucho más que coleccionar denuncias: consigue que se aplique la ley. Con sus propios investigadores profesionales, otros a los que contrata y, siempre que es posible, la colaboración de la policía local, la BSA ha convertido en una práctica habitual realizar incursiones en los lugares donde se fabrica y utiliza software ilegal, el delito de cuello blanco por excelencia en la era cibernética. Así, por ejemplo, la redada de quince horas que llevó a cabo en Singapur en 1997 contra un fabricante de software pirata tenía poco que envidiar a las que practica la policía en los países de donde procedían los investigadores, Estados Unidos, Australia y Hong Kong.[14] La policía de Singapur formó parte de la operación, pero dejó el papel principal a los investigadores privados, que habían seguido el rastro de una compra clandestina previa de diez mil CD ilegales por parte de otra empresa de Singapur.

No resulta barato desplegar una fuerza de policía de alcance mundial cuando uno no se dedica a esa clase de negocio; pero cualquiera de los fabricantes involucrados reconoce que no tiene alternativa. La falsificación ha alcanzado tales magnitudes, y las desventajas de los gobiernos frente a los falsificadores son tan enormes, que ha sido el sector privado el que ha tenido que asumir gran parte de la tarea. En China, los laboratorios farmacéuticos contratan a empresas de seguridad privadas para que los ayuden a erradicar a los falsificadores de productos de su marca.[15] Resulta una tarea frustrante: en el año 2002, un contratista de servicios de seguridad de Cantón, llamado Smiling Wolf Consultative, había llevado a cabo diez redadas en lugares donde se fabricaban medicamentos falsos, pero nunca le había podido echar el guante a nadie. El jefe de la empresa, Liu Dianlin, declaraba que aquella era una tarea digna de Sísifo. «Cierras un local y se van a otro —decía—. Es un problema imposible de erradicar.Y nosotros nos dedicamos a gestionarlo más que a resolverlo»; lo cual podría ser bueno para el negocio de Liu, pero, desde luego, no lo era en absoluto para las empresas que le contrataban.

Sin embargo, no existe alternativa. De hecho, esas redadas se produjeron *después* de que el gobierno chino pusiera en marcha sus propios engranajes para acabar con los falsificadores. A pesar de las leyes y las órdenes recibidas, la policía local apenas tiene incentivos o recursos para reprimir a los escurridizos falsificadores, eso cuando no es cómplice de ellos. Tanto en China como en otros lugares, los investigadores corporativos suelen coger el toro por los cuernos y «estimular» a las autoridades para que lleven a cabo las redadas, a menudo y proporcionando los vehículos para la operación, por no mencionar las veces que tienen que agasajar a los jefes de policía para convencerlos de que colaboren.

La policía empresarial presume de tener buenos informadores, y además sabe cómo cultivarlos. En Gran Bretaña, un soplón que revele una infracción de suficiente magnitud relacionada con la industria de software —por ejemplo, una mediana empresa que utilice programas pirateados— puede aspirar a una recompensa de hasta diez mil libras.[16] Al convertirse de policía en fiscal, la BSA o su equivalente local informa entonces a la empresa de que su delito ha sido detectado y le ofrece la posibilidad de negociar un acuerdo. La oferta sirve a múltiples propósitos. En primer lugar, permite a las empresas que realmente no son conscientes de su infracción la posibilidad de arreglar las cosas de una forma (relativamente) barata. En segundo lugar, ahorra a la BSA el coste que le supone dar el siguiente paso, la demanda legal. Pero existe una tercera motivación, y aquí la analogía policial deja de tener validez: la industria del software prefiere no poner una demanda cuando puede beneficiarse convirtiendo al antiguo usuario de productos pirateados en un cliente legítimo y, por lo tanto, rentable.

Es evidente que las organizaciones empresariales ya no son lo que eran. Presionar a los funcionarios para que aprueben determinados reglamentos y leyes es una práctica clásica que aún perdura. La BSA, por ejemplo, presionó a China para que declarara la piratería informática un delito civil, lo que permite a la asociación demandar a los infractores, y en 2002 el tribunal supremo chino emitió un fallo en ese sentido. Sin embargo, la urgencia de la amenaza que representa el comercio ilícito ha forzado a diversas agrupaciones industriales a ampliar su papel o exponerse al fracaso, lo que significa menos torneos de golf y almuerzos para los políticos, y más vigilancia con minicámaras, vigilancia secreta y control de la actividad de Internet. Lo que está en juego es algo que las empresas entienden muy bien: los beneficios. Un signo de la gran preocupación por la avalancha de productos de imitación, el plagio de diseños y el software pirateado que configura el mercado global de las falsificaciones es la desaparición de las barreras de los recelos y el secreto entre competidores, convirtiendo a los antiguos rivales en socios en aras de la supervivencia común. Y las empresas, que son las que se encuentran en mejor situación para dar cabida a estas iniciativas, se han convertido en centros de investigación y recopilación de datos e impulsoras de sofisticadas campañas publicitarias, así como en oficinas de investigación e intervención policial, lo que constituye todo el espectro del activismo moderno y algo más.

Más agresivos se han mostrado los sectores industriales que mayores ventajas han obtenido con el advenimiento de las nuevas tecnologías de la información y la comunicación, y que como consecuencia de ello son también las que más tienen que perder. Junto con la BSA, la Asociación de la Industria Cinematográfica (MPA) y la Federación Internacional de Industrias Fonográficas (IFPI) son las más activas, combatiendo tanto los CD y DVD piratas como las descargas ilegales desde Internet.[17] La estructura de dichas asociaciones refleja la composición de cada uno de estos sectores. La BSA, con sede en Washington, revela la composición predominantemente estadounidense de sus afiliados. La MPA, por su parte, se deriva directamente de la Asociación de la Industria Cinematográfica Estadounidense (MPAA), representada durante mucho tiempo por su famoso y políticamente influyente director, Jack Valenti, jubilado en 2004. En cuanto a la IFPI, y en sintonía con el origen más diverso de las principales compañías discográficas, tiene su sede en Londres y es la más antigua de estas asociaciones. Pero la falsificación afecta a todo el mundo, y está a la orden del día tanto en el mundo del motor como en el de los fabricantes de válvulas, relojes Rolex o videojuegos. Reflejando este hecho, la Cámara Internacional de Comercio, con sede en París, emprendió en 2005 una ambiciosa iniciativa multisectorial a la que denominó «Acción Comercial para Detener la Falsificación y la Piratería».[18]

Resulta bastante comprensible que las empresas combatan la falsificación; pero la industria también ha tenido que intervenir en la lucha contra otras formas de comercio ilícito, como aquellas que implican un mal uso de sus productos. El Consejo Estadounidense de Productos Químicos, por ejemplo, colabora de manera rutinaria con la DEA para detectar compras y envíos sospechosos de sustancias químicas que podrían emplearse en el proceso de fabricación de cocaína.[19] Las asociaciones bancarias han creado unidades especializadas cuya labor se centra en las pautas y prácticas contra el blanqueo de dinero, y que a menudo intentan desarrollar sus propias normas aparte de las impuestas por los organismos reguladores. Las asociaciones comerciales y los colegios profesionales de administradores y contables también están elaborando instrumentos para contrarrestar el blanqueo de dinero y el fraude. La acción de las empresas tiene asimismo otros efectos menos directos, aunque igualmente significativos, en el panorama del comercio ilícito; así, por ejemplo, las presiones a favor de la concesión de permisos de trabajo para trabajadores altamente cualificados en Europa y Estados Unidos tiene consecuencias en el mercado mundial de inmigrantes ilegales. En cierta medida, esas actividades se diluyen entre los efectos que generan las decisiones de las grandes empresas en el entorno político y económico que las rodea. Pero la lección de la policía del software y sus equivalentes es que el instinto natural de la industria para solucionar sus propios problemas puede convertirse en una fuerza positiva en la lucha contra el tráfico ilícito.

Periodistas en fuego cruzado

Los enemigos no gubernamentales de los traficantes asumen riesgos, algunos hasta el punto de perder su vida. En más de una ocasión, los investigadores encubiertos, tanto de las ONG como de los grupos comerciales, se han encontrado en situaciones peligrosas. Pero entre los enemigos de los traficantes, son los periodistas quienes con mayor frecuencia se hallan, literalmente, en la línea de fuego. Un número significativo de los periodistas que resultan asesinados o atacados cada año —de acuerdo con la lista que lleva el Comité de Protección a los Periodistas, ONG con sede en Nueva York— son víctimas de traficantes cuyas tramas intentaban desentrañar. Esto dice mucho —a su macabra manera— acerca de a quién consideran estos su enemigo más peligroso. Sin embargo, y aunque la opinión pública en general es bastante consciente de los casos más conocidos de periodistas secuestrados y asesinados por terroristas, las noticias sobre reporteros de investigación que sufren ataques por sus indagaciones sobre traficantes son mucho menos conocidas. Pocos han oído hablar, por ejemplo, del periodista de investigación paquistaní Sufi Mohamed Khan, muerto a tiros en Karachi en 2000 tras publicar un reportaje sobre la prostitución y el tráfico de drogas. Aunque enseguida cogieron al asesino, quienes estaban detrás de él —presuntamente una familia implicada en el contrabando de mujeres obligadas a prostituirse en la India— salieron impunes.[20]

A veces, las víctimas se cuentan entre los más destacados de su país. Tal el caso de Georgy Gongadze, un periodista ucraniano que fue decapitado en 2000. La investigación del crimen estuvo paralizada por el gobierno hasta la «revolución naranja» que, cuatro años después, llevaría al poder al líder de la oposición, Viktor Yúshenko.[21] Un reportero de la televisión brasileña, Tim Lopes, ganó en 2001 lo que en Brasil equivale al premio Pulitzer por un reportaje sobre el tráfico de drogas en Río de Janeiro. Al año siguiente, varios matones leales a uno de los narcos de Río secuestraron a Lopes, le golpearon y le condenaron a muerte en una parodia de juicio, ejecutando luego la «sentencia» con una espada.[22]

No debe sorprendernos, pues, que la que constituye la «zona cero» de gran parte del comercio ilícito mundial sea también el lugar más peligroso para un reportero de investigación. Hablamos de la frontera entre México y Estados Unidos, lo que en la práctica representa una amplia franja que va de costa a costa. En marzo de 2001, en la ciudad de Matamoros (en la costa del golfo), Antonio Martínez Gutiérrez, director de un periódico, fue torturado y luego asesinado con cuatro disparos en la cabeza.[23] Las teorías sobre los presuntos autores incluían a narcotraficantes y contrabandistas de inmigrantes a los que el periódico de Martínez Gutiérrez había investigado. Un valeroso columnista, Francisco Arratia, sufrió un destino similar en agosto de 2004. En Tijuana, el más famoso de los reporteros locales que investigaban el tráfico ilícito, Jesús Blancornelas, fundador y director de una revista independiente llamada *Zeta*, resultó malherido en un atentado a tiros realizado en 1997, al que afortunadamente sobrevivió. Sin embargo, en junio de 2004 el codirector de la publicación, Francisco Ortiz, no tuvo la misma suerte. Después de muchos años de vivir bajo la atenta mirada de sus guardaespaldas, Blancornelas acabó hastiado. En 2005 declaraba: «Lamento haber fundado *Zeta*».[24]

Evidentemente, a los ojos de los traficantes el riesgo que representan los medios de comunicación es proporcional a su importancia. Los periodistas gozan de una atención por parte del público con la que pocas ONG se pueden equiparar, ni siquiera las más importantes e influyentes. Un periodista intrépido puede desvelar una noticia que se traduzca en la desarticulación de una determinada célula o empresa de tráfico ilegal, o los políticos que las protegen. Los reporteros de investigación suelen reunir asimismo la perseverancia e incluso la obsesión necesarias para seguir la pista al comercio ilícito. Un organismo estadounidense de vigilancia y control, el denominado Centro para la Integridad Pública, admitía eso mismo cuando creó una unidad de investigación integrada por periodistas con el fin de que estos aplicaran sus conocimientos a los proyectos de la organización. La iniciativa, denominada Consorcio Internacional de Periodistas de Investigación (ICIJ), ha producido detalladas investigaciones, entre otras cosas, sobre el comercio internacional de armas.[25]

Sin embargo, todas las evidencias ponen de manifiesto que los periodistas no pueden desentrañar por sí solos las tramas del tráfico ilícito, y menos aún hacer algo más que perturbar brevemente alguna que otra cadena de producción o estructura de distribución. Paradójicamente, es posible que sea la ficción popular plasmada en libros y películas la que mayores probabilidades tenga de transmitir a la opinión pública las complejas realidades del comercio ilícito. No obstante, por cada obra como, por ejemplo, el filme *Traffic* (2000), de Stephen Soderbergh, que muchos funcionarios elogiaron por su exactitud casi documental, hay varios más que ofrecen un retrato de las redes de traficantes que, en el peor de los casos, resulta absurdo y, en el mejor, obsoleto.

Pequeñas batallas y una gran guerra

En 1997, Jessica Mathews, en la actualidad presidenta de la Fundación Carnegie para la Paz Internacional, escribió un artículo que posteriormente sería citado en numerosas ocasiones y que llevaba por título «Cambio de poder». En él argumentaba lo siguiente:

> El final de la guerra fría no ha traído un mero ajuste entre estados, sino una nueva redistribución del poder entre los estados, los mercados y la sociedad civil. Los gobiernos nacionales no están simplemente perdiendo autonomía en una economía cada vez más globalizada. Están compartiendo poderes —incluyendo papeles políticos, sociales y de seguridad que configuran el núcleo de la soberanía— con las empresas, con las organizaciones internacionales y con múltiples grupos de ciudadanos conocidos como organizaciones no gubernamentales (ONG). La constante concentración de poder en manos de los estados que se inició en 1648 con la Paz de Westfalia se ha terminado, al menos de momento.[26]

Mathews tenía razón, y el comercio ilícito no es ninguna excepción en la dinámica que identificaba. En la misma medida en que los gobiernos se han esforzado en combatir el tráfico ilegal, han ido surgiendo cada vez más organizaciones privadas que se han movilizado para llenar los vacíos. Estas forman parte de los sectores más concienciados de los nuevos grupos surgidos en el seno de la sociedad civil y potenciados repentinamente por la globalización. El problema es que dichos grupos se alzan contra un enemigo al que han potenciado idénticos factores. Como resultado de ello, han ganado algunas batallas, pero están enzarzados en una guerra larga y cruel.

En esa guerra presentan algunas debilidades intrínsecas. Una de ellas es su fragmentación. A diferencia de los comerciantes ilícitos, a los que motiva el valor universal del beneficio, los activistas suelen actuar impulsados por ideales, que difieren enormemente de una persona a otra y de un grupo a otro. Hasta ahora, la fragmentación ha sido el inconveniente del enfoque que han utilizado las ONG y los grupos empresariales para arrojar luz sobre problemas y lugares concretos, como el turismo sexual en Camboya, la madera tropical en Indonesia, los «diamantes de la guerra» en Sierra Leona, o los CD piratas en Nueva York... Las victorias en esos frentes concretos producen también la frustración de saber que aunque una empresa deje de comprar artículos sospechosos o se elimine a los vendedores de las calles, las redes de tráfico se adaptan y reagrupan.

Los activistas, sin embargo, tienen también otros motivos. Es posible que sean altruistas y, aun así, entren en conflicto, puesto que se derivan de cosmovisiones y sistemas morales distintos. Las motivaciones religiosas resultan especialmente preocupantes. En Brasil y Mozambique, por ejemplo, se ha asesinado a monjas por haber amenazado con delatar, respectivamente, a los comerciantes ilícitos de madera y órganos humanos.[27] Pero, por otra parte, algunos activistas religiosos han sido objeto de crítica por intentar hacer proselitismo entre las diversas poblaciones —por ejemplo, las de las víctimas del tráfico— que se habían propuesto ayudar.[28] La alianza de grupos feministas y evangélicos para presionar a favor de la promulgación de leyes antiesclavistas en Estados Unidos debe interpretarse como un éxito significativo, aunque a la vez intrínsecamente frágil.

Del mismo modo, en cierta medida las motivaciones económicas y morales están condenadas a chocar, alimentando potenciales diferencias drásticas entre los planteamientos de los empresarios y los de los activistas sobre cuestiones de interés mutuo. Así, por ejemplo, aunque los activistas pueden estar de acuerdo con la industria farmacéutica sobre la necesidad de detener la difusión de falsificaciones potencialmente peligrosas o defectuosas, sus opiniones tienden a ser divergentes cuando se trata de decidir cómo acelerar la distribución de fármacos baratos en los países en vías de desarrollo.

Tales desacuerdos no significan necesariamente un obstáculo en la vía de la mutua cooperación. Más amenazador resulta el peligro de que los traficantes se infiltren en los grupos activistas. Y la nueva atención de la sociedad civil hacia la financiación de la ayuda internacional ha conducido, de forma inevitable, a la proliferación en muchos países de organizaciones autocalificadas de ONG cuyos integrantes no resultan fácilmente identificables. Otro pilar de la sociedad civil —los medios de comunicación— puede ayudar aquí a revelar qué hay detrás y desenmascarar a los impostores. No obstante, la atención de los medios tiende a ser breve y discontinua.

Aun así, no debemos acusar a los activistas de falta de eficacia. Estos se han mostrado ciertamente efectivos en más de un aspecto; al menos lo bastante como para encerrar a algunos delincuentes, liberar a algunas víctimas y perturbar el comercio ilícito alterando su equilibrio de riesgos y compensaciones. Pero erosionar el incremento del tráfico en su conjunto representa un proyecto mucho más amplio; un proyecto que sencillamente queda fuera del alcance de lo que razonablemente puede pedirse a un grupo cívico o empresarial que se centra en un solo aspecto del problema. Sin una toma de conciencia generalizada del comercio ilícito como un fenómeno integrado, y muy entrelazado con el mercado global «legítimo» —y con las políticas gubernamentales que responden a esa realidad—, poco pueden hacer los grupos privados y cívicos aparte de librar pequeñas batallas que en ningún caso bastan para ganar la guerra.[29]

11

¿Por qué estamos perdiendo?

¿Qué es lo que tienen en común todos estos mercados ilícitos? Lo más obvio es lo grandes que son y lo rápido que han crecido desde la década de 1990. Otra conclusión evidente es que en todos estos mercados, y a pesar de los enormes esfuerzos realizados, los gobiernos no consiguen contener la marea del tráfico ilícito. Una tercera conclusión de nuestro recorrido por los principales mercados ilícitos es que todos esos negocios jamás habrían alcanzado su estado actual sin la complicidad activa de los gobiernos, o sin una sólida infraestructura comercial que incluye empresas que a menudo son legales, grandes y visibles. Sin duda, el comercio ilícito está profundamente imbricado en el sector privado, en la política y en los gobiernos.

Desde que la década de 1990 marcara el comienzo de la actual oleada globalizadora, el comercio ilícito se ha transformado en tres sentidos: ha aumentado inmensamente de valor, ha diversificado su espectro de productos y actividades y las distintas especialidades comerciales ilícitas del pasado se han combinado, al tiempo que los transportistas, distribuidores e intermediarios han pasado a tener más importancia que los productores. Las consecuencias combinadas de estas tendencias equivalen nada menos que a una masiva reorganización del comercio ilícito, no muy distinta de las transformaciones que experimentan de vez en cuando las grandes industrias.

Como revelan los estudios sobre economía, las grandes transformaciones industriales se dan cuando se introducen en el mercado productos nuevos y revolucionarios, cuando surgen tecnologías que cambian radicalmente el modo en que un producto se fabrica o suministra a los clientes, cuando cambian las preferencias de los consumidores, o cuando se produce una avalancha de nuevos consumidores, a menudo como resultado de la apertura de nuevos mercados regionales. También se rompe el equilibrio cuando surgen nuevos competidores que desafían a los tradicionales, cuando el gobierno cambia las reglas del juego, o cuando las empresas dominantes rompen los acuerdos y pactos, a menudo tácitos, más arraigados. Todo esto ocurrió en los mercados ilícitos en los últimos quince años. Como ya hemos visto en los capítulos anteriores, fueron *todas* esas fuerzas las que transformaron estos mercados, algunos de los cuales habían permanecido estancados durante siglos, mientras que otros ni siquiera existían. Por otra parte, todos ellos se han visto espoleados por una demanda creciente, la aparición de fuentes de abastecimiento antes inexistentes y una regulación gubernamental ineficaz.

Este nuevo panorama ha producido magníficos resultados para los traficantes. Pero la transformación más importante quizá sea que los principales integrantes del comercio ilícito han alcanzado una influencia política directamente proporcional a sus enormes beneficios. Esta influencia política va hoy más allá de la tradicional «compra» de políticos o burócratas: incluye la prolongada «captura» de determinados gobiernos estatales o locales; un poder casi soberano sobre territorios que pueden coincidir o no con fronteras políticas y, en casos extremos, el control de centros de decisiones cruciales dentro de los gobiernos nacionales. De ello se deduce que en algunos casos los intereses de un país pueden estar completamente en sintonía con el fomento y la protección de actividades comerciales ilícitas a escala internacional.

El negocio y la política del comercio ilícito han cambiado radicalmente. Pero lo que no ha cambiado tanto es nuestra forma de verlo, ni el modo en que ciudadanos y gobiernos nos movilizamos y organizamos para enfrentarnos a él. Y este desfase perceptivo —y, en última instancia, práctico— no está precisamente disminuyendo pese a las evidencias crecientes de la importancia del comercio ilícito y de la ineficacia de nuestras reacciones. A veces centramos nuestra atención en una línea de negocio determinada cuando los hechos de actualidad y la atención de los medios de comunicación la ponen en primera plana. El descubrimiento de la red de contrabandistas nucleares de A. Q. Khan, por ejemplo, atrajo esa clase de atención de la opinión pública. Por otra parte, la persistencia del tráfico generalizado de personas ha despertado la indignación popular. Sin embargo, raras veces somos capaces de conectar todas las piezas y, sorprendentemente, tampoco lo hacen la mayoría de los gobiernos y fuerzas de seguridad. En cambio, gracias a su movilidad, flexibilidad y a los enormes incentivos para ajustar sus estructuras a las distintas oportunidades que ofrece el mercado, los traficantes están abriendo un camino del que todos nosotros —gobiernos, empresas, ONG y ciudadanos— estamos perdiendo el rastro con rapidez.

Solo afrontando la nueva realidad del comercio ilícito global y entendiendo por qué hemos sido tan impotentes a la hora de ponerle freno podremos empezar a vislumbrar un camino mejor. En este capítulo se trata de hacer balance y de buscar el modo de afrontar nuestra difícil situación.

Esta se inicia, una vez más, con la globalización. Desde 1990, la fenomenal expansión de toda una serie de reformas políticas orientadas a reducir las barreras al comercio y la inversión, así como el acelerado ritmo del cambio tecnológico, han infundido una energía sin precedentes en el comercio global. El tráfico ilegal recibió ese mismo impulso por las mismas razones. Y así, en la primera década del siglo XXI el comercio ilícito ha alcanzado un nivel de ganancias sin precedentes y que, en términos geográficos, afecta a una proporción cada vez mayor de la población mundial. Los capítulos anteriores abundan en ejemplos de esto.

Sin embargo, si rascamos un poco la superficie, veremos el modo en que todos esos cambios han afectado tanto a los comerciantes ilícitos como a las condiciones de su éxito económico. A medida que los costes del negocio han ido descendiendo, también lo han hecho los de las transacciones que componen la compleja cadena que une a los proveedores con los consumidores finales del producto, ya sea heroína, armas, DVD piratas o mano de obra doméstica ilegal, y eso ha permitido que la cadena de distribución se extienda más allá de los límites geográficos, financieros y políticos que siempre había confrontado. Hoy, las laberínticas rutas de contrabando que se extienden de un continente a otro son comunes y su influencia es ineludible. Su sofisticación operacional y sus habilidades logísticas solo son equiparables a las de las corporaciones multinacionales más modernas, ricas y eficientes. Como resultado de ello, los intermediarios que operan en el comercio internacional de productos y servicios ilícitos, así como de seres humanos, han incrementado su actividad a la par que sus beneficios. Son los intermediarios, por ejemplo, los que controlan el actual mercado ilícito de armas y quienes cierran los acuerdos y se quedan con la mayor parte del dinero de los trasplantes de riñón ilegales. Lo mismo puede decirse de todos los tipos de comercio ilícito.

Condicionados por la imagen de los cárteles y bandas mafiosas como organizaciones rígidas y jerarquizadas, aún no nos hemos acostumbrado a concebir redes de intermediarios flexibles, y prácticamente invisibles, que cruzan fronteras y proporcionan diferentes servicios. Algunas cuentan con vínculos permanentes, mientras que otras varían en su composición, actividades y alcance geográfico en función de los mercados y las circunstancias. Así, los intermediarios y agentes con acceso a múltiples proveedores, transportistas y compradores desempeñan en la actualidad un papel más significativo en el tráfico de drogas que los ya obsoletos «narcos». Para todos esos intermediarios, expandir el negocio incorporando nuevas líneas de productos, legales o ilegales, no es más que un paso comercial lógico.

El resultado adopta la forma de cadenas de valores comerciales ilícitas que guardan poca relación con lo que la opinión pública supone que es el «crimen organizado». Es cierto que a simple vista los productores chinos de relojes de lujo falsificados tienen muy poco en común con las bandas subsaharianas que transportan a emigrantes desesperados desde las aldeas más perdidas de Níger o Malí hasta Italia o España. Pero un examen detallado revela la existencia de una cadena de valores global que emplea a inmigrantes africanos ilegales como vendedores callejeros de relojes falsificados en las capitales europeas. Cuando los narcotraficantes nepalíes operan en Tailandia en representación de grupos criminales nigerianos que refinan el producto en Lagos antes de exportarlo a Estados Unidos en el equipaje de mujeres europeas a través de Bruselas o de Frankfurt, es meridianamente cierto que algunas de las partes que intervienen en esta secuencia trafican también con otros productos, quizá animales exóticos procedentes del sudeste asiático, CD piratas o mano de obra infantil. Y nadie debería sorprenderse si paralelamente realizan también transacciones de importación y exportación perfectamente legales y honradas. Al fin y al cabo, «business is business».

Esto hace que resulte difícil precisar dónde se halla exactamente el frente de batalla en la «guerra contra la droga» o cualquier otra lucha que se libre contra el comercio ilícito. ¿Se ha de librar dicha guerra en Colombia o en Miami? ¿En Myanmar o en Milán? ¿Y dónde se han de librar las batallas contra los blanqueadores de dinero? ¿En Nauru o en Londres? ¿Es China el principal teatro de operaciones en la guerra contra la violación de la propiedad intelectual, o más bien las trincheras hay que buscarlas en Internet? Se trata de preguntas que resultan cada vez más difíciles de responder.

El fracaso de los gobiernos

En la lucha contra el comercio ilícito global, *los gobiernos están fracasando*. Y también las empresas y las ONG. Pese a todos nuestros esfuerzos, estamos perdiendo esta batalla.

Este fracaso queda patente en el panorama descrito en los capítulos anteriores, no como un indicio sutil, sino como una conclusión indiscutible. No existen evidencias de que se haya producido ninguna victoria gubernamental aplastante e irreversible sobre ninguno de esos tipos de comercio ilícito. Ni siquiera parece razonable esperar que, en un futuro inmediato, un acontecimiento importante o una nueva tecnología modifique la situación en lo que al tráfico global se refiere. Sencillamente, no hay nada que haga pensar en la posibilidad de un inminente revés para los miles de redes que intervienen en el comercio ilícito. Incluso resulta difícil encontrar evidencias de progresos sustanciales de cara a revertir, o siquiera contener, el crecimiento de esos mercados ilegales.

Obviamente, se ganan algunas batallas. No pasa un día sin que nos enteremos de que en algún lugar un gobierno ha logrado detectar un cargamento, congelar la cuenta bancaria de un traficante, desarticular una red de delincuentes internacionales o abordar un barco cargado de sustancias prohibidas. Por desgracia, demasiado a menudo esas noticias aluden a acontecimientos aislados y no reflejan una tendencia. De hecho, incluso los éxitos concretos pueden desvanecerse con rapidez, hasta un punto de que podrían muy bien no haber ocurrido. Veamos el siguiente informe sobre Tailandia publicado en *Jane's Intelligence Review*:

> Con un importante coste en vidas humanas y gastos públicos, la «guerra contra las drogas» emprendida por Tailandia en 2003, a la que se dio una gran publicidad, transformó gravemente las redes de tráfico y distribución en el Reino [...] Un año después, sin embargo, es evidente que se están desarrollando nuevas redes y que la entrada en el Reino tanto de estimulantes anfetamínicos como de heroína se halla de nuevo en auge [...] Tailandia no tiene ninguna victoria decisiva que celebrar.[1]

Tras la ofensiva, el retroceso. Las variaciones sobre este tema se repiten en todo el mundo y en todos los mercados ilegales. La muerte de Pablo Escobar en Colombia no frenó la producción ni la exportación de drogas. En México, los espectaculares arrestos de los jefes de la organización de Arellano Félix y del cártel del Golfo en 2002-2003 no se han traducido en una reducción del narcotráfico, sino sencillamente en un reajuste del mismo: han surgido nuevos actores y se han establecido nuevos pactos, mientras que en 2005 se supo que los jefes encarcelados, antaño encarnizados rivales, también habían forjado una alianza en prisión. «La buena noticia es que el gobierno de México ha arrestado a más narcos y ha desarticulado más cárteles —declararía al *New York Times* un experto criminólogo mexicano—. La mala es que eso no sirve para nada.»[2]

El blanqueo de dinero proporciona otro ejemplo de alcance extraordinario. Representa la faceta del comercio ilícito en que los esfuerzos conjuntos de los diversos gobiernos han sido más intensos, y donde los resultados han merecido más elogios. Sin embargo, tales resultados están lejos de ser prometedores. El economista Ted Truman, especializado en economía internacional, y el experto en economía criminal Peter Reuter realizaron un estudio exhaustivo, de tres años de duración, sobre la eficacia de los esfuerzos para combatir el blanqueo de dinero tras los atentados del 11-S. Y esta es su conclusión:

> Los críticos sostienen que el régimen [contra el blanqueo de dinero global] ha hecho poco más que forzar a los blanqueadores de dinero a cambiar sus métodos. La vida de los criminales es hoy un poco más difícil y se ha conseguido capturar a algunos, pero ha habido pocos cambios en el alcance o el carácter del blanqueo y el crimen. Puede que los críticos tengan razón.[3]

El sentido común y la observación cotidiana sugieren que la lucha contra el comercio ilícito no va bien. Sabemos que el precio de las drogas está bajando al tiempo que aumenta la adicción, y esto afecta tanto al consumo de fármacos legales en las escuelas de secundaria de Estados Unidos como al de anfetaminas en las poblaciones estadounidenses, así como en toda Europa, pasando por el de heroína a lo largo de las rutas comerciales de China y Asia central. Sabemos también que no parece que sea demasiado difícil conseguir armas para quienes están decididos a tenerlas. La mejor prueba de ello es el número creciente de guerras civiles y conflictos regionales. Pero es que, además, las investigaciones respaldan esta percepción del sentido común. Ningún país puede afirmar que haya experimentado un descenso significativo del flujo de inmigrantes ilegales. Es necesario repetirlo: pese a toda la retórica y a los colosales recursos dedicados a frenar esta marea, los gobiernos de todo el mundo están perdiendo la batalla contra los traficantes.

El último y mayor episodio

La guerra contra los traficantes opone la fuerza de los gobiernos a la del mercado. Tanto la historia como el sentido común nos dicen que, a largo plazo, las fuerzas del mercado tienden a prevalecer sobre las de los gobiernos. En este sentido, el tráfico moderno tiene mucho en común con el antiguo contrabando, que aparecía tan pronto como los gobiernos trataban de imponer barreras al comercio. Es probable que las mercancías y los métodos del comercio hayan cambiado, pero los incentivos económicos son muy viejos. La sal, por ejemplo, representó un importante y universal «depósito de valor», o capital, durante siglos.[4] En el siglo III a.C., los chinos impusieron sobre dicha mercancía el primer monopolio comercial del mundo. Los romanos permitieron que se comerciara con ella privadamente, pero a precios obligatorios fijados por el gobierno imperial. Los textos antiguos hablan de duros castigos impuestos a quienes infringían esas leyes, lo cual nos demuestra que resultaba difícil resistirse a los incentivos económicos para infringirlas y que ni siquiera esos duros castigos bastaban para hacer desistir a muchos, exactamente como ocurre en la actualidad.

La historia, por supuesto, no acaba ahí. En el siglo XVI, los contrabandistas franceses se aprovechaban de las diferencias en el impuesto sobre la sal, que era elevado en algunas zonas del país mientras que en otras resultaba casi inexistente. Las mujeres cruzaban el Loira acarreando bolsas de sal que llevaban ocultas entre la ropa interior y en sacos que simulaban falsas nalgas. En el siglo XIX, el contrabando de sal florecía en la India británica y en la China imperial. Hace tan solo unos cien años que este contrabando perdió su atractivo, dado que el valor relativo de la sal fue disminuyendo en comparación con el de otros nuevos productos más rentables. Desde esta perspectiva histórica, nada ha cambiado mucho, excepto el tamaño de los mercados, la diversidad de los productos de los que existe una demanda global y la casi incalculable magnitud de los beneficios implicados.

Hoy, las condiciones para el tráfico ilícito son mejores que nunca. Los traficantes, que ahora tienen la posibilidad de calibrar la demanda y las oportunidades de obtener activos a una escala global, pueden sacar el máximo provecho explotando las diferencias de precio entre países o el ahorro de costes derivado del robo. Un cocinero chino que trabaje en un restaurante de Manhattan gana en un mes o dos lo mismo que en todo un año en un puesto similar en su país. Un gramo de cocaína en Kansas City es treinta veces más caro que en Bogotá, mientras que la madera para parquet es doscientas veces más cara en Londres que en Papúa. Las válvulas italianas falsificadas son un 40 por ciento más baratas debido a que los imitadores no tienen que cubrir los costes de desarrollo del producto. Unas semanas después de su lanzamiento comercial en Estados Unidos o en Europa, se pueden encontrar en China copias de fármacos milagrosos a solo la décima parte de su precio. Un grupo guerrillero que disponga de una buena fuente de financiación pagará lo que sea para conseguir las armas que necesita, especialmente si se financia con las ganancias obtenidas en otras clases de comercio prohibido.

En todos estos ejemplos, los incentivos impuestos por los gobiernos para romper los límites al comercio resultan sencillamente enormes. Como resultado de su nuevo alcance global y de la influencia política que les proporciona su dinero, los contrabandistas han acumulado un inmenso poder. Ya no dependen de uno solo o de unos cuantos proveedores, sino que pueden conseguir lo que necesitan en un ámbito global, comprando en función de los precios, la disponibilidad, la logística y otros factores relativos a los riesgos y beneficios. De modo similar, sus clientes ya no son unos cuantos consumidores «regulares» limitados a mercados tradicionales; ahora pueden aventurarse tan lejos como les lleve su cadena de distribución y su iniciativa. Un resultado típico de ello es que ya no necesitan vender sus productos en su propio país o en países vecinos, sino que están en condiciones de abastecer a clientes de otros continentes. Hace solo unos años habría resultado descabellado esperar encontrar a traficantes nigerianos operando en Tailandia o a mujeres colombianas prostituyéndose en Japón, adonde fueron enviadas para tal fin por redes que operan a nivel mundial desde Rusia.

Redes y más redes[5]

Ninguna de esas ventajas habría bastado por sí sola para impulsar a los traficantes hasta situarlos tan por delante de los gobiernos como hoy se encuentran, de no haber sido por la adaptación organizativa que los caracteriza en la actualidad: la red de redes. Esta nueva forma de organizaciones potenciada por las nuevas tecnologías de información y comunicación representa una adaptación frente a la que los gobiernos se encuentran intrínsecamente impedidos. El actual comercio ilícito es obra de redes. En los capítulos anteriores he aludido a ellas con frecuencia, y he dado ejemplos de su funcionamiento y de sus éxitos. Pero para comprender hasta qué punto la estructura reticular ha constituido un activo esencial para el comercio ilícito, nos será de utilidad examinar brevemente cuál es la naturaleza de las redes y de qué modo los traficantes sacan partido de ellas.

Para empezar, ¿qué es una red? La definición que cuenta con un mayor consenso es que se trata de un sistema de nodos conectados por vínculos. Dichos nodos pueden ser de cualquier naturaleza: personas, empresas, objetos, etcétera, y su relación mutua puede estar configurada por amistad, transacciones, señales de radio o cualquier otra cosa. Algunas redes son inanimadas, mientras que otras poseen un carácter marcadamente deliberado.

Veamos a continuación las redes humanas. Algunas están unidas por vínculos que no resultan especialmente deliberados: un vecindario puede considerarse una red, pero una comunidad de vecinos que reúne frecuentemente a muchos de sus miembros sugiere un vínculo mucho más fuerte. Los miembros de la asociación de vecinos están unidos por intereses compartidos y por objetivos comunes que fomentan o protegen. Un grupo de «conocidos» constituye una red, pero un servicio online que les permita ponerse en contacto y comunicarse revela un tipo de red potencialmente más robusto. No existe una calificación universal que establezca una frontera clara entre aquello que es una red y aquello que no lo es; y si uno busca redes en las organizaciones sociales, lo más probable es que las encuentre en todas partes.

Sí es posible, en cambio, comparar las distintas redes a partir de la estructura que adoptan, las funciones a las que sirven y el modo en que sus miembros construyen sus vínculos. Las redes adoptan tres formas que podríamos denominar «canónicas». Una es la red de ramal único: una simple cadena en la que cada nodo está conectado en ambas direcciones, como, por ejemplo, las luces de un árbol de Navidad. La segunda adopta la forma de un punto central desde el cual se irradian una serie de conexiones, como los mapas de carreteras o de rutas aéreas. Y la tercera es la red «multirramal», en la que todos los participantes están vinculados entre sí; pensemos, por ejemplo, en las personas unidas por un vínculo étnico o nacional —pongamos por caso todos los colombianos que viven en Madrid o todos los senegaleses que viven en París—, las cuales disfrutan de una conexión mutua, exclusiva del grupo y universal dentro de este.

Una segunda distinción entre las diversas redes es la que puede establecerse según la función a la que sirven y el partido que se saca de ellas. El origen compartido de los inmigrantes puede constituir el fundamento de unos servicios bancarios, periódicos o agencias matrimoniales exclusivos para su comunidad; pero un conflicto político en su tierra natal podría romper con igual facilidad esos vínculos. Los directivos de una empresa forman una red formal cuyos miembros se reúnen regularmente de acuerdo con un calendario; pero es posible que los integrantes del equipo de fútbol de la empresa o los empleados que salen juntos de copas formen una red más informal, pero más resistente (y algunos dirían que también más útil). Las redes pueden tener varios niveles de objetivos, o no tener ningún objetivo concreto, y el vínculo que une a sus miembros puede ser tan instintivo como el reconocimiento mutuo, o tan consciente y selectivo como un objetivo político o una religión compartidos.

Esto último sugiere una tercera distinción entre las redes, que suscita la siguiente pregunta: ¿las construyen sus miembros a través de sus acciones o, por el contrario, les son asignadas por nacimiento o educación? Algunas redes son intrínsecas, es decir, agrupan a aquellos individuos que tienen en común una determinada característica de identidad, como el origen étnico, la religión, la nacionalidad o la casta. Otras se construyen íntegramente, como las formadas por las franquicias de McDonald's, los activistas de Greenpeace o los árbitros de fútbol. Pero las fronteras que separan a unas de otras no siempre están claras. La red de graduados de Oxford, por ejemplo, es en parte construida (estudiar en Oxford es una opción), pero en parte también intrínseca, ya que todo graduado es miembro de ella lo quiera o no.

Toda red posee su propia mezcla de atributos. Pese a ello, la necesidad de identificar en qué lugar encaja dentro de estas pautas conocidas —estructuras simples o complejas, funciones latentes o activas, identidades intrínsecas o construidas— resulta clave para entender cuál es su rasgo distintivo en tanto que red, cómo entran o salen de ella sus miembros, qué es lo que la hace sostenible a lo largo del tiempo y qué puntos débiles podrían hacer que funcionara mal.

Pero ¿qué nos dice todo esto acerca del comercio ilícito? Las redes de este son absolutamente deliberadas, puesto que tienen un objetivo claro: obtener beneficios infringiendo la ley; y cuando las redes deliberadas adquieren forma y función, es porque ayudan a resolver un problema. Para tener éxito, las redes comerciales ilícitas deben ser: *a*) lucrativas, y *b*) seguras. Sin embargo, estos requisitos previos no definen por sí solos la estructura de una red de tráfico exitosa. Los grupos étnicos, por ejemplo, siempre han sido cauces de comercio. Pero una conexión étnica no es ni necesaria ni suficiente para dar lugar a una operación comercial fructífera.

Sin embargo, desde la década de 1990 las redes comerciales ilícitas han adoptado una forma característica. Esta estructura predominante marca un enorme alejamiento del modelo de los cárteles del crimen organizado, o incluso de otros modelos anteriores. Las actuales redes de tráfico tienen un carácter extremadamente descentralizado, incluso atomizado. Sus células, o integrantes, tienden a ser autónomos y autosuficientes. Interactúan a través de las fronteras en cadenas que pueden ser largas y complejas, pero extremadamente adaptables y eficaces. Las interacciones tienen tantas probabilidades de ser transitorias como permanentes, y cualquier transacción tanto de ser excepcional como de formar parte de una pauta regular.

En los capítulos anteriores hemos visto que desde la década de 1990 todas las grandes organizaciones comerciales ilícitas han experimentado una transformación reticular de ese tipo que ha alterado su propio negocio y las ha vinculado a otras. Dicha transformación reticular ha permitido, por ejemplo:

Operaciones y actividades transcontinentales. En la actualidad, las plantas mexicanas que elaboran y envasan medicamentos falsificados con productos químicos procedentes de la India y envases que provienen de China desempeñan un papel fundamental en el comercio ilícito. Y lo mismo ocurre con los laboratorios nigerianos que convierten en heroína el opio que llega de Afganistán o Myanmar y que ha pasado por Pakistán, Uzbekistán, Tailandia o China; o con la planta de Malaisia que montaba centrifugadoras para Libia según diseños paquistaníes bajo la supervisión de Sri Lanka y con la financiación de diversos bancos de Dubai.

Un cambio en el papel de las estaciones intermedias a lo largo de las rutas de tráfico. Lo que antaño eran meros «pisos francos» donde los contrabandistas encontraban refugio, hoy pueden ser importantes y sofisticados centros de almacenamiento y despacho en los que guardar los productos hasta que se den las condiciones adecuadas para su distribución. Una casa en Bolivia, México, España o Hungría es hoy un centro donde encerrar a decenas de emigrantes sacados clandestinamente de China o Afganistán, o de esclavas sexuales procedentes de Moldavia y Ucrania. Estos almacenes posibilitan al mismo tiempo un negocio al por mayor donde compradores y vendedores se reúnen en un terreno neutral y discreto; o incluso gracias a Internet, donde no necesiten reunirse en absoluto.

El surgimiento de un mercado financiero ilícito internacional y plenamente operativo. Hace mucho tiempo que pasó la época en la que los narcotraficantes debían esforzarse para transportar y utilizar sus montañas de dinero en efectivo. Siguen recaudándose enormes cantidades, y abundan los inmensos beneficios, pero ahora sus propietarios disponen de un número creciente de métodos y vías para transportar y emplear las ganancias que han obtenido de forma deshonesta. Desde las *hawalas* hasta las sofisticadas redes financieras que vinculan a los bancos de los paraísos fiscales con los de los centros económicos, los empresarios ilícitos disponen en la actualidad de muchas más opciones que antes. Asimismo, la financiación de transacciones importantes y arriesgadas ya no tiene por qué provenir de pequeños grupos de socios. Los grandes acuerdos se pueden descomponer en distintas partes, disponer de redes financieras independientes entre sí, a veces incluso sin saber siquiera quién más está implicado. Técnicas como la financiación por proyectos y los consorcios crediticios ya no son coto exclusivo de las empresas de acreditada reputación.

El final de las estructuras de control y mando. Si las operaciones de tráfico se basaran en instrucciones emitidas desde un cuartel general, resultaría muy fácil seguirles la pista. Pero la realidad es muy distinta. El modelo del cártel ha quedado obsoleto. En su lugar, las redes de tráfico están descentralizadas y parecen tener múltiples jefes, o no tener ningún jefe en absoluto, de modo que «no hay un corazón o una cabeza a los que apuntar». Las redes cuentan con múltiples opciones, y la autonomía operativa que posee cada célula hace que le resulte fácil confundirse con su entorno local.[6]

Ha nacido un mercado

Para los actuales comerciantes ilícitos, las redes permiten una descentralización que mejoran todas las estructuras anteriores al menos por cuatro razones.

En primer lugar, debido a que refleja los avances tecnológicos. Los comerciantes ilícitos suelen ser los primeros en adoptar y optimizar la dispersión de operaciones que permiten las actuales herramientas de información y comunicación.

En segundo lugar, la descentralización reduce el coste de las operaciones del comercio ilícito porque disminuye los riesgos, especialmente el de ser descubierto. Al dispersar sus operaciones a través de las fronteras, los traficantes neutralizan a sus adversarios y reducen la probabilidad de que un arresto en algún punto de la cadena haga desmoronarse todo el negocio. Las redes con múltiples ramificaciones están en condiciones de afrontar un arresto o una redada, ya que siempre cuentan con cauces alternativos.

En tercer lugar, dado que la descentralización y la dispersión ya no resultan costosas, los comerciantes ilícitos pueden utilizarlas para arrebatar el control del mercado, y con él los mayores beneficios, a los extremos representados por la oferta y la demanda. Los escasos compromisos contractuales y de gestión de existencias, así como la rápida capacidad de financiación —bien en forma de carta de crédito de un banco cooperativo, bien de transferencia a través de múltiples agentes—, hacen posible formalizar un acuerdo en todos los aspectos en un tiempo récord. Cuanto más flexible sea la estructura de la red, y cuanto mayor sea el número de opciones de que dispone el comerciante en un momento dado, más rápidamente se acordará una transacción. Como en todo negocio, los comerciantes que triunfan son los que cuentan con opciones.

Por último, cuantas más opciones tenga un comerciante, menos atado estará a un producto concreto. De ahí la proliferación de transacciones en las que intervienen múltiples productos, como drogas a cambio de armas, o drogas más falsificaciones a cambio de dinero en efectivo. De ello se deduce que cada transacción constituye, en potencia, un trato único que las partes no necesitan repetir para mantener sus ingresos. Así, el hecho de que se sospeche que alguien está relacionado, por ejemplo, con una trama de DVD piratas no significa necesariamente que sea un especialista en ese producto, y su próxima transacción podría afectar a artículos completamente distintos.

El actual comercio ilícito no se ha librado por completo de los especialistas en determinados productos, pero casi todos los actores de la red que se hallan más estrechamente vinculados a un producto concreto se concentran en el abastecimiento inicial o la distribución final, mientras que la flexibilidad y el verdadero poder —y las grandes ganancias— se encuentran en medio de estos extremos. Si observamos con atención, advertiremos que tanto los personajes característicos como los individuos más notorios asociados a un determinado tipo de comercio ilícito, hace ya tiempo que han ampliado su radio de acción. Dichos personajes van desde Victor Bout

—que ha extendido sus negocios de armamento con la incorporación de «diamantes de la guerra», pescado congelado, flores e incluso servicios de transporte para las autoridades estadounidenses en Irak— hasta diversos grupos establecidos en Tirana, Casablanca o Tijuana que hacen contrabando con cualquier mercancía o persona a través de las fronteras de Italia, España o Estados Unidos siempre que el precio resulte conveniente.

El comercio ilícito ya no representa un conjunto de arcanas y peligrosas especialidades. Lejos de ello, hoy constituye algo mucho más próximo a un intercambio bien establecido en el que una serie de productos legales, ilegales o dudosos pueden sustituirse y combinarse indefinidamente, y cuyos agentes (comerciantes, proveedores de servicios, financieros) son más autónomos y están mejor conectados, constituyendo un mercado cada vez más eficiente. No se trata, obviamente, de un mercado puro. Dado que, por definición, el comercio ilícito no puede darse abiertamente, la información perfecta —uno de los rasgos que configuran el mercado ideal para los economistas— es algo que está fuera de lugar. Así pues, debido a que la cocaína, las armas, los vídeos piratas y las esclavas sexuales no cotizan en Bolsa, ni sus precios se comunican a todo el mundo a través de Internet, el mercado de tales productos es irregular y se ve afectado por las condiciones locales, y no solo por la oferta y la demanda globales.

Sin embargo, una estructura reticular flexible resulta tremendamente útil a la hora de paliar esa irregularidad. Utilizando toda la gama que brinda la tecnología del siglo XXI, una red dispersa puede dotar de oportunidades a sus integrantes de forma bastante eficaz. Al mismo tiempo, limita el riesgo al aislar a las partes unas de otras, ya que nadie tiene por qué conocer la identidad de los miembros de la red más allá de uno o dos eslabones. Por otra parte, ofrece rutas alternativas para cada transacción y reduce el riesgo de que un trato malogrado perjudique a otros que estén en curso.

Evidentemente, la estructura organizativa no lo explica todo. La transformación del comercio ilícito refleja también la creatividad de unos «líderes empresariales» innovadores que han respondido a las limitaciones del modelo anterior. Pero pese a la astucia de tales innovadores, el cambio se debe tanto a ellos como a diversos elementos de nueva incorporación de carácter autónomo, a pequeña escala y casi accidental —como don Alfonso, el empresario mexicano al que he aludido en el capítulo 4—, todos los cuales se han aprovechado de la reducción de las barreras comerciales. Asimismo, debe mucho a los agentes e intermediarios, que se han convertido en maestros en el arte de mezclar transacciones lícitas e ilícitas de manera discreta. Juntos, todos estos pioneros han creado un entorno comercial en el que pocas de las señales decisivas emanan de ellos, mientras que son muchas más las que emanan del mercado. Y esa muy bien podría resultar la fuerza distintiva del comercio ilícito en el siglo XXI: cuanto más profundamente asuma las características de un mercado global, mayor será la probabilidad de que siga funcionando por sí solo.

¿Una lucha desigual?

Comparemos ahora esos rasgos con los de los gobiernos. La razón principal de que los gobiernos estén perdiendo la batalla contra las redes delictivas globales no hay que buscarla en alguna característica perversa de la globalización. Ocurre, sencillamente, que los gobiernos son gobiernos y las redes, redes. Aunque parezca una perogrullada, se trata de una realidad fundamental que define la asimetría entre esos dos organismos enfrentados. Independientemente de su dinero y su tecnología, del heroico idealismo y el compromiso de sus agentes, o de la creatividad y audacia de sus tácticas, el hecho es que los organismos gubernamentales encargados de combatir las redes delictivas internacionales son, ante todo, burocracias. Y las burocracias públicas tienden a exhibir, en todas partes, ciertas pautas predecibles.

Estructura. Las burocracias son propensas a organizarse de acuerdo con jerarquías en las que la autoridad y la información fluyen verticalmente de arriba abajo, y viceversa, en lugar de hacerlo en sentido horizontal de unas unidades a otras. Así, la coordinación y la colaboración entre unidades que no forman parte de la misma línea de mando vertical representan un esfuerzo, y rara vez surgen de manera natural. El *9/11 Report* —el informe del 11-S sobre los hallazgos de la comisión parlamentaria que investigó cómo los terroristas pudieron golpear a Estados Unidos con tanta eficacia— abunda en ejemplos de falta de «coordinación entre agencias» que se tradujeron en oportunidades para al-Qaeda.[7] Y lo mismo puede decirse del comercio ilícito. En todas las entrevistas que he realizado para este libro, la dificultad de sincronizar las actividades de centenares de organismos públicos implicados en la lucha contra el comercio ilícito se identificaba, sin excepción, como un obstáculo fundamental para el progreso. De hecho, muchos de los expertos y profesionales a los que entrevisté consideraban la tarea prácticamente imposible.

Presupuesto. Las burocracias gubernamentales también tienden a depender de partidas presupuestarias. Eso significa que, para los organismos del sector público, maximizar el presupuesto recibido de las arcas nacionales constituye la principal prioridad en la mente y en el tiempo de sus directivos, por encima de cualesquiera otras. Obviamente, para los líderes de los organismos gubernamentales, luchar contra los delincuentes, respondiendo rápidamente a las amenazas, oportunidades y otras señales que reciben de su entorno exterior, puede muy bien constituir una prioridad. Muchos funcionarios se sienten extremadamente motivados por su misión; pero prestar atención al entorno exterior a menudo resulta inútil si primero no se consigue una partida presupuestaria adecuada. Luchar contra las redes es una empresa cara, y sin el suficiente presupuesto público carece de sentido.

Límites políticos y legislativos. Los gobiernos son entidades políticas, y ni siquiera las burocracias gubernamentales más aisladas políticamente son inmunes a las distorsiones de la politización y el clientelismo en sus decisiones sobre la dotación de personal o la consecución y asignación de recursos escasos, por no mencionar las limitaciones que les impone la ley en cuanto a lo que pueden o no pueden hacer. Únicamente les está permitido operar dentro de los límites de sus estatutos, que suelen actualizarse más lentamente que los cambios producidos en su entorno.

Fronteras. Por último, todas las burocracias gubernamentales tienen dificultades a la hora de operar con eficacia fuera de su país, y eso suponiendo que tengan la oportunidad de hacerlo gracias a determinados acuerdos diplomáticos. Su hábitat natural no es el territorio extranjero sino el nacional. Para actuar en otra jurisdicción territorial, cualquier organismo gubernamental necesita una o varias leyes que lo permitan, además de todo tipo de condiciones y personal especializado. Normalmente, las burocracias públicas no se las arreglan demasiado bien a la hora de actuar fuera del entorno legislativo y político de su propio país.

Hay que admitir que esta descripción de los organismos gubernamentales resulta un tanto simplificada; pero es esencialmente válida. Comparada con la descripción, no menos simplificada, de las redes del comercio ilícito global, las diferencias resultan bastante llamativas. Las redes criminales obtienen sus recursos de sus clientes y víctimas, no del presupuesto público. Los rendimientos concretos y los resultados económicos constituyen el único motor de los ingresos: si no se entregan pedidos, no hay ganancias. Pasar por alto o interpretar de forma incorrecta una señal del mercado o una pista del entorno operativo a menudo resulta catastrófico. Son los beneficios y la supervivencia personal los que generan la motivación de los integrantes de las redes, que, por otra parte, se sienten tan cómodos en su país como en el «extranjero», un término que para ellos tiene cada vez menos significado. Mientras que los organismos gubernamentales solo pueden hacer aquello que la ley explícitamente les permite, las entidades ajenas al gobierno pueden hacer lo que quieren, salvo lo que la ley prohíbe expresamente. Pero las redes delictivas hacen ambas cosas: tanto lo que no está explícitamente prohibido como aquello que sí lo está.

Así, mientras que los gobiernos constituyen burocracias más bien rígidas y verticalmente organizadas con un margen de movimiento limitado, las redes se comportan como el mercurio, que cuando uno trata de cogerlo se escurre entre los dedos, convirtiéndose en un montón de pequeñas gotitas. La diferencia es que las redes que tienen éxito no siguen siendo pequeñas durante mucho tiempo; y además, su recién descubierta movilidad global las ha hecho propensas a crecer aún más deprisa.

La debilitante obsesión por combatir solo la oferta

El salto cuantitativo en el poder económico y la movilidad de las redes ha confundido a los gobiernos, cuyos esfuerzos para frenar el comercio ilícito se ven obstaculizados por enredos burocráticos, fronteras nacionales, jurisdicciones legales, objetivos diplomáticos contradictorios y restricciones políticas y financieras. No es que los gobiernos estén ociosos; ciertamente, se esfuerzan en limitar o eliminar la demanda de productos ilegalmente comercializados por parte de los usuarios finales. Encierran a los consumidores y distribuidores de drogas, a veces detienen a los clientes de las prostitutas, hostigan a los estudiantes universitarios que descargan copias ilegales de canciones y películas, multan a los bancos que no intentan «conocer a sus clientes» y penalizan a los empresarios que contratan a inmigrantes ilegales.

Los gobiernos también se esfuerzan en reducir la oferta de productos ilícitos. Para ello prohíben la entrada de extranjeros ilegales, armas, falsificaciones y drogas, promueven la fumigación de los campos de coca y amapola con herbicidas, la clausura de laboratorios clandestinos en los que se elaboran drogas, el control estricto de los fabricantes de armamento y la presión a otros gobiernos para que persigan a los fabricantes de productos piratas.

Todo eso estaría muy bien en teoría, si no fuera porque las redes han mostrado una enorme velocidad y flexibilidad a la hora de tener en cuenta todos esos cambios, así como en adaptar sus estructuras, su personal, sus fuentes de abastecimiento, sus precios y sus estrategias de distribución a las alteraciones producidas en su entorno, tal como haría cualquier empresa prudente. Ciertamente, no carecen de recursos o de motivos para proseguir con sus negocios pase lo que pase. A menudo, la interferencia del gobierno no representa más que otro de los costes del negocio, y también bastante a menudo dicha intervención lo único que consigue es que suban los precios.

Sin embargo, una pauta fundamental que surge de los diversos tipos de comercio ilícito global es que en todos los casos —y pese a su retórica en el sentido contrario— la estrategia preferida por los gobiernos es, invariablemente, la de atacar la oferta. Así, los diversos gobiernos dedican la mayor parte de su dinero, su personal y su tecnología a perseguir a los productores, transportistas y proveedores. Lo normal es que los esfuerzos que hacen los gobiernos para frenar la oferta superen siempre, por un amplio margen, a los dedicados a frenar la demanda. El gobierno estadounidense, por ejemplo, dedica muchos más recursos a la interdicción —persiguiendo a las lanchas y pequeños aeroplanos de los traficantes en el Caribe, o fumigando los campos de amapolas— que a poner freno al lucrativo mercado que hace que a los traficantes les merezca la pena arriesgar su vida para introducir la droga en Estados Unidos. El adolescente brasileño descubierto en el aeropuerto Kennedy con preservativos llenos de cocaína en el estómago se enfrenta a un futuro mucho más desgarrador en manos del sistema jurídico estadounidense que el estudiante universitario norteamericano de la misma edad al que pillan esnifando coca en una fiesta de la facultad. Los empresarios europeos que crean la enorme demanda de inmigrantes ilegales africanos corren un riesgo mucho menor —o nulo— que los extranjeros que arriesgan su vida cruzando el Mediterráneo en pateras. El vendedor callejero de relojes Cartier falsos se enfrenta a riesgos y penas desproporcionadamente mayores que sus ociosos clientes, que, de hecho, no corren ningún riesgo. En la mayor parte de los países la policía persigue a las mujeres que venden sexo, pero no a sus clientes.

¿Cuál es la razón de esta persistente tendencia a centrarse en la oferta? En realidad hay muchas. Para los gobiernos, proteger las fronteras nacionales de los intrusos extranjeros constituye una respuesta más automática que desarrollar complejas tentativas de disuadir a los ciudadanos de consumir determinados productos o contratar determinados servicios. Culpar a los delincuentes extranjeros resulta políticamente rentable, pero atribuir la responsabilidad a los propios compatriotas que consumen drogas o a las empresas y las familias que emplean a extranjeros ilegales podría equivaler a un suicidio político. Poner coto a la demanda requiere una serie de complejos e inéditos cambios en los valores, la educación y las instituciones, además de otras medidas sociales «blandas», lo que para los políticos constituye un terreno resbaladizo. Atacar la oferta, por el contrario, equivale a basarse en lo ya probado y experimentado: el uso de la fuerza, la coerción y la acción policial. Los instrumentos utilizados para frenar la oferta resultan incluso más telegénicos: helicópteros, cañoneras, agentes armados hasta los dientes, jueces y generales. En definitiva, seguimos siendo adictos a los controles fronterizos en un mundo al que a veces nos gusta llamar «sin fronteras».

Pero si algo refleja el enfoque centrado en la oferta es la visión de la amenaza que supone el comercio ilícito que sigue trazando una clara división entre buenos y malos, cuando la realidad resulta mucho más ambigua. Sugiere que es posible neutralizar y capturar a los traficantes, cuando lo cierto es que estos no solo se confunden con el paisaje, sino que sus redes se extienden hasta impregnar todos los aspectos de nuestra vida cotidiana: bancos que ayudan a transferir el dinero conscientemente o no; empresas legítimas con actividades complementarias ligadas al tráfico ilegal de cuya existencia sus empleados no siempre están enterados, o funcionarios —y no solo en los países pobres— que aceptan sobornos de los traficantes, entre muchos otros ejemplos. Atacar la oferta tiende a subestimar la preponderancia, la persistencia y la influencia de esas tendencias, y asimismo sugiere que el comercio ilícito puede confinarse geográficamente, cuando las pruebas demuestran que nunca ha sido tan ubicuo como en la actualidad.

Nuestros enfoques sencillamente no encajan con el modo en que han pasado a operar, y prosperar, las redes de comercio ilícito. La cuestión ahora es si somos capaces de reconsiderar la naturaleza de la amenaza y encontrar el modo de hacer mejor las cosas.

12

¿Qué hacer?

No todo está perdido.

En la década de 1990 se produjo una convergencia de nuevas tecnologías y cambios políticos que favoreció a los delincuentes y debilitó a los gobiernos. A partir de 2001 ha reaparecido una convergencia similar de cambios políticos y tecnológicos, que tal vez produzca un cambio de tendencia propicia para los gobiernos.

Se inició cuando a comienzos del siglo XXI un acontecimiento inesperado desencadenó una nueva reconfiguración del marco global en el que operan los delincuentes transnacionales. El 11 de septiembre de 2001, la complacencia y la falta de conciencia generalizadas sobre las nuevas capacidades de las redes criminales apátridas se derrumbó con las torres gemelas del World Trade Center. Los atentados de Bali, en octubre de 2002, de la estación de Atocha en Madrid, en marzo de 2004, y de Londres, en julio de 2005, no hicieron sino subrayar el mensaje. La nueva amenaza global operaba por medio de redes altamente flexibles y descentralizadas. Los grupos terroristas desplegaban su personal y se comunicaban a través de ellas. Asimismo basaban su respaldo económico en redes financieras internacionales, no siempre legales, y sus células sobrevivían gracias al comercio ilícito —por ejemplo, en forma de falsificaciones—.[1] Así, cuando solo unos días después del 11-S la preocupación por las «finanzas terroristas» saltó al primer plano de la política internacional, también lo hizo la creciente percepción de que el comercio ilícito formaba parte del problema.

Esta dolorosa percepción se tradujo de inmediato en un deseo aparentemente ilimitado de nuevas leyes, instituciones y tecnologías capaces de contener y, de ser posible, erradicar la nueva amenaza. En todas partes surgió un nuevo deseo de métodos más efectivos para garantizar la seguridad pública y proteger las fronteras de la entrada de personas y productos no deseados. La opinión pública estadounidense demandaba tales medidas a partir del 11 de septiembre, y sus políticos reaccionaron. Y aunque las medidas adoptadas en Estados Unidos suelen verse con cierto desdén en otros países, lo cierto es que rápidamente hallaron eco en todo el mundo.

Al tiempo que los flamantes pioneros de las finanzas internacionales de la década de 1990 perdían su prestigio, aumentaba el papel y la prioridad política de la policía y los servicios de seguridad. De repente, los estadounidenses empezaron a ver «héroes» en sus soldados, bomberos y médicos de urgencias. En Europa, los ministros del Interior volvieron a ser objeto de especial interés e influencia. Las fronteras pasaron a ser de nuevo importantes, incluso primordiales, baluartes contra la infiltración, lo que representaba un cambio abrupto con respecto al discurso, tan familiar para los europeos, según el cual las fronteras nacionales se estaban diluyendo en beneficio de unos mercados de mayor amplitud geográfica, llamados a ser vastos, abiertos y libres.

Tan solo unas semanas después del 11-S, la creciente demanda de seguridad ya estaba generando su propia oferta de múltiples formas. A finales de 2001 se habían aprobado nuevas leyes antiterroristas, o se habían endurecido las ya existentes, en Gran Bretaña, Canadá, Francia, la India, Japón y Estados Unidos. «Hay un antes y un después del 11 de septiembre», declaraba el entonces ministro del Interior francés, Daniel Vaillant, en noviembre de 2001, al tiempo que defendía ante su Parlamento una ampliación de las atribuciones policiales. Alegatos similares pudieron escucharse en otros lugares. Y aunque en varios países, incluidos Gran Bretaña, Francia y Estados Unidos, las llamadas disposiciones «de vigencia limitada» restringían las nuevas normas a un período comprendido entre dos y cuatro años, a finales de 2005 todas ellas habían sido renovadas o reemplazadas por leyes a largo plazo no menos duras.

Sin embargo, los gobiernos eran conscientes de que con las leyes no bastaba. La nueva amenaza terrorista y sus ramificaciones desafiaban el modo en que los diversos países organizaban sus servicios, desarrollaban sus estrategias y materializaban sus planes de defensa nacional. Ante esta situación, la mayor parte de los gobiernos crearon comisiones especiales y grupos de expertos encargados de estudiar la nueva amenaza y recomendar soluciones. Muchos países empezaron a reorganizar sus organismos de seguridad y de inteligencia, y se incrementaron los presupuestos nacionales para estos fines. El sector privado se apuntó de inmediato. Las empresas de consultoría desarrollaron nuevas prácticas dirigidas a captar al mercado de la seguridad. Las universidades crearon institutos consagrados al estudio del terrorismo y la seguridad nacional, conscientes tanto de la necesidad como de la oportunidad de atraer fondos públicos de investigación. Diversos centros de formación empezaron a ofrecer cursos de preparación para emergencias, ayuda en caso de catástrofe, defensa civil, control de fronteras, vigilancia y codificación, así como para hacer negocios en zonas peligrosas y evitar ser secuestrados. Diversas empresas que vendían escáneres, hologramas de nueva generación o dispositivos electrónicos para verificar la identidad de personas, productos y documentos vieron dispararse sus cotizaciones. El ex alcalde y el ex jefe de policía de Nueva York, aclamados como héroes del 11-S, se retiraron y se dedicaron a vender sus consejos sobre prevención y gestión de catástrofes a otras ciudades del mundo.

Pero qué tiene que ver el comercio ilícito en todo esto. Es posible que para la opinión pública y los medios de comunicación este constituyera una segunda prioridad situada muy por debajo de la amenaza para la seguridad que representaba el terrorismo. Pero para los organismos públicos y las empresas privadas que se enfrentaban directamente al problema, los vínculos resultaban demasiado numerosos para ignorarlos. La investigación de las células terroristas (destinada a averiguar cómo se habían formado, cómo se sustentaban y cómo se las ingeniaban para permanecer tanto tiempo en la clandestinidad) conducían al comercio ilícito, la inmigración ilegal y el mercado de documentos falsos. Las finanzas terroristas conducían a las oficinas de transferencia de dinero, a la corresponsalía bancaria y a los sistemas extraoficiales de transferencias internacionales como las *hawalas*, lo cual servía a toda una serie de operadores ilícitos (además de a un gran número de inmigrantes honestos). El terrorismo y el comercio ilícito funcionaban de manera muy parecida, por medio de redes móviles, descentralizadas y extremadamente efectivas que se apoyan y alimentan mutuamente.

Ante tales amenazas, la lucha contra el comercio ilícito se ha intensificado. Es evidente que en todo momento ha habido investigadores y activistas abnegados que han combatido a los traficantes, pero como hemos visto una y otra vez, todos los esfuerzos que realizaron en la década de 1990 no bastaron para controlar el explosivo crecimiento del comercio ilícito. En el clima actual, no obstante, los funcionarios, los activistas, los responsables del desarrollo de tecnologías, los investigadores universitarios y demás han redoblado sus esfuerzos. Se están desarrollando nuevas leyes, nuevos métodos policiales y judiciales, innovadoras técnicas forenses y nuevas formas de colaboración internacional, y la opinión pública, cuando ha sido consultada, se ha mostrado favorable a tales cambios, ha expresado pocos recelos y ha manifestado un apoyo decidido.

La cuestión es cómo asegurarse de que todos esos nuevos esfuerzos den resultados.

No cabe duda de que el éxito en la batalla contra el comercio ilícito requiere introducir cambios sustanciales en el modo en que se libra. Salta a la vista que los planteamientos del pasado han fracasado. Sin embargo, los gobiernos de todo el mundo no han parado de repetirlos. Han seguido invirtiendo en estrategias que apenas han dado fruto mientras se negaban a reconocer los persistentes puntos ciegos, y, sin embargo, la mayor parte de las veces los ciudadanos no los han sancionado por su falta de imaginación. En Europa y Norteamérica, donde se origina una proporción importante de la demanda, la opinión pública y los líderes políticos comparten muchos de esos errores y dudas cuando se trata de enfrentarse al comercio ilícito.

La primera tarea, pues, consiste en decidirse a romper el círculo, a liberarse de los problemas de aprendizaje, tanto por parte de los gobiernos como de los ciudadanos, que ha bloqueado los progresos en la lucha contra la delincuencia global.

La segunda tarea consiste en renunciar a la tentación de basar las políticas públicas en la indignación moral. Obviamente, casi todo lo que está relacionado con el comercio ilícito viola no solo las leyes, sino una serie de creencias arraigadas acerca de lo correcto y lo equivocado. Pero en todos los países las exhortaciones morales han sustituido con frecuencia el análisis sincero del problema. Esa tendencia resulta conveniente para los políticos, pero peligrosa para la sociedad, alimenta la complacencia hacia soluciones que se han revelado ineficaces y aumenta los riesgos y los obstáculos para aquellos políticos y ciudadanos que tratan de innovar.

Existe, no obstante, un modo de avanzar. Si aprendemos de los errores del pasado y renunciamos a la tentación de quedarnos en la retórica moralizante, nos hallaremos en una mejor posición para comprender contra qué luchamos y cómo actuar. Estaremos en condiciones de aprovechar al máximo las nuevas tecnologías e ideas, y adaptar nuestras estrategias nacionales e internacionales para enfrentarnos al comercio ilícito mediante métodos que nos den una posibilidad mayor de triunfo.

Lo fundamental: usar lo que sabemos

El comercio ilícito no tiene por qué ser un misterio. Disponemos de toda la información que necesitamos para actualizar nuestros conocimientos sobre su funcionamiento y la razón por la que se ha convertido en un fenómeno tan generalizado y poderoso. En consecuencia, antes de pensar en nuevas políticas públicas, leyes, instituciones o estrategias, es importante partir del conocimiento que ya hemos acumulado. Hay unos cuantos presupuestos tan básicos como sencillos, aunque a menudo ignorados, que conviene tener en cuenta.

Lo que impulsa el comercio ilícito no es la baja moral sino las altas ganancias. Esto debería ser evidente para todos. Y sin embargo, la motivación fundamental del comercio ilícito parece constituir, demasiado a menudo, un punto ciego en nuestro pensamiento, y nos apresuramos a recurrir al lenguaje moral para condenar el comercio ilícito. Es cierto que muchos de los personajes involucrados en este son criminales abominables, pero lo que les mueve son los beneficios y una serie de valores que con frecuencia resultan impermeables a las denuncias morales. El tráfico ilícito no es un fenómeno moral sino económico, y para afrontarlo con éxito resultan más útiles los instrumentos de la economía que las ideas que ofrecen los estudios éticos y morales. Las principales motivaciones de los traficantes tienen que ver con la oferta y la demanda, con el riesgo y el rendimiento. Los incentivos económicos explican por qué los traficantes y sus redes se han adaptado una y otra vez y han perfeccionado sus actividades, a pesar de reveses transitorios que harían desistir a la mayoría de las personas, como las largas penas de cárcel o la constante amenaza de muerte. A menos que los traficantes vean que los incentivos para continuar con el negocio disminuyen —menor demanda, menores márgenes, mayores riesgos—, resultará inútil hablar de otras posibles soluciones.

El comercio ilícito es un fenómeno político. Quienes practican el comercio ilícito no pueden prosperar sin la ayuda de los gobiernos o la complicidad de determinados cargos públicos clave. De hecho, algunos gobiernos han acabado convertidos en traficantes. Actualmente contamos con una enorme cantidad de pruebas que demuestran que el tráfico ilícito es un fenómeno político que alcanza a los gobiernos y puede llegar al punto de controlar la administración de toda una provincia o incluso apoderarse de un Estado débil o fracasado. Una vez más, son los enormes incentivos asociados a los beneficios derivados de esta clase de comercio los que provocan la criminalización de la política y la función pública. Pero el tráfico es también político en otro sentido: son la opinión pública y los políticos los que definen y promueven muchas de las iniciativas para combatirlo, entre las que se incluyen la definición de qué es delictivo o qué no lo es, la dureza de las penas para los distintos delitos y las partidas presupuestarias destinadas a tal fin. Seguramente jamás se llegará a entender plenamente el tráfico ilícito, o a actuar con eficacia contra él, si antes no se sitúa en el centro del análisis, y de las recomendaciones subsiguientes, la economía y la política que lo impulsan.

El comercio ilícito tiene que ver más con transacciones que con productos. Estamos acostumbrados a dividir los tráficos ilícitos en diferentes líneas de productos, y encargar a distintos organismos gubernamentales u organizaciones internacionales que luchen contra cada una de ellas. Pero tales líneas de productos ya no son distintas. Quienes se dedican al comercio ilícito cambian de línea de producto en función de lo que dictan los incentivos económicos o permiten las consideraciones prácticas. Solo en los extremos de la cadena, sumamente circunscritos, es común encontrar especialistas en determinados productos, como el cultivador de coca boliviano o el vendedor callejero de CD piratas. Pero se trata de personajes marginales. Es necesario que de una vez por todas nos quitemos de la cabeza la idea de que podemos separar los distintos tipos de comercio ilícito, y empecemos a pensar en aquellos que los practican como en agentes económicos que, sencillamente, han desarrollado especialidades funcionales sin circunscribirse a ellas de forma definitiva. En lugar de distinguir entre traficantes, contrabandistas, piratas, coyotes, cabezas de serpiente, mulas o camellos, haríamos mejor en pensar en quienes practican esos comercios ilícitos en función del papel que realmente desempeñan: inversores, banqueros, empresarios, agentes, transportistas, almacenistas, mayoristas, gestores logísticos, distribuidores, etcétera. Cuando los concebimos como agentes económicos oportunistas que encuentran un incentivo en los beneficios, está claro que no existe motivo para que se limiten a un solo producto.

El comercio ilícito no puede existir sin el comercio lícito. Todos los negocios ilícitos se hallan profundamente interrelacionados con los lícitos. De hecho, los traficantes disponen de fuertes estímulos para combinar sus operaciones ilícitas con iniciativas comerciales legítimas. Los extraordinarios beneficios que acumulan, por ejemplo, ejercen una lógica presión a favor de la diversificación. A menudo, eso significa invertir en actividades que son legales y no guardan ninguna relación con negocios de tipo delictivo. Y ya sean cómplices voluntarios o involuntarios, existen muchas y muy variadas profesiones e instituciones que eventualmente funcionan como soporte del comercio ilícito: bancos, líneas aéreas, compañías navieras, agencias de transportes, camioneros, empresas de mensajería, joyeros, galerías de arte, médicos, abogados, laboratorios químicos y farmacéuticos, empresas de transferencias internacionales de dinero y muchas otras que proporcionan la infraestructura que permite al comercio ilícito operar con rapidez, eficacia y sigilo.

El comercio ilícito es cosa de todos. Pensar en una clara línea divisoria entre buenos y malos equivale a no captar la actual realidad del tráfico ilegal. El hecho es que el comercio ilícito impregna nuestra vida cotidiana de varias maneras sutiles. Algunas de ellas son intencionadas, como las que mueve al funcionario de aduanas, al director de fábrica o al banquero privado a colaborar en algunas actividades comerciales ilícitas pero no en otras, o a los asesores financieros que ocultan fondos a Hacienda a costa de infringir una «pequeña» ley o dos. Pero hay otras que son generalizadas y casuales. Por ejemplo, los ciudadanos que siempre pagan sus impuestos y jamás se saltan un semáforo en rojo, pero que de vez en cuando —o no tan de vez en cuando— se fuman un porro, escuchan música que han bajado ilegalmente de Internet o compran bolsos Louis Vuitton falsificados, forman parte de los múltiples rostros que el comercio ilícito tiene en la actualidad.

No es que haya que comparar a los compradores comunes y corrientes con los delincuentes internacionales. Evidentemente, el cabecilla de una banda que trafica con mujeres para explotarlas sexualmente merece el más duro de los castigos, pero ¿qué hay de los hombres que contratan esos servicios o de las familias que emplean a extranjeros ilegales como una ayuda doméstica que permite a ambos progenitores desarrollar su carrera profesional? ¿Son equivalentes esos delitos? Está claro que no. Pero jamás haremos progresos en este ámbito si centramos nuestra atención en los proveedores de los productos ilícitos y no en los honrados ciudadanos cuya demanda crea los incentivos que posibilitan su tráfico. En demasiados casos, la lucha contra los que ejercen el comercio ilícito se ha calificado cómodamente como una batalla entre «nosotros», los ciudadanos honestos, y «ellos», los delincuentes, casi siempre extranjeros, mientras que en la realidad las diferencias entre «nosotros» y «ellos» a menudo se difuminan. Así pues, cualquier solución ha de incluir a los clientes, miembros «normales» de sus comunidades cuyos hábitos, necesidades y comportamientos contribuyen a que el comercio ilícito genere inmensos beneficios.

Los gobiernos no pueden hacerlo todo solos. Las estrategias contra el tráfico basadas solo en la acción de los gobiernos están condenadas al fracaso debido a las limitaciones intrínsecas de estos —fronteras nacionales y procesos burocráticos—, que los traficantes han convertido hábilmente en una ventaja. Y si un gobierno es incapaz de frenar el comercio ilícito por sí solo dentro de sus propias fronteras, se deduce que tampoco podrá hacerlo fuera de ellas por muy poderoso que sea. El comercio ilícito es un problema tan complejo que ningún país, fuerza policial, ejército o servicio secreto puede afrontarlo solo. Y esto vale tanto para los gobiernos que tienen la capacidad de intervenir fuera de sus propias fronteras como para los países que no la tienen y cuyos recursos son más limitados. La acción unilateral puede producir, ocasionalmente, espectaculares resultados a corto plazo en la lucha contra el comercio ilícito, pero hasta el día de hoy no se ha conseguido una sola victoria a largo plazo, ni hay razón para creer que alguna vez lo hará si no se cambian las estrategias.

Sin embargo, los gobiernos deben participar en la respuesta; de hecho, constituyen un elemento esencial de la misma. Luchar contra el comercio ilícito exige la promulgación y aplicación de leyes, ambas prerrogativas gubernamentales. Requiere la cooperación de las fuerzas legislativas, policiales y de inteligencia a través de las fronteras. Sin la autoridad legislativa y el poder coercitivo de los gobiernos, la batalla está perdida. Eso hace aún más preocupante que el comercio ilícito haya logrado penetrar en los gobiernos —y no solo en los de las sociedades pobres o inestables— en la medida en que lo ha hecho, y hace crucial la necesidad de encontrar el modo de dotar convenientemente a los gobiernos para esta batalla. Ya se trate de autoridades nacionales, como la policía de los aeropuertos, los fiscales públicos o los ministerios del Interior, o supranacionales, como los órganos directivos de la Unión Europea o la Europol, allí donde una autoridad pública sea la responsable de combatir el comercio ilícito, tenemos para con sus agentes y los ciudadanos a los que sirven la obligación de que se hallen adecuadamente equipados para esa lucha. Y dicho equipamiento es algo más que un simple incremento presupuestario: la dotación más importante que podemos dar a un organismo público es asignarle una misión y un ámbito de acción que tengan sentido.

¿Qué hacer?

Guiándonos por estos principios, podemos trazar un camino que nos aumente la probabilidad de éxito en la lucha contra el comercio ilícito global. Dicho camino consta de seis pasos, que derivan y dependen unos de otros. Ninguno de estos pasos es capaz por sí solo de resolver el problema, pero el aspecto positivo de esto es que no permite hacer castillos en el aire. De hecho, cada uno de ellos amplía y capitaliza los avances más prometedores que ya existen. La parte más difícil no consiste en diseñar la estrategia, sino en movilizar la voluntad política necesaria para llevarla a cabo, sobre todo en los países más ricos e influyentes. Pero si nos atenemos a lo que hemos aprendido, será más posible hacerlo.

Potenciar, desarrollar y usar mejor la tecnología

El extraordinario ritmo del desarrollo tecnológico está abriendo nuevas perspectivas en la lucha contra el comercio ilícito, pero como suele ocurrir en cualquier ámbito, con la tecnología sola no basta. Sin embargo, desde el punto de inflexión que supuso el 11-S, el desarrollo de nuevas tecnologías ha comenzado a romper el vínculo existente entre expansión comercial y aumento de la vulnerabilidad. Numerosos científicos e ingenieros han perfeccionado diversas herramientas para contrarrestar los avances que potencian el anonimato y la porosidad de las fronteras; identificación, vigilancia, rastreo y detección son las nuevas consignas de la investigación y el desarrollo, y están produciendo una oleada de innovaciones comerciales que sembrarán de obstáculos el camino de quienes se dediquen al comercio ilícito. Muchas de ellas están ya en circulación, penetrando en nuestra vida cotidiana. He aquí algunos ejemplos.

Dispositivos de identificación por radiofrecuencia. De entre los nuevos instrumentos que pueden aplicarse a la lucha contra el tráfico ilícito, los que están experimentando una expansión más rápida quizá sean los denominados «dispositivos de identificación por radiofrecuencia» (DIRF).[2] Esta técnica está a punto de desplazar al ya familiar código de barras como el mejor modo de identificar un producto y confirmar su autenticidad, registrar su origen y fecha de fabricación, y registrar su precio. Un DIRF transmite señales de radio que un aparato lector especializado puede captar y validar. Algunos DIRF disponen de su propia fuente de emisión; otros sencillamente responden a la señal que les envía el lector. Sus aplicaciones abarcan desde los dispositivos de autentificación en envases y frascos de medicamentos hasta la gestión de inventarios en supermercados. Siguiendo el ejemplo del gigante estadounidense Wal-Mart, las cadenas europeas Tesco, Carrefour y Metro han decidido adoptar un sistema conjunto, al tiempo que otras como Auchan y Casino están realizando sus propias investigaciones en ese sentido. De modo similar, los DIRF constituyen una herramienta potencial para la verificación de pasaportes y visados: en Estados Unidos, por ejemplo, ha empezado a expedirse etiquetas DIRF para los visitantes extranjeros que entran por algunos pasos fronterizos, con vistas a la posibilidad de generalizar esta práctica. Al mismo tiempo, los DIRF llegan a ser tan diminutos que las personas y animales pueden llevarlos bajo la piel sin sentir la menor incomodidad. En la actualidad constituyen uno de los principales métodos utilizados para marcar animales en libertad con fines científicos o de conservación, y no está lejos el día en que haya personas haciendo cola con entusiasmo para que les implanten un DIRF. De hecho, un club nocturno de Barcelona lanzó ese servicio en 2004 para sus clientes importantes: gracias al dispositivo subcutáneo, los habituales del club ya no tenían por qué sufrir los inconvenientes de tener que llevar siempre la cartera encima. Aunque el principal impulso del desarrollo de los DIRF se debe a fines comerciales, resultan evidentes las implicaciones de la difusión de esta tecnología para rastrear y autentificar diversos productos (y animales) que son objeto de comercio ilícito. Hay que tener en cuenta, no obstante, que los DIRF requieren detectores capaces de leerlos, y que, en consecuencia, se necesita cierta inversión en equipamiento.

Etiquetado de envases y productos. Aunque por el momento los DIRF representan el ejemplo más conocido, está surgiendo toda una gama de técnicas de identificación destinadas tanto a envases como a productos. Entre ellas se incluyen especialmente tintas y tinturas, filigranas, hologramas, envolturas y contrastes. Las etiquetas químicas y biológicas son lo bastante minúsculas para aplicarse a productos individuales por muy pequeños que sean. Algunas incluso pueden diseñarse de modo que se sinteticen o incluso generen en el proceso de fabricación. Estas tecnologías no solo harán posible identificar y rastrear los productos, sino también a sus usuarios.

Biometría. La técnica de la biometría, es decir, el uso de características físicas únicas para identificar a una persona,[3] se está poniendo en práctica rápidamente. La tecnología de reconocimiento de voz ha avanzado mucho desde los toscos y falibles métodos utilizados en los dispositivos de dictado. Sin embargo, los dispositivos que reconocen el iris de los ojos, la forma de la mano o el rostro, o hasta la forma de andar característica de una persona, son mucho más fiables y seguros, y pronto resultarán familiares para cualquiera que viaje de un país a otro. Paralelamente al programa estadounidense conocido como US-VISIT, la Unión Europea ha decidido que desde finales de 2003 todos los visados para viajar a los países miembros cuenten con información biométrica almacenada en microchips, incluyendo tanto una imagen facial como las huellas dactilares. Una base de datos europea centralizada denominada Sistema de Información de Visados reunirá esta información y la pondrá a disposición de las autoridades de inmigración de todos los países miembros. De hecho, la información biométrica será una característica usual de la próxima generación de pasaportes en todo el mundo; Francia, por ejemplo, tiene prevista la emisión de pasaportes biométricos (que además incorporarán DIRF para facilitar su lectura rápida). Asimismo, muchos países que utilizan documentos de identidad nacionales están planteándose la inclusión de datos biométricos. Como mínimo, el auge de la biometría alterará profundamente el mercado para los millones de pasaportes que se pierden cada año en todo el mundo. Y dado que los documentos de identificación biométrica se hallan cada vez más extendidos, esta tecnología desempeñará un papel importantísimo para restringir los movimientos de los comerciantes ilícitos, así como de su mercancía cuando esta consista en seres humanos.

Dispositivos de detección y de seguridad. Otro conjunto de instrumentos con los que los viajeros pronto se familiarizarán son los nuevos dispositivos de detección capaces de identificar artículos sospechosos o descubrir indicios de drogas o explosivos de manera mucho más fiable que las máquinas de rayos X y los detectores de metales habituales. Entre ellos se incluyen los portales de retrodispersión —escáneres que recorren el contorno corporal para revelar cualquier objeto extraño—, y los «sopladores» —que expulsan aire sobre los pasajeros y analizan las partículas que estos desprenden—, ideales para detectar indicios de drogas o explosivos. En los muelles de contenedores y terminales ferroviarias ya se están usando grandes escáneres que utilizan a la vez tres tecnologías distintas: rayos X, rayos gamma y activación de neutrones.[4]

Vigilancia y escucha. Actualmente, y en particular en los países más ricos, las intersecciones viarias, las sucursales bancarias, los vestíbulos de edificios, las tiendas, los aparcamientos e incluso algunas calles son objeto de vigilancia constante, que incluye grabaciones de vídeo y fotografías.[5] La combinación de Internet con las cámaras digitales ha hecho de esta clase de vigilancia una actividad común y barata, aun a grandes distancias o desde el cielo. Los satélites o submarinos capaces de escuchar conversaciones telefónicas transmitidas a través de los cables telefónicos que recorren el lecho oceánico resultan más versátiles y fiables que nunca. Existen escáneres ideados para captar conversaciones y descifrar nombres de personas, lugares o patrones de lenguaje. Algunas formas de vigilancia ya se han convertido en habituales en nuestra vida cotidiana: en 2001, en Gran Bretaña, el número de cámaras de circuito cerrado era de 4,8 millones en todo el país, de las que medio millón estaban situadas solo en Londres. Pero hay otras formas menos conocidas por la opinión pública y cuyo alcance puede ser inmenso. Existe un proyecto clasificado de alto secreto y denominado Echelon —en el que participan Estados Unidos, Reino Unido, Canadá, Australia y Nueva Zelanda—, que consiste en un sistema de escucha global que en teoría permite a sus usuarios captar cualquier conversación en cualquier lugar del mundo. Se ha utilizado en la campaña contra el terrorismo, y supuestamente contribuyó a la detención de Jalid Shaij Muhammad en Pakistán en 2003; pero debido al secreto que lo rodea por parte de los gobiernos implicados, resulta difícil saber cuál es su verdadero alcance.

Software. Hoy día contamos también con potentes programas informáticos e instrumentos de extracción de datos que están llevando la detección a un nivel sin precedentes. Los bancos, por ejemplo, se gastan sumas de dinero considerables en instalar el software denominado ABD, o «antiblanqueo de dinero», con el fin de adaptarse a la requisitoria destinada a que «conozcan a sus clientes».[6] Diversas aplicaciones de detección de comportamientos pueden controlar los cientos de millones de transacciones que procesa un gran banco de ámbito mundial y detectar de forma inmediata las que despiertan sospechas. Los responsables en el ámbito gubernamental de la lucha contra la delincuencia también están empleando un software similar para realizar una especie de «cartografía social», registrando un enorme número de transacciones e interacciones con el fin de establecer la estructura y el comportamiento de las redes.

Rastreo de personas. Un conjunto de instrumentos con ricas perspectivas comerciales son los dispositivos de rastreo de seres humanos, en especial los que utilizan la tecnología de localización GPS. En varios países, los teléfonos móviles dotados de software GPS son cada vez más populares entre los padres de adolescentes, ya que les ayudan a asegurarse de que sus hijos están donde dicen estar, o sencillamente que se encuentran bien. Dado que el negocio de los secuestros se halla en expansión en muchos países, estos instrumentos adquieren un gran valor. En un caso que quizá nos parezca extremo, pero que dentro de unos años tal vez encontremos normal, algunos acaudalados empresarios de São Paulo, en Brasil, han empezado a llevar microchips implantados bajo la piel para facilitar su localización en caso de secuestro.[7]

Biotecnología. La revolución de la biotecnología hará algo más que limitarse a ayudar con métodos de identificación como el del ADN. Una empresa británica de biotecnología llamada Xenova, por ejemplo, ha probado una vacuna contra la cocaína que ayudó a superar su adicción al 58 por ciento de los usuarios con los que se probó.[8] Se espera que la biotecnología combinada con la microelectrónica y la nanotecnología generarán un potente arsenal que contribuirá al empeño de los gobiernos de restringir el comercio ilícito.

La difusión incontrolada de las tecnologías de vigilancia, detección e identificación plantea una serie de preocupaciones serias y legítimas. La posibilidad de invadir la intimidad de las personas nunca había sido tan grande, y de hecho ha alcanzado niveles que muchos consideran ofensivos y potencialmente peligrosos. En general, los gobiernos que han dispuesto de información detallada sobre la vida privada de sus ciudadanos —en aspectos como el trabajo, las propiedades, los ingresos, la familia e incluso hábitos personales— han hecho un mal uso de ella. Los justificados temores de incompetencia y abusos hacen que la opinión pública se resista a permitir que quienes ejercen el poder accedan a su información personal. La historia está llena de ejemplos trágicos en los que los gobiernos han perjudicado a personas inocentes basándose en datos incorrectos o han utilizado su acceso privilegiado a los mismos para intimidar o reprimir a los oponentes políticos. Obviamente, la sombra de las épocas en que se han utilizado listas de ciudadanos para la persecución política de grupos sociales enteros, e incluso para el genocidio, preside cualquier debate acerca de hasta qué punto los gobiernos pueden fisgar en la vida de las personas. De ahí que numerosas democracias consagren el derecho del individuo a su intimidad, desde la Cuarta Enmienda de la Constitución estadounidense o la Convención Europea de Derechos Humanos, que establece «el derecho al respeto de la vida privada y familiar».

Sin embargo, resulta más fácil establecer estos principios que definir claramente la distinción entre asuntos públicos y privados y llegar al respecto a un consenso nacional o, peor aún, internacional. Cuando los distintos países traten de equilibrar seguridad pública y privacidad personal, seguridad nacional y libertades cívicas, obtendrán diferentes resultados. La sociedad estadounidense exhibe una desconcertante tolerancia frente a las empresas privadas que «extraen» datos personales. A menudo, los ciudadanos comparten voluntariamente información confidencial con los empleados anónimos de corporaciones privadas, mientras que se resisten con furia a que el gobierno acceda a una fracción siquiera de esa misma información. En muchos países de la Unión Europea, en cambio, la recopilación privada de datos se ve siempre con recelo, al tiempo que existen muchos menos controles y una menor resistencia a la recogida de información sobre los ciudadanos por parte del gobierno. Y como hemos visto a partir del 11-S, la opinión pública puede cambiar de forma drástica ante la percepción de una amenaza. Diversos organismos de control públicos, como la oficina del Supervisor Europeo de Protección de Datos de la Unión Europea, o la francesa Commission Nationale de l'Informatique et des Libertés (CNIL), tienen la difícil tarea de equilibrar esas pautas en constante evolución con el flujo de las nuevas tecnologías. En Estados Unidos, gran parte de ese mismo proceso tiene lugar en los tribunales.

Aun así, la inevitable realidad es que las tecnologías que permiten a quienes ejercen el poder entrometerse cada vez más en nuestras vidas están ahí. En qué medida se adopten es algo que dependerá de lo buenos que sean los gobiernos a la hora de utilizarlas y de cuán eficazmente ayuden a combatir a los delincuentes y terroristas. Al fin y al cabo, un desarrollo tecnológico fructífero no garantiza que su aplicación internacional generalizada constituya un éxito. La investigación no es barata. Los países ricos tienen aquí una ventaja natural, y se mostrarán recelosos de compartir los instrumentos resultantes con gobiernos en los que no confían. Paralelamente, nada garantiza que los países ricos vayan a invertir siempre con acierto. Como sabemos por tantas otras áreas de la actividad humana, la tecnología puede ser una condición necesaria para el progreso, pero nunca suficiente. De hecho, creer que la tecnología por sí sola resolverá el problema en la lucha contra el comercio ilícito tal vez resulte un error fatal.[9] Es parte de la solución, pero no basta, ni mucho menos.

Hay que «desfragmentar» a los gobiernos

Es fácil esperar demasiado de la tecnología y caer en una fantasía tecnocrática en la que unos problemas que en realidad tienen profundas raíces socioeconómicas y políticas se resolverían a base de nuevas tecnologías. La tecnología por sí sola no funciona a menos que las personas y organizaciones que la poseen la utilicen bien. Si los gobiernos no cambian su manera de proceder, las nuevas tecnologías no serán más que un derroche que producirá una ilusión de progreso, cuando en realidad estará creando nuevas y enormes vulnerabilidades. Un reciente contratiempo del FBI estadounidense quizá sirva de advertencia para cualquier otro gobierno. En marzo de 2005, la oficina se vio forzada a declarar perdidos ciento setenta millones de dólares que había invertido en un sistema de bases de datos que no funcionaba. Más de tres años después del 11-S, los agentes del FBI seguían sin disponer de un instrumento crucial para su trabajo cotidiano. Las razones del fracaso resultaban muy ilustrativas. El proyecto —según declaraba un senador estadounidense familiarizado con la situación— adolecía de «costes disparados, planificación imprecisa, mala gestión, problemas a la hora de ponerlo en práctica, y retrasos».[10]

Por supuesto, esto no le ocurre solo al FBI. Tanto los medios de comunicación como las investigaciones académicas sobre las fuerzas de seguridad de diversos países han descubierto numerosas debilidades genéricas: funciones burocráticas que se solapan, cuerpos que trabajan con fines opuestos, falta de claridad con respecto a misiones concretas, rivalidades y competencias tanto internas como entre los distintos cuerpos... Los resultados tienden a quedar muy por debajo de lo que esperan los políticos que asignan enormes presupuestos a dichos cuerpos. Demasiado a menudo todo el aparato acaba por atascarse, o bien, como le decía un detective británico a un periodista del *Guardian* en 2003: «Imagínese una balanza gigantesca. Si en un plato pone todo el peso de nuestra inercia política, para equilibrar el otro acabará poniendo tres mil cadáveres».[11]

Estos problemas inquietan a todos los gobiernos. Nunca, en ninguna parte, las tecnologías resuelven por sí solas las rivalidades entre organismos o siquiera las más sencillas diferencias de perspectivas burocráticas. Cada organismo tiene una cultura y unos procedimientos propios. Aduanas, patrullas fronterizas, inmigración, policía, ejército, guardacostas, investigadores financieros, diplomáticos y espías aportan un enfoque, una formación y unas prioridades distintas aunque sea de cara a unos objetivos fundamentales comunes. Esas diferencias pueden traducirse con demasiada facilidad en miopía organizacional. Incluso a los gobiernos más capaces les resulta difícil asegurarse de que una mano no deshaga el trabajo de la otra. Todos los destacados luchadores contra el crimen a los que entrevisté en todo el mundo se sentían frustrados por la fragmentación aparentemente congénita de la respuesta gubernamental al comercio ilícito.

Entonces, ¿qué hacer? Por desgracia, la solución requiere la existencia de una organización gubernamental unificada; una organización con el radio de acción, la autoridad y la capacidad necesarios para contrarrestar unificadamente la totalidad de actividades del comercio ilícito. Decimos «por desgracia» porque los organismos más pequeños también tienden a ser los más eficaces. Sin embargo, las alternativas son mucho peores. Dado que quienes se dedican al comercio ilícito ya no diferencian entre los productos con los que trafican, disponer de distintos organismos gubernamentales para luchar contra las distintas clases de tráfico se ha convertido en un obstáculo. Las fronteras burocráticas favorecen a los traficantes, como también el modo en que esos organismos suelen fragmentar sus esfuerzos. Con frecuencia, los policías que hacen redadas en almacenes y los analistas financieros que rastrean transacciones bancarias sospechosas apenas se comunican entre sí. Los complicados procedimientos burocráticos de intercambio de información proporcionan a los traficantes una preciosa ventaja temporal. En un mundo como el actual, de redes delictivas descentralizadas y adaptables, el tiempo disponible entre los análisis (descubrir qué está ocurriendo) y las operaciones (ponerles fin) es cada vez menor. Asignar esas tareas a organismos diferentes constituye una práctica debilitadora, aunque común, como también lo es la de permitir que se separen dentro de un mismo organismo.

Juntar a policías, abogados, contables, economistas, informáticos e incluso sociólogos en equipos estrechamente integrados, sumamente funcionales y con libertad de acción constituye, en efecto, un desafío, pero no es en absoluto insuperable. Los grupos operativos —o «task force»— formados con la participación de distintos organismos —e incluso a través de diversas fronteras— han tenido éxito en desmantelar operaciones de tráfico y encerrar a importantes personajes del comercio ilícito. El problema es que, a la larga, dichos grupos operativos se disuelven y cada miembro regresa a su organismo de origen, mientras que los traficantes se reagrupan y adaptan.

Sostener una «mentalidad de grupo operativo» que abarque múltiples organismos por períodos indefinidos es algo que choca con todo lo que sabemos acerca del modo en que prefieren actuar las administraciones públicas. Pero la lucha contra el comercio ilícito es demasiado importante y el adversario demasiado poderoso como para dejarla en manos de organismos separados y poco coordinados.

Por lo tanto, una visión integrada del comercio ilícito exige un planteamiento integrado para combatirlo. Y nada puede sustituir aquí a un organismo integrado con plena responsabilidad para esta tarea.

Eso es precisamente lo que significa la «desfragmentación de los gobiernos»: agrupar los esfuerzos dispersos con el fin de hacerlos más eficaces. Pero así como una dependencia excesiva de la tecnología puede crear la ilusión de una solución, una tentativa de integración por parte de los gobiernos limitada a desplazar las distintas «casillas» organizativas y a colocarlas bajo la autoridad de un «zar» puede resultar un espejismo igualmente peligroso. Cuando se combinan ideas confusas con grandes cantidades de dinero, burocracias miopes y una tarea tan enorme como apremiante, la ineficacia y la incapacidad son inevitables. El Departamento de Seguridad Nacional estadounidense —constituido a toda prisa después del 11-S— creó una ilusión de unidad, cuando en realidad se trataba de una reestructuración de los mismos organismos chapuceros y descoordinados que se tradujo en un aumento del despilfarro y de la vulnerabilidad. Esta experiencia tal vez sirva de advertencia para los reformadores burocráticos de otros países, incluidos los europeos, que deben ser conscientes de esos problemas tanto en los ámbitos nacionales como en el conjunto de la Unión Europea.

Todo esto plantea el problema de cómo hacer que tales organismos funcionen. Una parte de la respuesta es bastante simple, aunque esencial: planes claros, presupuestos a varios años vista que amplíen el horizonte temporal más allá de las urgencias inmediatas y una dirección sólida y competente.

Pero hay más, por supuesto. Ningún gobierno puede ser eficaz si carece de objetivos realistas. No existe ninguna solución organizativa al problema de unas burocracias agobiadas con tareas que aumentan constantemente y se hacen cada vez más inalcanzables. A menos que las tareas gubernamentales se simplifiquen y las prioridades para la acción se elijan de manera más selectiva, la idea de que se puede solucionar el problema seguirá siendo una ilusión. La desfragmentación de los gobiernos debe traducirse también en un perfeccionamiento de su enfoque. Esto implica la necesidad de disminuir los objetivos que les asignamos. Y hacer a los gobiernos mucho más selectivos en las batallas que libran contra los traficantes.

SIN OBJETIVOS MENOS AMBICIOSOS Y MÁS REALISTAS, LA BATALLA ESTÁ PERDIDA

Está claro que, independientemente de cuál sea su organización o su presupuesto, ningún organismo gubernamental de ningún lugar puede luchar contra la ley de la gravedad. Sin embargo, es este poco más o menos el mandato que otorgamos a los organismos encargados de poner freno al comercio ilícito. Interponerse entre millones de clientes desesperados por comprar y millones de comerciantes desesperados por vender, e impedir que hagan lo uno y lo otro: he aquí lo que pedimos a los gobiernos. En la mayor parte de los países los resultados no son muy distintos de los que se obtendrían si se tratara de detener a una roca que se precipitara por la ladera de una montaña empinada: el gobierno acaba aplastado. Más concretamente, o bien los traficantes consiguen corromperlo, o bien se le induce a creer que los éxitos puntuales que obtiene contra ellos constituyen un signo de que tiene la victoria al alcance de la mano, o de que podría tenerla solo con que hubiera más recursos, más tecnología o más poder a disposición de quienes luchan contra la ley de la gravedad. Esta es una peligrosa ilusión.

Por desgracia, la mayoría de las sociedades, gobiernos u organismos públicos parecen poco dispuestos a reconocer y asimilar el hecho de que tanto el número de proveedores como el de clientes está aumentando, de que el volumen del tráfico ilegal se halla en expansión y de que no paran de surgir nuevos tipos de comercio ilícito.

Y menos aún están dispuestos a aceptar que necesitan un enfoque distinto. Sin embargo, cualquier valoración honesta mostrará que esta realidad resulta tan innegable como la ley de la gravedad, por lo que ese enfoque distinto se vuelve indispensable.

Dicho enfoque empieza por el reconocimiento de que algunos de esos tipos de comercio ilícito tienen que pasar a ser lícitos. ¿Significa eso despenalizar el tráfico de esclavas sexuales, de material nuclear o de heroína?[12] Por supuesto que no. Pero sí que los recursos que se despilfarran en imponer la prohibición del cannabis y ciertas imitaciones deberían dedicarse a la lucha contra los tipos de comercio ilícito más peligrosos. Pese a la prohibición, el cannabis sigue siendo fácil de conseguir en casi todas partes, y lo mismo ocurre con las imitaciones; y la manera de contratar a un trabajador ilegal suele ser un secreto a voces. Aun así, las decisiones relativas a la despenalización resultan difíciles, controvertidas, imperfectas y no carecen de riesgo. Pero lo mismo puede decirse de la pretensión de que las estrategias actuales están llevándonos a una situación social superior, cuando no es así.

Despenalizar algunas clases de comercio ilícito constituye una necesidad pragmática, derivada de una sencilla realidad: en la era de la globalización, resulta prácticamente imposible conseguir que todas las fronteras sean seguras contra todo durante todo el tiempo. Incluso el telón de acero durante la guerra fría resultaba permeable. Con los actuales volúmenes de comercio y facilidades para viajar, las herramientas de comunicación y el uso del ciberespacio, no existe barrera inexpugnable. Debemos elegir entre dos opciones, escogiendo entre aquellas actividades en las que centrar nuestros recursos represivos y aquellas en las que un planteamiento distinto resulta lo más apropiado.

Por fortuna, disponemos de instrumentos que nos ayudan a tomar decisiones inteligentes. El rico material derivado de la investigación de economistas, sociólogos, especialistas en salud pública y otros nos ayuda a entender los incentivos económicos del comercio ilícito y a medir sus costes económicos y sociales, así como los de las posibles alternativas propuestas. Hay dos principios que resultan vitales para tales decisiones, y que es mejor aplicar de manera conjunta.

El primer principio es el de la *reducción del valor.* Al igual que ocurre con cualquier otra actividad económica, el comercio ilícito crece más cuanto mayor sea el valor que obtienen quienes participan en él. Si se elimina el valor de una actividad económica, su preponderancia disminuirá de manera proporcional. Este principio básico de las reformas basadas en el mercado es tan válido para el comercio ilícito como para cualquier otra cosa.

El segundo principio es el de la *reducción del daño*. En pocas palabras, equivale a medir el perjuicio social que causa una actividad comercial ilícita y comparar las diversas formas de combatirla con el grado en que reducen dicho perjuicio. Los investigadores han perfeccionado diversos instrumentos para realizar tales cálculos, que subyacen, por ejemplo, a la opción que han tomado numerosos países de invertir en el tratamiento de los drogadictos antes que en su encarcelamiento, o de proporcionarles jeringuillas desechables y educación sobre el VIH y el sida. Pensar en el comercio ilícito en términos de daño representa una alternativa productiva al discurso de la reprobación moral o el encarcelamiento por delitos menores. Y no constituye un salto tan grande como podría parecer, puesto que precisamente las actividades que la mayoría de las personas consideran extremadamente inmorales se hallan también entre las más costosas en lo que a su impacto social se refiere.

Existe una tercera consideración, de índole más pragmática; no hacer caso de ella sería poco realista. Se trata de la restricción presupuestaria bajo la que operan los gobiernos. Desarrollar una estrategia represiva generalizada contra todos los aspectos del comercio ilícito resulta imposible hasta para los países más ricos. Y para los más pobres, que padecen problemas tan urgentes como la falta de agua potable, el analfabetismo y la mortalidad infantil, representa un sueño imposible. Si los países en vías de desarrollo pretenden tener una oportunidad, es imprescindible que centren el combate en el comercio ilícito. Y dado que los traficantes no respetan fronteras, en esta lucha el éxito de los países pobres resulta esencial para el éxito de los países ricos, y viceversa.

Pero ¿qué significa esto en la práctica? Que la liberalización, la despenalización y la legalización tienen que ser opciones políticas a considerar una vez verificado que reducen el valor para los traficantes *y a la vez* el daño para la sociedad. Significa también que las políticas que hayan demostrado que *no* producen este efecto deben ser reevaluadas. Ante cada medida de lucha contra el comercio ilícito que se piense aplicar, deberíamos preguntarnos lo siguiente: ¿hará que el tráfico resulte menos lucrativo y deseable?, ¿hará que los traficantes se alejen de las actividades más peligrosas para pasar a otras que lo son menos?, ¿reducirá los incentivos que llevan a tantos funcionarios públicos, ejecutivos de empresa, banqueros y consumidores a participar o apoyar el comercio ilícito? Evidentemente, no todas estas preguntas pueden responderse por adelantado. Sin embargo, el valor económico y el coste social deberían constituir el núcleo de nuestra respuesta al comercio ilícito, en lugar de pasarlos por alto a la hora de tomar decisiones, como se hace con demasiada frecuencia.

Este replanteamiento ya está produciéndose en forma de experimentos que varían de un país a otro. En algunos, las medidas adoptadas para despenalizar la posesión de pequeñas cantidades de ciertas drogas han aliviado a las abrumadas fuerzas policiales, así como reducido el trabajo de los juzgados, permitiendo a aquellos y a estos concentrarse en asuntos más urgentes. En Portugal, por ejemplo, el consumo de drogas sigue siendo ilegal, pero la posesión de menos de diez dosis de cualquiera de ellas, incluyendo la heroína o la cocaína, no se traduce en detenciones ni cargos, sino en la obligación de presentarse ante un organismo que tiene la potestad de exigir un tratamiento si determina que el individuo en cuestión es un adicto. Francia e Italia, en cambio, se han resistido a la despenalización. Fuera de Europa, países como Chile y México están reformando sus leyes sobre la droga para diferenciar el narcotráfico de la distribución y consumo a pequeña escala. Entre los principales países industriales, Estados Unidos es tal vez el más reticente a la despenalización.

Esto no quiere decir que importantes preguntas queden aún sin respuestas claras: ¿en qué medida, por ejemplo, los enfoques basados en la despenalización y el tratamiento logran reducir los índices de adicción? Un resultado que pocos discuten, sin embargo, es que la despenalización no ha incrementado la delincuencia ni la conducta antisocial.

Pero las drogas no constituyen el único frente ante el cual los países están replanteándose sus estrategias. Tanto en Europa como en Estados Unidos, la presión para reprimir la inmigración ilegal resulta equiparable al interés comercial en fomentar la inmigración legal tanto de mano de obra cualificada como no cualificada.[13] Las medidas periódicas orientadas a regularizar la situación de determinados inmigrantes ilegales son cada vez más comunes, aunque se hallan sometidas a diversas condiciones. Tales amnistías muestran el reconocimiento por parte de los gobiernos de que resulta imposible disponer de controles que hagan herméticas las fronteras, e implican asimismo aceptar que a veces —mejor dicho, a menudo— las leyes deben adaptarse a realidades sociales que la mayoría de la gente ya considera normales.

Existen también otros experimentos en marcha. Suecia, por ejemplo, ha legalizado la venta de servicios sexuales.[14] Esto, sin embargo, no equivale a legalizar la prostitución, puesto que lo que está prohibido ahora es la compra de dichos servicios. En otras palabras, Suecia ha desplazado el riesgo de las prostitutas hacia sus clientes, tras calcular que penalizar a estos supone una forma mucho más eficaz de frenar la demanda. De este modo disminuye el valor que los traficantes pueden esperar obtener al entrar su mercancía —mujeres— en el país. Este ejemplo demuestra que prestar atención a la demanda de productos ilícitos no constituye un eufemismo para hablar de legalización; por el contrario, forma parte de la estrategia para afrontar el comercio ilícito como lo que es, un fenómeno impulsado por la economía.

Lo mismo está ocurriendo con las falsificaciones. Las empresas están reconociendo, cada vez más, que la mejor protección contra los falsificadores no son los abogados sino la tecnología. Invertir en nuevos dispositivos que hagan la falsificación más difícil o imposible constituye una estrategia más segura que confiar, por ejemplo, en la capacidad del gobierno chino de proteger las patentes. Pero no todas las empresas pueden permitirse ese lujo, y muchas de ellas siguen presionando a sus gobiernos para que las protejan contra lo que en realidad es un equivalente económico de la ley de la gravedad: cualquier mercancía de la que exista una gran demanda y que se pueda copiar, será copiada ilegalmente por alguien en algún lugar del mundo. Pedir a los gobiernos que luchen contra todas las manifestaciones de este fenómeno equivale a diluir su capacidad de defender la propiedad intelectual allí donde es más necesario.

Conseguir que los gobiernos sean más efectivos significa otorgar a sus organismos mandatos realistas, y eso, a su vez, significa excusar a los gobiernos de ciertas actividades a fin de que se dediquen más eficazmente a otras más urgentes y necesarias.

Un problema global solo puede ser afrontado con soluciones globales

Aliviar la carga de los gobiernos es esencial. Hay que ser más realistas en lo que se les pide que hagan y más selectivos en las batallas que se les pide librar en nombre de la sociedad. Pero aun así, si se les sigue exigiendo que actúen solos, seguirán fracasando. El comercio ilícito es un problema transfronterizo, y la única solución a un problema de este tipo es una solución transfronteriza, lo que significa que la cooperación internacional adquiere aquí un carácter imperativo. Se trata de hechos incuestionables basados en la simple lógica, que asimismo tienen implicaciones endiabladamente difíciles de cara a la acción. Actuar solos no es eficaz. Actuar con otros gobiernos es muy difícil.

Colaborar nunca es fácil, y menos aún si se trata de hacerlo con extranjeros, especialmente para los gobiernos. El arsenal de tratados y convenciones internacionales en contra del comercio ilícito funcionan mejor a la hora de definir reglas globales que a la de lograr resultados. Los titulares de los medios de comunicación están plagados de noticias sobre intentos de colaboración internacional que han fracasado por culpa de la corrupción, el simple incumplimiento, la falta de recursos o la ausencia de confianza. Pero en el caso del comercio ilícito, la alternativa a la cooperación internacional es rendirse ante los traficantes. Hemos de encontrar el modo de hacer que la cooperación internacional contra el comercio ilícito funcione.

Hay maneras de hacerlo. En primer lugar, un enfoque multilateral inteligente del problema del comercio ilícito debe ser selectivo. Los organismos internacionales tropiezan con los mismos escollos que los tratados que los originan. El ejemplo de la Interpol —un organismo de cooperación policial global acosado por la falta de confianza entre las fuerzas que lo integran— contrasta con los éxitos que han cosechado muchos países colaborando de forma bilateral o en pequeños grupos. Los planteamientos escalonados y basados en la confianza producen resultados más efectivos y convincentes que si se parte de un ambicioso tratado global del que la mayoría de los países acaban desertando. Los tratados bilaterales, la asistencia técnica y los acuerdos de extradición no son nada nuevo. Un planteamiento más novedoso y que se ha revelado bastante fructífero es el de las denominadas «revisiones paritarias», el método utilizado, con algún éxito real, por el Grupo de Acción Financiera (GAFI), el grupo operativo del G-8 responsable de la lucha contra el blanqueo de dinero y los delitos económicos. El modelo del GAFI se basa en unos cuantos países clave que han optado por la elaboración conjunta de una lista de calificaciones. No todos los países están invitados al GAFI. Al contrario. La clave del logro de la operación reside en la confianza mutua de sus miembros, que se genera de la única forma posible: a través de un proceso cuidadoso y deliberado.

Pese a los enormes problemas a los que se enfrenta la Unión Europea en sus esfuerzos por coordinar estrechamente las políticas públicas y de establecer unas instituciones comunes duraderas —la Comisión, el Parlamento, el Tribunal—, estas fortalecen su capacidad de abordar los problemas transnacionales. Por lo demás, la Unión Europea hace de la adhesión a sus normas sobre una serie de cuestiones, que incluyen el comercio ilícito, un requisito previo para cualquier nuevo miembro.

La presencia de un compromiso común —así como la existencia de instituciones políticas que lo aplican— significa que determinados tipos de cooperación a los que otros estados podrían resistirse tienen mayores probabilidades de éxito entre los países europeos. En este sentido, la policía europea, o Europol, representa un experimento interesante. Fundada en 1994 como Unidad Europea de Narcóticos, la Europol no tardó en ampliar sus funciones hasta convertirse en un organismo policial basado en el modelo de la Interpol. Como esta, la Europol tiene un tamaño relativamente reducido —solo cuenta con unos quinientos empleados—, y actúa como un centro de intercambio de información más que como un cuerpo de seguridad. Pero el lugar seguro que ocupa en el seno de la Unión Europea la hace acreedora, por parte de los países miembros, de una confianza mayor de la que estos depositan en la Interpol.

Hay diversas maneras de elegir a los propios socios y establecer relaciones de confianza con ellos, pero lo que resulta inevitable en todos estos planteamientos es cierto grado de flexibilidad con respecto al concepto de soberanía nacional. El GAFI, la Unión Europea y otros organismos limitan, en mayor o menor medida, el ejercicio de la soberanía por parte de sus países miembros con respecto a un conjunto de cuestiones concretas. Aunque nadie, incluida la Unión Europea, ha elaborado todavía una estrategia plenamente desarrollada contra el comercio ilícito, el concepto de soberanía compartida, en el que se basan organizaciones como la propia Unión Europea, constituye la única esperanza de limitar las constantes, y mucho más dañinas, violaciones de la soberanía nacional que los traficantes infligen cada día a los estados-nación.

La lección a extraer aquí resulta difícil para los gobiernos: las fórmulas de cooperación más eficaces para poner freno al comercio ilícito son también las que en mayor grado invitan al escrutinio mutuo, lo que los gobiernos se apresuran a calificar de «intromisión». Esto ofende a las nociones tradicionales del gobierno nacional basado en un privilegio soberano, y la prerrogativa del Estado para legislar como le parezca sin tener en cuenta ninguna otra opinión. Sin embargo, si no se permite tal «intromisión», parece poco probable que los gobiernos lleguen a confiar y aprender los unos de los otros, ni a colaborar con la suficiente rapidez como para no ir a la zaga de las redes de traficantes cuyas intromisiones y violaciones de soberanía son constantes y tanto o más peligrosas que las de cualquier otro Estado-nación. Todo esto suena bastante ingenuo, y tal vez lo sea, pero aún es más ingenuo suponer que un gobierno que actúa solo puede hacer mella en un problema global como el comercio ilícito.

El eslabón perdido: la voluntad política

Los instrumentos para librar una lucha más eficaz contra el comercio ilícito están a nuestro alcance. Están surgiendo nuevos modelos relativos al modo de organizar y equipar a los gobiernos para esa lucha. Incluso el enojoso problema de lograr la cooperación internacional en esta que constituye la más global de las batallas, muestra indicios de viabilidad. El panorama debería, pues, inspirar esperanza.

Entonces, ¿qué nos detiene? La respuesta radica en la política. Los políticos, que son los responsables de llevar a cabo esos cambios, evalúan su interés en las potenciales reformas e innovaciones en función de las realidades políticas de sus electores. ¿Les apoyarán sus partidarios —no solo sus votantes, sino quienes les dan soporte financiero, sus aliados dentro del propio partido, los intereses creados en su región o el grupo étnico, etcétera— cuando propugnen nuevas políticas? ¿Es sensible la opinión pública a la cuestión, y está lo bastante interesada en ella en comparación con otros problemas? ¿Vale la pena correr el riesgo político de meterse en una situación delicada y argumentar a favor de la necesidad de nuevas estrategias reñidas tanto con prejuicios de larga data como con intereses creados? Con demasiada frecuencia la respuesta es no. Por lo tanto, no es realista pedir a los gobiernos que adopten posiciones que la mayoría de sus votantes no comparten. Por ello aprobar las medidas necesarias para combatir al actual comercio ilícito implica enormes riesgos políticos.

Topamos en este punto con varias vacas sagradas. La mayor de ellas es la costumbre de pensar en el comercio ilícito en términos esencialmente morales. Es absolutamente cierto que el actual panorama global del comercio ilícito produce una conmoción y un horror enormes ante la crueldad, la codicia, la violencia y la depravación que entraña el tráfico ilegal, pero las exhortaciones morales pueden acabar por sofocar las innovaciones políticas que tan desesperadamente necesitamos si pretendemos desechar las estrategias que se han revelado fallidas y tener el valor de probar otras nuevas. Son muchos los políticos que se han refugiado en denuncias teñidas de moralina como sustituto de la transparencia y la educación de la opinión pública. Por desgracia, la aparente hipocresía de los políticos suele reflejar la de sus votantes. Pocos políticos están en condiciones de permitirse el lujo de conducir a sus votantes más allá de las certezas morales de su época, o poseen las dotes necesarias para ello. Un desilusionado senador estadounidense me decía, pidiéndome que mantuviera su anonimato: «No me cabe duda de que lo que estamos haciendo en la guerra contra la droga no funciona. Pero tampoco me cabe duda de que si yo lo dijera y saliera en favor de legalizar algunas drogas, como la marihuana, perdería las próximas elecciones». Y proseguía: «Estoy dispuesto a aceptar que se necesitan medidas nuevas y audaces que rompan con todo lo que llevamos hecho, pero mis votantes no».[15]

Las certezas morales cómodas hacen que la innovación política resulte difícil; y lo mismo ocurre con las no menos cómodas certezas sobre la soberanía nacional. Depositar parte de la soberanía nacional en un grupo de socios de confianza representa un paso imprescindible para combatir el comercio ilícito. Pero la opinión pública a menudo lo interpreta como un signo de debilidad, una rendición ante una autoridad supranacional a la que no se ha elegido ni es posible pedir responsabilidades, y que además es extranjera. Dar la impresión de que se pisotea la dignidad nacional resulta tan venenoso para los políticos como dar la impresión de que se fomenta la inmoralidad.

La retórica nacionalista indiscriminada hace que resulte difícil diferenciar las cuidadosas y concretas medidas que comportan los acuerdos de revisión paritaria; o conceptos tales como el «principio de subsidiariedad» de la Unión Europea, que determina qué privilegios soberanos pasan a ser prerrogativa de esta y cuáles conservan los países miembros. De hecho, en muchos países el nacionalismo recalcitrante se ocupa de que ningún foco de atención extranjero interfiera en el negocio de unos delincuentes globales que abandonaron hace ya tiempo la lealtad a cualquier nación o bandera.

Ese escrutinio es hoy más urgente que nunca, ya que, mientras las redes hallen refugio seguro en lugares como el Transdniéster, Liberia, Ucrania, Venezuela, China, México y Rusia, les seguirá resultando fácil reagruparse y regenerarse cada vez que sufran un revés. En esos países, la voluntad política de combatir a los traficantes debe promoverse desde el exterior. Corresponde a los gobiernos menos corruptos ejercer esa presión y ese respaldo fomentando la transparencia y la democracia, y forjando asociaciones eficaces con otras naciones que amplíen la confianza mutua en la lucha contra el tráfico. Pero esos gobiernos deben reconocer también el papel que a menudo desempeñan sus propias leyes como estimulantes del comercio ilícito. De qué sirve luchar contra la oferta si se protege y estimula la demanda.

Una tarea para todos

Los gobiernos no pueden hacerlo todo solos; los políticos tampoco. Alimentar la voluntad política de enfrentarse al comercio ilícito es un proyecto que nos necesita a todos. Los políticos necesitan la presión de la opinión pública para verse obligados a abordar la cuestión y sentirse respaldados cuando lo hagan, y nada de ello es posible sin un grado de conciencia pública sobre el comercio ilícito que todavía no hemos alcanzado. Harán falta los esfuerzos de activistas, periodistas, académicos, clérigos, educadores e incluso novelistas y guionistas dispuestos a retratar la realidad del actual comercio ilícito y el modo en que esta choca con los valores que no estamos dispuestos a sacrificar.

La clave reside en comprender la naturaleza de la amenaza. Mientras que la opinión pública sabe ya que las actuales organizaciones terroristas están compuestas de células flexibles y descentralizadas estructuradas como redes, gran parte del debate mediático y político sobre la lucha contra el crimen internacional sigue aludiendo de forma obsesiva a capos, cerebros y mafias. No es que tales cerebros o mafias no existan, pero la opinión pública tiene pocas ocasiones de comprender en qué consisten exactamente esas redes, hasta qué punto pueden llegar a imponerse, y en qué grado son capaces de penetrar en nuestra vida cotidiana. Por otra parte, en general el debate sigue limitándose casi exclusivamente a la amenaza de atentados terroristas. La noción de que los terroristas solo representan una pequeña parte, con motivaciones especiales, de las redes globales del comercio ilícito es poco comprendida, y lo mismo puede decirse de la capacidad de apreciar lo lejos que han llegado las redes del comercio ilícito en influir sobre la economía mundial y en adquirir poder político en muchos y muy importantes países.

Comprender la amenaza requiere aceptar las conexiones que los tráficos de distintos tipos tienden entre sí. Insistimos en concebir el tráfico de seres humanos, el narcotráfico, la piratería de software, etcétera, como mercados independientes, en el mejor de los casos con conexiones accidentales. Esta actitud nos tranquiliza en parte. No nos gusta vernos como delincuentes, y pensar demasiado en la relación que hay entre comprar un producto de moda falsificado y el tráfico de personas. Ciertamente, la mayoría de nosotros no somos delincuentes, pero saldremos ganando si comprendemos quién se beneficia de nuestras actividades y quién paga los costes, cuáles son las leyes y los incentivos que hacen que esto sea así, y cómo podemos cambiar las cosas.

Establecer esas conexiones es una tarea que compete a la sociedad civil; es decir, a todos nosotros.

¿Cómo se produce todo esto? Por medio de la educación, de la movilización, de las campañas electorales... Es una tarea ardua, y además existen otras muchas prioridades. Pero si nos paramos a considerar cuánto ha cambiado el mundo y hacia qué clase de orden mundial nos dirigimos, los argumentos a favor de la movilización contra las redes criminales globales nos parecerán tan evidentes como urgentes. Es importante darle a estas luchas una prioridad que hasta ahora no han tenido. Y un enfoque diferente al que hasta ahora gobiernos y ciudadanos han utilizado para combatir un tipo de comercio internacional que envenena la política y amenaza valores fundamentales.

13

¿Hacia dónde va el mundo?

En un mundo donde el tráfico de productos ilícitos sigue creciendo a gran velocidad, los choques ya no serán entre el este y el oeste, el norte y el sur, o entre ideologías y civilizaciones. Todos estos polos seguirán generando conflictos internacionales. Pero el mayor choque será el que existirá entre los gobiernos y las sociedades que tengan los motivos y los recursos para protegerse del comercio ilícito y las redes de traficantes criminales globalizados, y cuyo objetivo es penetrar estas sociedades y enriquecerse explotando su apetito por el consumo de productos extranjeros prohibidos. Así, nos enfrentamos a algo nuevo: la colisión entre puntos brillantes y agujeros negros geopolíticos.

En astrofísica, los agujeros negros son regiones del universo donde las leyes newtonianas de la física no son aplicables. Las páginas de este libro están llenas de ejemplos en los que tampoco son aplicables los modos de pensar tradicionales sobre política mundial y relaciones internacionales. Además, estas páginas muestran que el mundo no carece de regiones, e incluso países, que no son «normales» según los principios en que suelen basarse estudiosos y políticos. En muchos e importantes aspectos, se trata de «agujeros negros geopolíticos».

Estos agujeros negros geopolíticos son los lugares donde las redes del tráfico ilegal «viven» y proliferan.[1] Para entrar en uno de ellos no hace falta buscar muy lejos. Basta con acercarse, por ejemplo, a la Costa del Sol española, desde hace varias décadas uno de los destinos favoritos de los turistas de clase media británicos y alemanes.[2] Pese a tener una de las tasas de paro más elevadas y una de las rentas más bajas de España, Málaga, la ciudad clave de esta célebre zona turística, ha experimentado en solo cinco años un aumento del 1.600 por ciento en la construcción de viviendas privadas. ¿A qué se debe? Pues a que, tal como declararía un inspector jefe de policía al *Financial Times*, «hoy día los delincuentes son empresarios [...] quieren viajar a sitios bien comunicados, con un sector bancario eficaz, buen clima y posibilidades de anonimato. Málaga les ofrece todo eso».

En el mismo reportaje se señala que en España operan 550 grupos delictivos, la mitad de ellos extranjeros. José Antonio Alonso, el entonces ministro del Interior español, declaraba que el crimen organizado representaba «una amenaza tan grande para la seguridad de España como el terrorismo islámico». Esta podría parecer una revelación sorprendente en un país considerado uno de los principales centros de operaciones de los terroristas islámicos en Europa, y que en 2004 fue víctima de un atentado terrorista que mató a 191 personas, hirió a otras 1.500 y precipitó la derrota electoral del partido entonces en el gobierno. Pero el hecho es que en la actualidad resulta frecuente referirse a la Costa del Sol como la «Costa del Crimen». A su soleada manera, se ha convertido en un agujero negro geopolítico utilizado por toda clase de traficantes transnacionales como uno de los múltiples centros de sus redes.

Manhattan, pese a la inversión que se ha hecho desde el 11-S en blindaje y seguridad, continúa siendo el punto de entrada en Estados Unidos de las amenazas originadas en los agujeros negros geopolíticos. Y eso fue lo que se encontró el grupo del FBI y el Departamento de Policía de Nueva York que en el año 2004 investigaba el crimen organizado ruso. Haciéndose pasar por representantes de una organización terrorista, el equipo encontró a un armenio, Artur Solomonyan, y a un sudafricano, Christiaan Dewet Spies, dispuestos a venderles sofisticadas armas militares de fabricación rusa, incluyendo misiles antiaéreos termodirigidos y misiles antitanque teledirigidos. La entrega podía realizarse a conveniencia del cliente en Nueva York, Los Ángeles o Miami. También ofrecían productos aún más interesantes: como testificaría uno de los agentes en su declaración jurada, «Solomonyan le dijo al IC [informador confidencial] que también podía conseguirle uranio enriquecido, que podría ser utilizado, según le sugirió, en la red del tren subterráneo de NY».[3]

Evidentemente, también es posible que los agujeros negros geopolíticos se solapen con el territorio de un país. Los «estados fallidos» o los «países parias» pueden convertirse fácilmente en agujeros negros geopolíticos. Entre los estados fallidos se incluyen aquellos lugares remotos y aislados en los que no existe el Estado de derecho y donde caudillos militares y dirigentes despóticos ejercen su desgobierno con total impunidad y a veces de una forma absolutamente medieval. Somalia, el Congo o Haití constituyen los casos más notorios, al tiempo que Corea del Norte, el Irak de Sadam, la Bielorrusia de Lukashenko y Libia hasta 2004 suelen citarse a menudo como ejemplo de estados parias. La Venezuela de Hugo Chávez se ha convertido en un paraíso para todo tipo de traficantes internacionales.

A veces, los agujeros negros son regiones «sin ley» —es decir, anárquicas— dentro de un país, como el Transdniéster en Moldavia, el corazón montañoso de Córcega o los estados mexicanos limítrofes con Estados Unidos, partes de Colombia o Paraguay. Pueden ser regiones fronterizas que abarquen varios países, como el Triángulo de Oro en el sudeste asiático o la «triple frontera» de Sudamérica, o sistemas conformados por barrios y localidades, como las comunidades libanesas de las capitales de África occidental. Cada vez más, constituyen también un espacio virtual en Internet. El simple hecho de que resulte difícil o imposible señalarlos en un mapa no significa que no existan; al contrario, es precisamente esa cualidad la que los hace tan atractivos para las redes.

El extremo opuesto del agujero negro geopolítico es lo que podríamos denominar el «punto brillante». Lo que distingue a uno de otro no es la presencia o la ausencia de las redes ilícitas, ya que estas están en todas partes. La diferencia reside en que en el «punto brillante» existe el suficiente Estado y la suficiente capacidad cívica como para contrarrestar las redes y, a veces, vencerlas. Esa es la diferencia entre un punto brillante y un agujero negro geopolítico, y puede dividir en dos un país, una ciudad o incluso una familia.

Agujeros negros contra puntos brillantes

En la medida en que la soberanía se ve cada vez más erosionada y las naciones se enfrentan a crecientes dificultades para controlar sus fronteras, todos los indicios apuntan a que, a menos que se produzcan cambios importantes, los agujeros negros geopolíticos habitados y alimentados por las redes ilícitas no harán sino extenderse.

Los gobiernos de los países menos desarrollados, débiles de por sí, se verán aún más debilitados cuanto mayores sean las fortunas que acumulen las redes ilícitas que operan en sus territorios. Inevitablemente, las redes invertirán esas fortunas en obtener cada vez más influencia política y capacidades militares capaces de rivalizar con las de los gobiernos de los países donde operan. Al mismo tiempo, los gobiernos de los países ricos se enfrentarán a crecientes dificultades para frenar la influencia de los agujeros negros que en su territorio crean un ambiente propicio para los criminales que están discreta pero eficazmente conectados a los del extranjero. El gobierno holandés, por ejemplo, ha estado librando una difícil batalla para contener a diversas redes que operan en ese país y que constituyen un apéndice de una serie de poderosas redes de tráfico de drogas cuyo centro de operaciones es Surinam, la ex colonia holandesa de Sudamérica, convertida hoy en una «conexión» entre la región andina y Europa.[4] Ejemplos similares pueden encontrarse en toda Europa y en Japón, donde los traficantes locales gestionan redes regionales a través de China y el sudeste asiático.

Las teorías tradicionales suponen que el Estado-nación dispone de un único gobierno soberano con autoridad exclusiva sobre una jurisdicción territorialmente circunscrita. El sociólogo alemán Max Weber definía el gobierno como «la organización que ostenta el monopolio del uso legítimo de la violencia en su territorio».[5] Por otra parte, y según la definición comúnmente utilizada, el Estado-nación tiene: *a*) una población permanente; *b*) un territorio definido; *c*) un gobierno, y *d*) la capacidad de entablar relaciones con los otros estados.[6]

Ninguno de estos criterios se aplica a los agujeros negros geopolíticos. En ellos es posible que haya múltiples autoridades ejerciendo el control del mismo territorio donde los traficantes de productos ilícitos, que están conectados con redes globales de mayor envergadura, ejercen un papel decisivo en los asuntos económicos, políticos y militares.[7] Puede que los representantes del gobierno legítimo controlen la policía, las escuelas y otros aspectos de la vida civil, pero las redes de traficantes ejercerán el control de la elaboración, la protección armada y la distribución internacional de cualquier producto local que pueda ser vendido a precios elevados en los mercados mundiales, desde el opio hasta las armas, pasando por las personas. Las redes de tráfico controlarán asimismo los beneficios y dispondrán de los medios coercitivos para defender sus actividades de posibles amenazas de los gobiernos o de sus rivales en el negocio. La situación actual de numerosas zonas de Rusia, Afganistán, México, Bulgaria, Laos y muchos lugares de África y Asia encaja con esta descripción.

Un factor crucial, responsable en gran medida del poder de estos agujeros negros, es su especializada capacidad de conexión con los puntos brillantes. Una región remota, primitiva y mal gobernada —o desgobernada— no constituye un agujero negro geopolítico a menos que irradie amenazas capaces de alcanzar lugares lejanos. Las redes comerciales que operan en el ámbito internacional son los cauces a través de los cuales esas amenazas se transmiten desde los lugares remotos al resto del mundo.

En este mundo futuro, más profundamente dividido entre puntos brillantes —defendidos y fortificados— y agujeros negros —vulnerables y en poder de traficantes internacionales—, surge una importante paradoja, y es la siguiente: cuanto más traten de defenderse los puntos brillantes fortificados y coronados por el éxito económico, mayor será el valor que se obtendrá al penetrar sus fortificaciones. Cuanto más resplandezca el punto brillante, más atractivo y lucrativo resultará para las redes que operan desde los agujeros negros buscar la manera de introducir en él sus productos y servicios. El comercio ilícito está esencialmente determinado por las diferencias de precio: madera que resulta mucho más cara en Los Ángeles que en Indonesia; hojas de coca que pueden procesarse y venderse en Miami por un precio cientos de veces superior a su coste en Bolivia; trabajadores cameruneses que ganan en Londres cifras inimaginables en su país, etcétera. Cuanto más resplandezca el punto brillante, más altos serán los precios a los que podrán venderse todos esos productos ilícitos. Y cuanto más negro sea el agujero negro, más desesperada estará su población por vender sus productos, su mente, su trabajo e incluso su cuerpo a los traficantes. Juntas, estas dos tendencias crean unos diferenciales de precio aún mayores, y en consecuencia, unos incentivos todavía más irresistibles para intentar conectar los agujeros negros con los puntos brillantes.

Ideas que tienen consecuencias

Desde esta perspectiva, las conexiones entre el comercio ilícito y la seguridad (e inseguridad) global resultan tan poderosas como peligrosas. El comercio ilícito está empujando al mundo en nuevas direcciones que hasta ahora habían escapado a nuestra capacidad de comprensión, por no hablar de nuestra capacidad de frenar su crecimiento. El comercio ilícito desbocado está haciendo el mundo menos seguro. Da impulso a quienes rechazan el buen gobierno y las normas sociales. Proporciona un abrigo económico a rebeldes, ladrones y terroristas. Estimula la corrupción, perjudica al desarrollo económico, y nos hace más vulnerables a quienes obedecen las leyes y dependen de ellas para su protección. Todo eso obliga a adoptar medidas defensivas no solo a los gobiernos, sino a las sociedades enteras, con los costes, cargas y frustraciones que ello comporta. El comercio ilícito no es meramente un problema de orden público que ha estado con nosotros desde tiempo inmemorial. También es eso, pero además es una nueva amenaza, que, merced a las nuevas tecnologías, la nueva economía y la nueva política, ha adquirido la capacidad de cambiar el mundo. Ya no se trata del aumento de los índices de delincuencia, sino de la expansión de la inestabilidad mundial.

Como hemos visto en el capítulo anterior, no debemos perder

la esperanza. Se pueden hacer cosas. Pero las posibilidades de poner freno a las amenazas que representa el comercio ilícito dependen de la agresividad con que nos acerquemos a los objetivos señalados en ese capítulo, y que van desde disponer de mejores tecnologías hasta potenciar la capacidad de los gobiernos para utilizarlas de manera eficaz; una tarea imposible si seguimos sobrecargando a los organismos gubernamentales con objetivos poco realistas, o les exigimos que actúen sin contar con aliados en el extranjero ni respaldo político en su propio territorio. Y nada de todo esto será factible a menos que cambiemos nuestro modo de pensar sobre las diversas clases de comercio ilícito. Necesitamos definir con mayor claridad quiénes son los principales actores, qué es lo que les impulsa, a qué consecuencias políticas y sociales debemos enfrentarnos, y qué significa que los gobiernos no hayan sido capaces de contenerlos pese a los enormes esfuerzos e inversiones dedicados a ello. Pero sobre todo debemos utilizar lo que hemos aprendido para cuestionar las teorías predominantes en que se basan los líderes a la hora de decidir la política mundial; teorías que no están dando resultados en la lucha contra el comercio ilícito, pero que, sin embargo, continúan siendo las ideas preferidas por los políticos y los ciudadanos.

Un tablero de ajedrez muy distinto

En el año 2000, con el cambio de siglo, una eminente profesora norteamericana de una prestigiosa universidad, que por entonces asesoraba a un candidato a la presidencia de Estados Unidos, publicó un artículo en la revista *Foreign Affairs* en el que describía la situación mundial. Basándose en su interpretación acerca de dónde estaba el mundo y hacia dónde se dirigía, la profesora Condoleezza Rice, de la Universidad de Stanford, concluía que las prioridades internacionales de Estados Unidos debían ser: «Construir un ejército dispuesto a asegurar el poder norteamericano, hacer frente a los regímenes forajidos y controlar a Pekín y a Moscú». En su visión del mundo venidero, el terrorismo no figuraba como uno de los principales problemas. En ese artículo, Rice mencionaba el terrorismo solo dos veces, y más que nada como una razón para apretarles las tuercas a los pocos estados «forajidos» propensos a utilizarlo como instrumento y entre los que ella destacaba a Irak («Nada cambiará hasta que no se vaya Sadam»), Corea del Norte e Irán.

El artículo mostraba que, en la cosmovisión de la profesora Rice, lo que más importaba eran los estados-nación, especialmente aquellos que disponían de una gran capacidad militar. Así, escribía, una «tarea crucial para Estados Unidos es la de centrarse en las relaciones con otros estados poderosos», en particular China, Rusia, diversos países de Europa y la India. Esta última, explicaba, merecía una especial atención, puesto que, aunque «todavía no es una gran potencia [...] tiene el potencial para serlo»; y en lo que se refería a China, afirmaba: «Se debe buscar la cooperación, pero no hemos de temer enfrentarnos a Pekín cuando nuestros intereses choquen».

El artículo de Rice no mencionaba en ningún momento el terrorismo islámico en concreto, ni el explosivo aumento de la delincuencia transnacional. Aunque seguramente conocía la creciente amenaza planteada por lo que en la jerga de las relaciones internacionales se denominan «actores no estatales», evidentemente pensaba que había otras prioridades más importantes. En su opinión, los gobiernos eran —y seguirían siendo— los principales actores en el tablero internacional.[8]

Diecinueve meses después Rice tendría que modificar sus prioridades. Al igual que un terremoto, el 11-S resultaría a la vez trágico e instructivo. Trágico, porque mató a miles de personas. Instructivo, por lo mucho que reveló sobre el mundo de hoy. Lo único bueno de los terremotos es que proporcionan a los sismólogos muchos y muy valiosos nuevos datos sobre las fuerzas que actúan por debajo de la corteza terrestre y que de otra forma no podrían comprenderse. De manera parecida, el 11-S proporcionó información nueva y vital sobre fuerzas poderosas, peligrosas y hasta entonces casi invisibles que se hallaban profundamente enterradas bajo la corteza superficial del sistema internacional.[9]

De repente, Afganistán, una fallida y paupérrima nación situada en las antípodas de Estados Unidos y equipada solo con un escuálido ejército, se convertía en un nuevo e importante enemigo que requería atención urgente. Al mismo tiempo, un antiguo y casi simbólico adversario, Sadam Husein, cuyos supuestos vínculos con los atentados del 11-S jamás se probarían, y que muy probablemente no imaginaba que su suerte estaba echada desde aquella mañana de septiembre, pasaba a ocupar el segundo lugar en la agenda militar estadounidense. Sin embargo, la más importante de las nuevas informaciones reveladas por el terremoto del 11-S fue que una difusa entidad llamada al-Qaeda —¿un grupo religioso?, ¿un movimiento político?, ¿una red?, ¿la ONG más peligrosa del mundo?, ¿o qué?— se había convertido de pronto en la principal amenaza para Estados Unidos.

«El 11 de septiembre vino a clarificar [...] la clase de amenazas a las que debemos enfrentarnos en la era posterior a la guerra fría», declaraba Rice en una entrevista en 2002, esta vez ya en su papel de asesora de seguridad nacional del presidente de Estados Unidos. No obstante, y pese a esta recién descubierta claridad, la respuesta estadounidense al 11-S vendría a demostrar la persistencia de los viejos instintos y teorías. Frente a la perspectiva de librar una nueva clase de guerra contra un nuevo tipo de adversario apátrida, dotado de una asombrosa movilidad internacional que le permitía cruzar fronteras de manera frecuente y sigilosa, la administración Bush eligió, en cambio, librar una guerra contra estados-nación.

Frente a la complejidad de las redes de traficantes y los agujeros negros geopolíticos esparcidos por el mundo, la insistencia en buscar a los enemigos entre los estados-nación produce contradicciones y sinsentidos. Tomemos, por ejemplo, la ley aprobaba en 1999 en Estados Unidos y denominada «de Defensa Nacional Antimisiles», cuyo texto reza: «La política de Estados Unidos consiste en desplegar tan pronto como sea tecnológicamente posible un sistema de Defensa Nacional Antimisiles capaz de defender el territorio de Estados Unidos frente a un ataque con misiles balísticos de alcance limitado».[10] La puesta en práctica de este objetivo cuesta entre 7.000 y

8.000 millones de dólares al año. Mientras tanto, solo alrededor del 5 por ciento de los seis millones de contenedores de carga que entran cada año en Estados Unidos pasan por alguna clase de inspección. Entre 2002 y 2004, al programa federal de seguridad portuaria solo se le asignaron 515 millones de dólares, de los que se gastaron realmente unos 100 millones, mucho menos de lo que afirman que necesitan los guardacostas estadounidenses.[11]

Mientras que la necesidad de diseñar un escudo tipo «Guerra de las Galaxias» que proteja a Estados Unidos de un ataque con misiles balísticos sigue siendo motivo de polémica, la de reforzar la seguridad portuaria no lo es. Pese a ello, la defensa antimisiles obtiene una enorme cantidad de dinero, todo lo contrario que la seguridad portuaria.

Obviamente, el programa de defensa antimisiles es anterior a la llamada de atención que supuso el 11-S; pero ¿cuánto ha cambiado realmente la mentalidad estadounidense previa al 11-S? Por ejemplo, aunque tanto Europa como Estados Unidos amenazaron a Irán por el desarrollo de su programa nuclear, Estados Unidos aceptó esperar hasta después de 2008 para abordar la seguridad de las armas nucleares rusas y otros materiales «sensibles». Es un hecho bien conocido que en Rusia dichos materiales se almacenan en malas condiciones y están custodiados por guardas a los que no resulta difícil convencer de que no sean demasiado diligentes en el desempeño de sus tareas.[12]

Sin embargo, sería extremadamente injusto suponer que la cosmovisión que guiaba estos puntos de vista era una doctrina aberrante sostenida por un pequeño grupo de gobernantes extremistas de Washington. Por el contrario, las opiniones expresadas por Rice y otros se hacían eco de una línea de pensamiento eminentemente respetable que ha dominado la concepción de la política mundial durante años, o, mejor dicho, durante siglos.

Viendo el mundo con lentes opacos

Se trata de los llamados «realistas».[13] Los libros de texto explican que los integrantes de esta escuela de pensamiento creen que los estados-nación soberanos representan el elemento constitutivo más fundamental e importante del sistema internacional. En consecuencia, y puesto que cada nación es relativamente independiente (soberana) y no tiene que responder a los designios de ninguna autoridad superior, el sistema de naciones es intrínsecamente anárquico. Los estados interactúan entre sí ejerciendo su poder en aras de sus intereses nacionales. El resultado es la denominada *realpolitik*, término acuñado por el canciller alemán Otto von Bismarck en el siglo XIX para describir lo que consideraba «la política de la realidad»;[14] en otras palabras, el arte de afrontar el mundo como es, y no como uno quisiera que fuese.

De acuerdo con esta visión, no son las ideas, los valores o la ética los que dictan el comportamiento de una nación con respecto a las demás, sino el poder y otras consideraciones prácticas, como la capacidad militar, los recursos, la geografía, la población, etcétera. Si uno desea pronosticar las acciones de un país en el ámbito internacional, debe observar cuáles son sus necesidades y comparar su poderío militar con el de los otros países. Eso le dirá más sobre su probable conducta futura que cualquier declaración que puedan hacer sus líderes.

La perspectiva realista tiene un rancio abolengo, y sigue disfrutando de amplia aceptación entre numerosos académicos influyentes.[15] En 1998 le pedí al profesor de Harvard Stephen Walt, uno de los más prestigiosos expertos en relaciones internacionales del mundo, que escribiera un artículo para la revista *Foreign Policy* en el que hiciera un repaso de las principales escuelas de pensamiento sobre política mundial y examinara cuál era la posición de cada una de ellas frente a los cambios surgidos en la década de 1990. En su artículo, Walt concluía que «el final de la guerra fría no supuso el fin de la política del balance de poder entre naciones, y el realismo probablemente seguirá siendo la herramienta más útil en la caja de instrumentos que usamos para comprender el mundo».

En 2004, tres años después del 11-S, solicité a Jack Snyder, otro destacado experto y profesor de la Universidad de Columbia, que valorara cómo habían afectado los atentados terroristas y la respuesta de Estados Unidos a la opinión de los expertos en política mundial. Snyder señaló que ninguna institución, ley o norma, como así tampoco la «comunidad internacional», habían podido restringir las decisiones unilaterales de un país, Estados Unidos, que tenía la capacidad militar y la voluntad de atacar a otros en aras de lo que percibía como su interés nacional. En otras palabras, los acontecimientos se habían desarrollado en gran medida tal como habrían pronosticado los realistas. Al igual que hizo su colega Walt seis años atrás, Snyder concluía que el modelo realista seguía siendo la lente más fiable a la hora de examinar la dirección de la política mundial.

Por supuesto, existen visiones alternativas. Una de ellas es el liberalismo, término que en las relaciones internacionales adquiere un significado muy concreto.[16] En lugar de centrarse en la lucha de poderes, la supervivencia y el predominio entre las naciones, el liberalismo atribuye una gran importancia a los factores que *inhiben* a las naciones de emplear la fuerza unas contra otras. Desde esta perspectiva, el comercio internacional, la democracia y las instituciones políticas globales crean una red de restricciones que disminuye tanto el atractivo como la viabilidad de ir a la guerra. Cuantos más países se encuentren vinculados por el comercio y la inversión, menor será la probabilidad de que se ataquen mutuamente. Por otra parte, sostiene el liberalismo, las democracias responsables ante sus votantes resultan menos proclives a iniciar guerras que los regímenes autoritarios. Y las instituciones tales como la Unión Europea, la OTAN y los tratados de Libre Comercio reducen la probabilidad de un conflicto armado entre sus países miembros.

Realistas y liberales contemplan el futuro de modo distinto. Evaluando el auge de China, por ejemplo, los realistas estadounidenses muestran su preocupación por la posibilidad de que dicho país se haga lo bastante rico como para permitirse un ejército poderoso, convirtiéndose así en un importante rival de Estados Unidos en los asuntos internacionales. Desde la perspectiva del liberalismo, sin embargo, el auge económico de China es un objetivo que vale la pena fomentar antes que temer. Integrar a China en la Organización Mundial del Comercio, por ejemplo, y asegurar que se involucre en una red de relaciones comerciales y de inversión con otros países, hace más en favor de la paz mundial que tratar de frenar su ascenso económico, sencillamente porque convierte la posibilidad de ir a la guerra en algo prohibitivamente caro para los líderes chinos.

Otra importante escuela de pensamiento que trata de explicar y predecir la política mundial es el idealismo.[17] Esta visión hace hincapié en el papel de las creencias, las ideas, la cultura, y las narrativas e identidades sociales en la configuración de la conducta de los estados-nación y de las élites dirigentes. Existen también otras teorías, normalmente variaciones o combinaciones de estas cosmovisiones generales. Una de ellas es el planteamiento «neoconservador», un término que se hizo bastante popular para designar la política exterior y las decisiones militares de la administración Bush a partir del 11-S. Esta visión y sus partidarios —los llamados *neocons*— abogan por una acción agresiva, y en caso de ser necesario unilateral, por parte de Washington para promover lo que se considera que son los «valores estadounidenses» —la democracia, los derechos humanos y el mercado libre— y mantener la hegemonía global de Estados Unidos. (En realidad, pocos de los principales integrantes del equipo de Bush aceptan la etiqueta de *neocons*; como tampoco los principales miembros del movimiento *neocon* aceptan que sus principios definen exactamente las decisiones del gobierno estadounidense durante la presidencia de Bush.)[18]

Los debates políticos entre estas escuelas de pensamiento pueden estallar, y de hecho estallan, con furia, tanto en Washington como en otras capitales del mundo. Sin embargo, y pese a sus diferencias fundamentales, todas estas teorías de las relaciones internacionales comparten la misma marcada propensión a concebir los estados-nación soberanos como los principales actores de la escena mundial. Difieren en cuanto a los factores que motivan a las naciones y en lo relativo a las fuerzas que interfieren en su autonomía, pero en el fondo todas ellas siguen haciendo de los estados soberanos el centro de su atención y las piezas clave de su argumentación.

Muchos pensadores influyentes siguen considerando improbable que en el futuro ocurra algo de importancia vital o con efectos duraderos en los asuntos internacionales sin la participación activa de algún Estado-nación. Señalan, por ejemplo, que sentados a la mesa junto a los contrabandistas nucleares de A. Q. Khan estaban Libia, Irán y Corea del Norte, gobiernos soberanos empeñados en obtener un potencial nuclear para promover sus intereses nacionales. Así, la participación activa de varios gobiernos puede utilizarse para «probar» que los estados-nación soberanos siguen siendo los principales motores de la política mundial. Pero la cosa no es tan sencilla. En efecto, los que compraban eran estados-nación, pero las que vendían eran redes apátridas, y ambos, juntos, estaban cambiando el mundo.

Aun así, muchos reputados expertos se niegan a dar tanta importancia a actores distintos de los estados. En su artículo sobre el pensamiento político más reciente tras el 11-S, actualizado por la nueva conciencia del terrorismo internacional, el profesor Snyder escribía que «han sido los estados, no las Naciones Unidas ni Human Rights Watch, los que han encabezado la lucha contra el terrorismo [...] Las ideas sobre el realismo político [...] difícilmente van a quedar obsoletas por que existan algunos grupos no estatales capaces de recurrir a la violencia».[19]

Muchos políticos influyentes también se han mostrado reacios a aceptar la idea de que las redes globales han adquirido un potencial significativo y están en situación de actuar sin el respaldo de un Estado-nación. En sus memorias, Richard A. Clarke, el responsable del departamento antiterrorista de la Casa Blanca entre 1998 y 2003, escribe que se dio cuenta «de que Rice y su adjunto, Steve Hadley, seguían operando según el viejo paradigma de la guerra fría» nacido ante las amenazas planteadas por los miembros del Pacto de Varsovia y la Unión Soviética hasta 1989. Y recuerda haberles dicho: «Las fronteras entre lo nacional y lo internacional se han difuminado. Las amenazas a Estados Unidos no son ahora las bombas que llevan los misiles balísticos soviéticos, sino las bombas que llevan los terroristas».

Clarke pasa luego a explicar que en abril de 2001, tras convocar una reunión sobre al-Qaeda en la Casa Blanca, se encontró con que algunos de sus colegas no compartían su alarma ante los peligros que amenazaban a Estados Unidos. Y escribe que, cuando subrayó la necesidad de perseguir a al-Qaeda...

> Paul Wolfowitz, subsecretario de Defensa de Donald Rumsfeld, se agitó inquieto con el ceño fruncido. Hadley le preguntó si tenía alguna duda.
>
> —Bueno, simplemente no entiendo por qué nos ponemos a hablar de ese tal Bin Laden —respondió Wolfowitz.
>
> Yo le dije con todo el vigor y claridad de que fui capaz:
>
> —Hablamos de una red de organizaciones terroristas llamada al-Qaeda, que resulta que está dirigida por Bin Laden, y hablamos de esa red porque ella, y solo ella, plantea una amenaza seria e inmediata para Estados Unidos.
>
> [...] Finalmente, Wolfowitz se dirigió a mí:
>
> —Da usted demasiada importancia a ese Bin Laden. Él no podría hacer cosas como el atentado de 1993 en Nueva York; no sin el respaldo de un Estado.[20]

Como hoy sabemos, al-Qaeda y Bin Laden siguen representando una amenaza a pesar de que ningún Estado les respalde abierta y activamente. Fueron redes apátridas las responsables de los atentados del 11-S en Nueva York y el 11-M en Madrid. Y serán redes apátridas las que vuelvan a atentar.

Fronteras asimétricas

Todas las fronteras tienen filtraciones; siempre. Ni siquiera el Estado policial más feroz es capaz de sellar por completo sus fronteras nacionales. El periódico británico *The Guardian* publicó en 2004 esta información enviada desde las orillas del río Yalu, que separa China de Corea del Norte:

> Aquí y allá pueden verse figuras indefinidas a ambos lados del brumoso río llevando a cabo un comercio ilegal —aunque floreciente— con mujeres, especies amenazadas, alimentos y electrodomésticos que pone en ridículo la reputación de Corea del Norte de ser un Estado severamente controlado e internacionalmente aislado.[21]

¡Y estamos hablando de un país supuestamente hermético como Corea del Norte! Lógicamente, cuanto más libre es un país, tanto política como económicamente, mayores son los obstáculos con los que se encuentra el gobierno a la hora de ejercer un control efectivo de sus fronteras.

De ahí el tema que recorre todo este libro: la década de 1990 presenció una serie de cambios políticos, tecnológicos y económicos que vinieron a romper las barreras hasta entonces utilizadas por los estados-nación para controlar sus fronteras. Dichos cambios beneficiaron más a los traficantes que a los gobiernos. Por supuesto que en la década de 1990 también los gobiernos ganaron en capacidad para operar a escala internacional, especialmente gracias a los avances en los viajes y las telecomunicaciones; pero insistimos: los más beneficiados por los cambios fueron los traficantes.

Esto ha hecho que las fronteras sean ahora desequilibradas, asimétricas. Mientras que una frontera parece una pendiente empinada difícil de salvar cuando se observa desde la perspectiva de un organismo gubernamental, si se contempla desde la perspectiva de los traficantes se ve como una cuesta suave y seductora. Estos últimos disponen de los instrumentos, los recursos, los cómplices y la pericia necesarios para cruzar las fronteras, y, obviamente, cuando la maniobra se ve coronada por el éxito, al final del camino suele haber un montón de dinero esperando. Las fronteras protegen a los traficantes de sus perseguidores, que no pueden darles alcance fuera de los límites de su jurisdicción sin la participación oficial y activa de las autoridades competentes del otro país, un proceso que resulta difícil de organizar, burocráticamente tedioso, y sujeto a toda clase de problemas de desconfianza y falta de coordinación. Además, las fronteras permiten a los gobiernos crear las diferencias de precios que generan las oportunidades de obtener los enormes beneficios que hacen ricos a los traficantes que compran barato de un lado y venden caro de otro.

En resumen, las fronteras son el mejor amigo de los traficantes y representan un enorme quebradero de cabeza para quienes los combaten. Esta asimetría no es nueva, pero se ha hecho más marcada, y de cara al futuro parece sensato suponer que lo más probable es que las fronteras asimétricas lo sean cada vez más.

Cuando la soberanía es un peligro

Una de las cuestiones más espinosas de nuestra época es la de la soberanía.[22] El principio de no intervención por el que un estado no tiene derecho a intervenir en los asuntos internos de otro se ve revocado cada vez con mayor frecuencia, a menudo por razones humanitarias: la intervención armada de la OTAN en Yugoslavia para poner fin a la «limpieza étnica» o las operaciones de pacificación de la ONU en diversos estados asolados por conflictos internos son algunos ejemplos de ello. Paralelamente, el Fondo Monetario Internacional (FMI) y el Banco Mundial imponen constantemente determinadas condiciones de política económica a los países que dependen del respaldo financiero de dichas instituciones, lo cual afecta a su soberanía.

Es obvio que los traficantes violan continuamente la soberanía de los estados, y no solo por hacer contrabando. En muchos países —a menudo con el respaldo de sus socios extranjeros— se apoderan del propio Estado o de las administraciones locales utilizando su dinero para influir en la política y situar a sus cómplices en el poder. A través de la fuerza y la violencia han obtenido el control de grandes franjas de territorio o de barrios enteros de grandes ciudades. En muchas áreas metropolitanas de ciudades como Río de Janeiro, Manila, Ciudad de México, Bangkok o El Cairo, existen grandes y poblados sectores que en la práctica se hallan bajo el control de las redes de traficantes y delincuentes, antes que de la administración local.

Algunos aspectos de este fenómeno no son nuevos. La soberanía jamás ha sido absoluta, y con frecuencia se ha pronosticado, equivocadamente, la muerte del Estado-nación. Los estados-nación no están a punto de desaparecer, y seguirán constituyendo el principal componente del sistema internacional. Pero pensar en la soberanía sin tener en cuenta las termitas que la están royendo —o suponer que el poder del Estado es capaz de neutralizar su impacto construyendo vallas o sellando electrónicamente las fronteras— equivale a ignorar toda una serie de señales de alerta bastante evidentes. Una y otra vez los diversos parlamentos y cámaras legislativas aprueban leyes que aspiran a hacer las fronteras del país más resistentes a la penetración ilícita. Y una y otra vez esas leyes se basan en suposiciones sobre diversas capacidades que los gobiernos sencillamente no tienen y no parece probable que vayan a adquirir.

Casi a diario, un nuevo informe publicado por instituciones totalmente fidedignas documenta la incapacidad de los gobiernos para controlar las fronteras nacionales. Según un estudio publicado en 2005 por la Organización para la Seguridad y la Cooperación en Europa (OSCE), el tráfico de seres humanos va en aumento.[23] «El problema no disminuye [...] sino que está haciéndose más clandestino», decía Helga Konrad, de la OSCE. Otro informe revelaba que en 2005 el número de inmigrantes ilegales que vivían en España era el triple que en 2001.[24] Y pese a los enormes esfuerzos e inversiones realizados, Estados Unidos está fracasando a la hora de defenderse del ataque de las termitas, que no parecen tener ningún problema en roer sus fronteras. Pese al incremento de la vigilancia fronteriza a partir del 11-S, el número de inmigrantes ilegales que entran en el país sigue creciendo al mismo ritmo que en la década de 1990.[25] Pero no son solo los inmigrantes ilegales los que violan las fronteras. La afluencia de toda clase de productos ilícitos a través de estas no solo no se ha reducido sino que se está expandiendo.

Por otra parte, los gobiernos de los ejemplos anteriores se encuentran entre los más ricos del mundo, y su burocracia pública resulta comparativamente más capacitada y dotada de talento, dinero y tecnología. Pero la nación «normal», o «media», del mundo actual —como, por ejemplo, Brasil, la India, Indonesia, Argentina, Tailandia o Egipto— no dispone de las mismas capacidades y, en consecuencia, resulta más vulnerable a la influencia de las redes de traficantes.

Aunque el Estado como institución seguirá existiendo durante mucho tiempo, su capacidad de responder a las expectativas tradicionales con respecto a la soberanía nacional probablemente siga declinando. De ahí la necesidad de nuevos modos de concebir la soberanía. Aunque para muchos ciudadanos la «soberanía nacional» es un concepto sagrado, para los traficantes se ha convertido en algo vacío de contenido, un concepto que violan constantemente.

Debemos considerar la posibilidad de que continuar apegados a las viejas ideas sobre la soberanía esté frenando la evolución del Estado-nación y, en consecuencia, debilitando la seguridad de sus ciudadanos. Quizá esto parezca difícil, o incluso improbable, pero resulta más factible garantizar la soberanía nacional y la seguridad pública mediante la estrecha colaboración de un gobierno con otras naciones aliadas en la lucha contra los traficantes que a través de los constantes intentos de sellar las fronteras con tapones que a la hora de la verdad no funcionan. «Cerrar las fronteras» es algo que ciertamente resulta atractivo para los sentimientos nacionalistas y el instinto humano básico de construir fosos y vallas para protegerse; pero cuando las amenazas viajan a través de cables de fibra óptica, o cuando encontrar el modo de hacer que un cargamento cruce la frontera garantiza riquezas inimaginables o la posibilidad de una vida mejor, confiar únicamente en medidas de seguridad unilaterales resulta muy cuestionable.

Lo anterior no significa que los países deban abdicar del derecho a salvaguardar sus fronteras o reafirmar su cultura y sus valores, pero suponer que están en condiciones de rechazar con éxito las posibles amenazas simplemente fortaleciendo sus controles fronterizos constituye una idea absolutamente ingenua. Por desgracia, esta medida representa también una promesa política tan deshonesta como atractiva para votantes asustados ante las nuevas y desconcertantes amenazas que vienen «del extranjero». La idea de que las fronteras han perdido gran parte de su capacidad para mantener a raya las amenazas exteriores no representa precisamente un mensaje que muchos votantes quieran oír o que los políticos estén especialmente ansiosos de transmitir.

«Cherchez l'État»

En las películas policíacas clásicas, los detectives solían aplicar una fórmula que les ayudaba a resolver los crímenes: *cherchez la femme*, «busque a la mujer». El comportamiento atípico de un hombre siempre hallaba en la pasión desatada por una mujer su principal motivo. Encuentre a la mujer y tendrá el rompecabezas resuelto. Un instinto parecido tiende a guiar a los pensadores y a los responsables de tomar las decisiones en lo que a asuntos internacionales se refiere. Para ellos, cuando algo ocurre en el mundo, basta con seguir esta pauta: *cherchez l'État*: busque el Estado que hay detrás y estará en el camino correcto para entender la situación.

Sin embargo, la expansión global de las redes comerciales ilícitas sugiere algo completamente distinto. Todas las evidencias del tráfico ilegal de armas, drogas, seres humanos, falsificaciones, blanqueo de dinero, órganos, animales, residuos tóxicos y demás —por no hablar del terrorismo internacional— nos señalan una y otra vez a la fuerza impulsora que ejercen las redes internacionales a la hora de erosionar la autoridad de los estados, de corromper a las empresas y gobiernos legítimos y de apropiarse sus instituciones e incluso sus objetivos.

Los estados están implicados, pero no del modo que tan familiar les resulta a las teorías más extendidas de las relaciones internacionales. Se supone que los estados soberanos son unitarios. Están dirigidos por burocracias que se basan en la coordinación y la jerarquía (pese a todas las disfunciones que ello genera), y toman las decisiones últimas, como ir a la guerra, contraer deuda, comprar armamento, recaudar impuestos o dispensar ayuda exterior.

No obstante, la clase de vínculos que las redes desarrollan en la actualidad dentro de los gobiernos, y viceversa, deberían obligarnos a reconsiderar los factores que configuran el funcionamiento del sistema internacional. Los gobiernos tienden a estar parcialmente implicados en las redes por ejemplo, a través de un ministro deshonesto o un científico financiado por el Estado, de un cuerpo de seguridad que es leal a una poderosa facción política financiada por los traficantes, de la gestión relativamente autónoma de una empresa pública con vocación criminal o, sencillamente, de la acumulación de centenares de pequeños actos de corrupción realizados por pequeños funcionarios en aeropuertos y puestos fronterizos. Los escuadrones de élite de la policía nacional camboyana hacen redadas en los mismos burdeles que cuentan con la protección de los jefes locales de la propia policía. El alto oficial del ejército encargado de la lucha contra el narcotráfico en México está hoy en la cárcel tras ser condenado por colaborar con los traficantes.[26] En 2004, el Parlamento lituano acusó al presidente Ronaldas Paksas de haber aceptado dinero del empresario ruso Yuri Borosov, vinculado a la mafia rusa;[27] el Departamento de Seguridad Estatal de Lituania había registrado unas conversaciones en las que Borosov le decía al presidente que se convertiría en un «cadáver político» si no cumplía con el «acuerdo».

Es probable que en algunos de esos casos solo se trate de «manzanas podridas» aisladas, pero hay evidencias crecientes de acuerdos más estructurados y organizados entre redes de traficantes y grupos de individuos que trabajan en las más altas esferas gubernamentales. Estados Unidos ha «establecido claramente que en Corea del Norte ha habido diplomáticos, militares y funcionarios del partido o el gobierno implicados en el contrabando de narcóticos», y que «se han utilizado bienes de titularidad pública, especialmente barcos, para facilitar y respaldar operaciones de narcotráfico internacional».[28] En Perú, Vladimiro Montesinos, jefe del servicio nacional de inteligencia y responsable de la lucha contra la insurgencia y el narcotráfico entre 1990 y 2000, está hoy en la cárcel acusado de dirigir importantes operaciones internacionales de tráfico de drogas y de armas, así como de blanqueo de dinero.[29] Se sabe asimismo de altos oficiales del ejército chino involucrados, junto a sus parientes, en operaciones de producción de falsificaciones.[30] En Bielorrusia, el Transdniéster o Nigeria, el tráfico ilícito constituye un sector indispensable de la economía. Resulta difícil imaginar que nada de esto haya sido posible sin el respaldo activo y prolongado de altos funcionarios del gobierno. La política y la toma de decisiones en los países de la antigua Unión Soviética no puede comprenderse sin la influencia y los intereses de los traficantes.

La «criminalización del interés nacional» constituye una de las más importantes tendencias ignoradas de nuestra época. El Estado es un actor fundamental en los asuntos mundiales, y a menudo son los intereses nacionales los que impulsan su conducta; pero está ampliamente confirmado que en determinados países esos intereses nacionales han sido secretamente —y a veces no tan secretamente— capturados por criminales.

Eso no significa necesariamente que un gobierno que está implicado en una red ilícita se halle total y absolutamente involucrado en ella, o siquiera que la totalidad de los principales responsables de las decisiones políticas del país tengan un conocimiento completo de esas actividades. Y sería un error aún mayor suponer que porque un funcionario o un representante del gobierno está implicado en una transacción ilícita todos los factores que han intervenido en ella han requerido el respaldo del Estado. Lo más frecuente es que esos funcionarios representen solo un engranaje de la maquinaria, y no el motor en sí. Proporcionan a los comerciantes ilícitos documentos falsos, facturas infladas, bienes preciosos para vender en el mercado mundial, protección armada y la oportuna distracción gubernamental que permite que el negocio se complete con éxito. Al mismo tiempo, también pueden ser clientes. Pero raramente representan la única opción. En la economía actual, quienes comercian de manera ilícita son libres de cambiar de cómplices gubernamentales como cambian de líneas aéreas, de banqueros o de operadores de telefonía móvil. De modo inverso, también los altos funcionarios con ansias de beneficios extraordinarios son libres de alternar las redes de comercio ilícito a las que conceden sus favores.

Resulta patente, por ejemplo, que aunque la red de A. Q. Khan se hallaba profundamente enraizada en el Estado paquistaní, sus ventas de tecnología nuclear a Corea del Norte o a Irán eran una expresión del apetito financiero de los principales miembros de la red antes que de acciones calculadas para potenciar los intereses nacionales de Pakistán.[31] Y A. Q. Khan no es el único empresario privado que se dedica comercialmente a la proliferación de armas nucleares. Con el ascenso al poder en Ucrania del nuevo gobierno de Yúshenko en 2005, se descubrió que durante la anterior administración los traficantes de armas enviaron a China e Irán 18 misiles con capacidad nuclear Kh-55, capaces de alcanzar objetivos situados a casi 3.000 kilómetros de distancia cargados con una bomba de 200 kilotones.[32] Según la agencia Associated Press, esas ventas eran ilegales y contravenían la política oficial del gobierno ucraniano. Una vez más, el motivo de tales acuerdos no era de índole política, sino, sencillamente, el de obtener beneficios, y los intereses nacionales de Ucrania no tenían nada que ver con la decisión.

Parece probable que envíos de equipamientos y materiales tan peligrosos como los mencionados, habrían salido antes a la luz, posibilitando una respuesta más oportuna, si se hubieran investigado seriamente. Es decir, si desde un primer momento hubiéramos partido de la suposición de que el modo más probable de transferir material nuclear en una economía mundial globalizada como la actual era a través de redes apátridas y descentralizadas, con la participación oportunista de funcionarios, y no por medio de los esfuerzos orquestados de naciones «forajidas».

En otras palabras, ya es hora de que la fórmula de *cherchez l'État* dé paso a la de *cherchez le réseau* —esto es, «busque la red»— cuando se trate de explicar, y a la larga de anticipar y prevenir, posibles situaciones problemáticas de alcance mundial.

El mundo venidero

Por ahora, la tendencia va a más. Más tráfico, más agujeros negros, más conflicto y confusión, y unas fronteras que siguen siendo porosas pese a los intentos de los gobiernos por impedirlo.

Pero ¿se trata de una tendencia irreversible? ¿Estamos destinados a descender a un mundo de fortalezas asediadas rodeadas de guetos desamparados?

Si uno cree única y exclusivamente en el poder de la motivación del lucro, la respuesta tiene que ser sí.

Si uno cree que las ideas pueden cambiar el mundo, entonces la respuesta es no.

La historia, sin embargo, nos ha enseñado a creer en ambas cosas. Los beneficios jamás derrotarán del todo a las ideas, ni estas erradicarán jamás el incentivo del lucro.

Detener la tendencia —y salir de la espiral descendente— requerirá echar mano de ambos elementos. La única forma de poner freno al ascenso del comercio ilícito es atacar aquello que lo hace rentable. Solo las ideas nuevas que tengan en cuenta los profundos cambios que la globalización ha representado para los estados, los gobiernos, la política y la vida en sociedad —cambios impulsados diariamente por fuerzas como el comercio ilícito y las redes transnacionales— pueden ayudarnos a entender dónde estamos.

Y del mismo modo que al pensar en el futuro anhelamos un mundo con menos tráfico ilegal, violencia y explotación, también podemos volver la vista al pasado y recordar a un pensador cuya valoración del comercio ilícito —ya en 1776— fusionaba perfectamente la comprensión del afán de beneficios y el poder de las ideas. Escribía Adam Smith:

> Son escasos quienes tienen escrúpulos por el contrabando, cuando se les presenta la oportunidad de beneficiarse del mismo. Pretender que se tienen escrúpulos a la hora de comprar géneros de contrabando [...] se consideraría en muchos países una de esas pedantes muestras de hipocresía.[33]

Esta sencilla verdad aún persiste, amplificada a escala planetaria y extendida a cualquier mercancía imaginable. Encontrar un modo de hacer mejor el mundo sin eludir esta verdad es al mismo tiempo nuestro reto y nuestra oportunidad.

Notas

1. Las guerras que estamos perdiendo

1. Oliver August, «Clinton's Mentor Was Mao, Chinese Readers Are Told», *The Times Online* (Londres), 21 de julio de 2004.
2. Sergio Dahbar, «Papel Literario: Gabo debería escribir una historia de piratas», *El Nacional*, 23 de octubre de 2004.
3. Weerayut Chokchaimadon, «Set a Thief to Catch a Thief», *Korea Herald*, 17 de noviembre de 2003.
4. Kathy Marks, «Cambodian Police Close Dozens of Child-Sex Brothels», *Independent* (Reino Unido), 25 de enero de 2003; Kathy Marks, «The Skin Trade: High-Profile Investigations into Pedophilia Are Headline News», *Independent* (Reino Unido), 22 de enero de 2001, pp. 4-5.
5. Según el gobierno estadounidense, en 2004 había 17 países que tenían leyes concretas, exhaustivas y vigentes contra este tráfico. U.S. Department of State, Office to Monitor and Combat Trafficking in Persons, «Trafficking in Persons Report», 14 de junio de 2004, wwvv.state.gov/g/tip/rls/tiprpt/2004/33187.htm.

2. Los contrabandistas globales están cambiando el mundo

1. «International Pricing and the Death of Distance», *International Telecommunication Union, TELECOM*, www.itu.int/telecomwt99/press_service/information_for_the_press/press_kit/backgrounders/backgrounders/telecoms_pricing-next.html#International.
2. David Feingold, «Think Again: Human Trafficking», *Foreign Policy*, 2005.
3. United Nations Office on Drugs and Crime, «2004 World Drug Report: Executive Summary», 2004, p. 17.

4. United Nations Office for the Coordination of Humanitarian Affairs, «Small Arms», ochaonline.un.org/webpage.asp?Page=528.Véase también «Small arms responsible for 4 million deaths in intrastate and regional conflicts since 1990» y «14 million refugees from conflicts where small arms/light weapons are used», en «The Extent and Dangers of the Illicit Small Arms and Light Weapons Trade», U.S. State Department Fact Sheet, 19 de julio de 2001.

5. Frances Williams, «WHO Launches Drive to Stamp Out Fake Drugs», *Financial Times*, 12 de noviembre de 2003, p. 14.

6. Discurso pronunciado por Michel Camdessus, director ejecutivo del Fondo Monetario Internacional, en la Reunión Plenaria del Grupo de Trabajo de Acción Financiera contra el Blanqueo de Dinero, París, 10 de febrero de 1998.

7. Peter Reuter y Edwin M. Truman, *Chasing Dirty Money: The Fight against Money Laundering*, Washington (DC), Institute for International Economics, 2004, p. 13.

8. Moisés Naím, «Washington Consensus or Washington Confusion?», *Foreign Policy*, primavera de 2000, pp. 87-103; Moisés Naím, «Washington Consensus: A Damaged Brand», *Financial Times*, 28 de octubre de 2002, p. 15.

9. Robert Lawson y James Gwartney, «Economic Freedom Is on the Rise», CATO *Institute Daily Commentary*, 19 de julio de 2004, www.cato.org/dailys/07-19-04-2.html.

10. Supachai Panitchpakdi, director general de la OMC, «The Doha Development Agenda: What's at Stake for Business in the Developing World?», *International Trade Forum*, n.° 2, 2003, pp. 4-5.

11. Thomas L. Friedman, *The Lexus and the Olive Tree: Understanding Globalization*, Farrar, Straus and Giroux, Nueva York, 1999, pp. 83 y ss.

12. Entrevista del autor al presidente César Gaviria, Washington, 25 de enero de 2005.

13. Gabriele Galati y Michael Melvin, «Why Has FX Trading Surged? Explaining the 2004 Triennial Survey», *BIS Quarterly Review*, diciembre de 2004, p. 68; Tom Abate, «Banking's Soldiers of Fortune: Foreign Exchange Traders on Front Line of Currency War», *San Francisco Chronicle*, 7 de diciembre de 2004.

14. Cálculo estimado de Bear Stearns, citado en U.S. Congress, House Committee on Financial Services, *Financial Aspects of Internet Gaming: Good*

Gamble or Bad Bet?, Statement of Rep. Sue Kelly, 107th Cong., 1st sess., 12 de julio de 2001.

15. Marc Kaufman, «Internet Drug Ring Broken», *Washington Post*, 21 de abril de 2005, p. A3.

16. Entrevista del autor a James Moody, ex agente del FBI, 6 de enero de 2005, Reston, Virginia.

17. Robert Rotberg, ed., *When States Fail: Causes and Consequences*, Princeton University Press, Princeton (NJ), 2004; Francis Fukuyama, *State-Building: Governance and World Order in the Twenty-first Century*, Cornell University Press, Ithaca (NY), 2004.

18. Ivan Cairo, «Eight Nabbed in Joint Suriname-Holland Anti-Drug and Money Laundering Operation», *Caribbean Net News*, 4 de marzo de 2005.

19. «Tajikistan: Stemming the Heroin Tide», IRINews.org, UN Office for the Coordination of Humanitarian Affairs, www.irinnews.org/webspecials/opium/regTaj.asp.

20. John McMillan y Pablo Zoido, «How to Subvert Democracy: Montesinos in Peru», *Journal of Economic Perspectives*, 18, n.° 4, otoño de 2004, pp. 69-92; entrevista del autor a Roberto Dañino, ex primer ministro de Perú, noviembre de 2004, Washington.

21. Entrevista del autor a un ex agente de M16 británico, Londres, 20 de enero de 2004.

22. «The Worldwide Threat 2004: Challenges in a Changing Global Context», testimonio del director de la CIA, George J. Tenet, ante el Comité del Senado estadounidense sobre Espionaje, 24 de febrero de 2004, Washington.

23. «Las FARC ganaron $783 millones por droga en el 2003», *El Nuevo Herald* (Miami), 8 de marzo de 2003, basado en un despacho de la agencia France Presse.

24. Douglas Farah, *Blood from Stones: The Secret Financial Network of Terror*, Broadway Books, Nueva York, 2004, pp. 47-62.

25. Phil Williams, ed., *Russian Organized Crime: The New Threat*, Frank Cass Publishers, Londres, 1997; Alena V. Ledeneva y Marina Kurkchiyan, eds., *Economic Crime in Russia*, Kluwer Law International, Nueva York, 2000; Chrystia Freeland, *Sale of the Century: Russia's Wild Ride from Communism To Capitalism*, Times Books, Nueva York, 2000; David Satter, *Darkness at Dawn: The Rise of the Russian Criminal State*, Yale University Press, New Haven, 2004.

26. Entrevista del autor a Maureen A. Baginski, subdirectora ejecutiva de la Oficina de Inteligencia del FBI, Washington, 17 de noviembre de 2004.

27. «Wal-Mart Pays $11M to Settle Illegal Immigrant Janitors Case», *USA Today* y Associated Press, 18 de marzo de 2003.

3. El supermercado de armas cortas y bombas grandes

1. «A Tale of Nuclear Proliferation: How a Pakistani Built His Network», *New York Times*, 12 de febrero de 2004, p. A1; Stephen Fidler y Victoria Burnett, «The Nuclear Entrepreneur: "Khan's Network Shows Terrorists Have a Lot More Options Than We Thought"», *Financial Times*, 7 de abril de 2004.

2. Anthony Barnett, «Revealed: How Pakistan Fuels Nuclear Arms Race», *The Observer*, 18 de enero de 2004, p. 24; «Sold», *The Economist*, 7 de febrero de 2004.

3. Owen Bowcott, Ian Traynor, John Aglionby y Suzanne Goldenberg, «Briton Key Suspect in Nuclear Ring», *The Guardian*, 12 de febrero de 2004, p. 1.

4. Raymond Bonner, «Salesman on Nuclear Circuit Casts Blurry Corporate Shadow», *New York Times*, 18 de febrero de 2004, p. A1.

5. Ian Traynor, «Pakistan's Nuclear Hero Throws Open Pandora's Box», *The Guardian*, 31 de enero de 2004, p. 16; William J. Broad y David E. Sanger, «Warhead Blueprints Link Libya Project To Pakistan Figure», *New York Times*, 4 de febrero de 2004, p. A1; Stephen Fidler y Victoria Burnett, «Pakistan's "Rogue Nuclear Scientist": What Did Khan's Government Know about His Deals?», *Financial Times*, 6 de abril de 2004, p. 17.

6. Joby Warrick y Peter Slevin, «Libyan Arms Designs Traced Back To China», *Washington Post*, 15 de febrero de 2004, p. A1.

7. Michael Hirsch y Sarah Shafer, «Black Market Nukes», *Newsweek*, 23 de febrero de 2004.

8. David S. Cloud, «US Says Banned Technology Went to Pakistan and India», *New York Times*, 9 de abril de 2005.

9. Françoise Chipaux, «L'inquiétant Dr. Khan», *Le Monde*, 20 de febrero de 2004; «Business in Timbuktu», *The News International* (Pakistán), 1 de febrero de 2004; Stephen Fidler y Victoria Burnett, «Animal Lover, Egotist, and National Hero», *Financial Times*, 7 de abril de 2004.

10. Entrevista del autor a un miembro de la comisión parlamentaria del Congreso estadounidense sobre el 11-S, Washington, 24 de enero de 2005.

11. Entrevista del autor a Hussain Haqqani, Washington, 16 de septiembre de 2004.

12. Este apartado se basa en el International Consortium of Investigative Journalists (ICIJ), *Making a Killing: The Business of War*, Center for Public Integrity, Washington, 2003.

13. *Ibid.*, cap. 10, pp. 134-142.

14. *Ibid.*, cap. 9, pp. 124-133.

15. *Ibid.*, cap. 11, pp. 143-156 (incluyendo la acuñación de la expresión «mercader de la muerte»); Peter Landesman, «Arms and the Man», *New York Times Magazine*, 17 de agosto de 2003; PBS Frontline World, mayo de 2002, www.pbs.org/frontlineworld/stories/sierraleone/bout.html.

16. Brian Johnson-Thomas, «Anatomy of a Shady Deal», cap. 1, en Lora Lumpe, ed., *Running Guns: The Gloloal Black Market in Small Arms*, Londres, Zed Books, 2000, p. 21.

17. Douglas Farah, «Arrest Aids Pursuit of Weapons Network», *Washington Post*, 26 de febrero de 2002, p. A1; «On the Trail of a Man behind Taliban's Air Fleet», *Los Angeles Times*, 19 de mayo de 2002, p. A1.

18. Stephen Smith, «On the Trail of the Elusive Victor Bout», *Guardian Weekly*, 17 de abril de 2002, publicado inicialmente como «L'insaisissable Victor Bout», *Le Monde*, 26 de marzo de 2002; «Russian Businessman Wanted by Belgians Turns Up in Moscow Radio Studio» (BBC Monitoring online report of Ekho Moskvy radio), 28 de febrero de 2002.

19. Mark Huband, Andrew Parker y Mark Turner, «UK Snubs France over Arms Trafficker: Bid to Help Dealer Linked To Coalition Avoid Sanctions», *Financial Times*, 17 de mayo de 2004, p. 1; Michael Scherer, «Dealing with the Merchant of Death», *Mother Jones*, 20 de septiembre de 2004; Stephen Braun, Judy Pasternak y T. Christian Miller, «Blacklisted Russian Tied To Iraq Deals», *Los Angeles Times*, 14 de diciembre de 2004, p. A1.

20. La principal fuente de información sobre armas cortas y armamento ligero es el anuario *Small Arms Survey*, Ginebra, Graduate Institute of International Studies. Véase especialmente *Small Arms Survey 2003: Development Denied*, cap. 1, «Workshops and Factories: Products and Producers», pp. 8-56; *Small Arms Survey 2004: Rights at Risk*, cap. 1, «Continuity and Change: Products and Producers», pp. 6-41.

21. *Small Arms Survey 2003*, p. 15.

22. *Small Arms Survey 2003*, cap. 1; Pete Abel, «Manufacturing Trends: Globalising the Source», en Lumpe, *Running Guns*, pp. 81-104; sobre Heckler & Koch, pp. 89-96.

23. *Small Arms Survey 2004*, p. 10.

24. Raymond Bonner, «When It's Business, the City Sticks To Its Guns», *New York Times*, 11 de abril de 2002.

25. *Small Arms Survey 2003*, pp. 29-32; Emmanuel Kwesi Aning y Nicholas Florquin, «Ghana's Secret Arms Industry», *Jane's Intelligence Review*, diciembre de 2004, p. 7.

26. *Small Arms Survey 2003*, pp. 39-49.

27. *Ibid.*, p. 39.

28. Lumpe, *Running Guns*, pp. 131-132.

29. *Small Arms Survey 2003*, p. 119.

30. Consejo de Seguridad de las Naciones Unidas, *Report of the Panel of Experts Appointed Pursuant To Security Council Resolution 1395 (2002), Paragraph 4, in Relation to Liberia*, S/2002/470, 19 de abril de 2002, pp. 15-23; Consejo de Seguridad de las Naciones Unidas, *Report of the Panel of Experts Appointed Pursuant To Security Council Resolution 1408 (2002), Paragraph 26, Concerning Liberia*, S/2002/1115, 25 de octubre de 2002, pp. 16-29; Consejo de Seguridad de las Naciones Unidas, *Report of the Panel of Experts Appointed Pursuant To Security Council Resolution 1408 (2002), Paragraph 16, Concerning Liberia*, S/2002/498, 24 de abril de 2003, pp. 19-33; Consejo de Seguridad de las Naciones Unidas, *Report of the Panel of Experts Appointed Pursuant To Security Council Resolution 1478 (2003), Paragraph 25, Concerning Liberia*, S/2003/937, 28 de octubre de 2003, pp. 23-29.

31. *Small Arms Survey 2004*, cap. 3, «Big Issue, Big Problem? MANPADS», p. 89.

32. *Ibid.*, pp. 83-89 (el anuario menciona informes que sugieren que actualmente existen 500.000 Manpad, pero al mismo tiempo sostiene que probablemente el cálculo es exagerado y que la cifra real es de unos 100.000); Dana Priest y Bradley Graham, «Missing Antiaircraft Missiles Alarm Aides», *Washington Post*, 7 de noviembre de 2004, p. A24; U.S. Government Accounting Office, *Nonproliferation: Further Improvements Needed to Counter Threats from Man-Portable Air Defense Systems*, mayo de 2004.

33. Consejo de Seguridad de las Naciones Unidas, *Report of the Panel of Experts on Violations of Security Council Sanctions against UNITA*, S/2003/937, Robert R. Fowler, 10 de marzo de 2000.

34. *El Espectador* (Bogotá), 10 de febrero de 2002 (difundido en «Pa-

per Reports Flourishing Arms-for-Drugs Trade with Colombian Rebels», BBC Monitoring, BBC News online).

35. Organización para la Seguridad y Cooperación en Europa, Foro para la Cooperación en Materia de Seguridad, *Standard Elements of End-User Certificates and Verification Procedures for SALW Exports, Decisions*, n.° 5/04, 17 de noviembre de 2004.

36. Ann Hironaka, *Neverending Wars: The International Community, Weak States, and the Perpetuation of Civil War*, Harvard University Press, Cambridge, 2005; Paul Collier y Anke Hoeffler, «Murder by Numbers: Socio-Economic Determinants of Homicide and Civil War», *Centre for the Study of African Economies Series*, ref. WPS/2004-10, Universidad de Oxford; Ian Bannon y Paul Collier, eds., *Natural Resources and Violent Conflict*, Banco Mundial, Washington, 2003.

37. Anthony Sampson, *The Arms Bazaar: From Lebanon To Lockheed*, Viking, Nueva York, 1977, p. 340.

38. Joby Warrick, «Dirty Bomb Warheads Disappear», *Washington Post*, 7 de diciembre de 2003, p. A1; Joby Warrick, «Smugglers Enticed by Dirty Bomb Component», *Washington Post*, 30 de noviembre de 2003, p. A1.

39. *Small Arms Survey 2003*, p. 61.

40. *Ibid.*, pp. 64-65.

41. Datos para Inglaterra y Gales, relativos a las armas de fuego, pero excluyendo las armas de aire comprimido, www.homeoffice.gov.uk/rds/pdfs2/hosb0104.pdf.

42. *Small Arms Survey 2003*, p. 71.

43. Mark Turner, «European Citizens "Heavily Armed"», *Financial Times*, 9 de julio de 2003, p. 11.

44. *Small Arms Survey 2003*, p. 134.

45. *Ibid.*, p. 138.

46. *Ibid.*, cap. 4, pp. 125-168.

47. *Small Arms Survey 2001*; referencia en *Small Arms Survey 2003*, p. 139 y nota 30, p. 160; véase también IBSSA (International Bodyguard and Security Services Association), www.ibssa.org.

48. *Small Arms Survey 2003*, p. 140 (Camerún) y p. 139 (Kaduna).

49. Brian Wood y Johan Peleman, «Making the Deal and Moving the Goods: The Role of Brokers and Shippers», cap. 6, en Lumpe, *Running Guns*, pp. 129-154.

50. Emanuela-Chiara Gillard, «What's Legal? What's Illegal?», cap. 2, en Lumpe, *Running Guns*, pp. 41-42.

51. Wood y Peleman, «Making the Deal», pp. 136-139; «Un Français est écroué pour trafic d'armes de guerre avec le Rwanda», *Le Monde*, 2 de febrero de 1995.

52. Johnson-Thomas, «Anatomy of a Shady Deal», pp. 13-25.

53. Consejo de Seguridad de las Naciones Unidas, *Report of the Panel of Experts Appointed Pursuant To Security Council Resolution 1395 (2002), Paragraph 4, in Relation to Liberia*, S/2002/470, 19 de abril de 2002.

54. Gillard, «What's Legal?», p. 33.

55. Sarah Meek, «Combating Arms Trafficking: Progress and Prospects», cap. 8, en Lumpe, *Running Guns*, pp. 194-197.

56. Naciones Unidas, *Report of the United Nations Conference on the Illicit Trade in Small Arms and Light Weapons in All Its Aspects*, A/CONF. 192/15, Nueva York, julio de 2001.

57. Colum Lynch, «U.S. Fights UN Accord to Control Small Arms Sales», *Washington Post*, 10 de julio de 2001, p. A1.

58. Jim Burns, «U.S. Fires First Shot at UN Anti-Gun Conference», CNSNews.com, 10 de julio de 2001; «U.S. Blocks Small Arms Controls», BBC News Online, 10 de julio de 2001.

59. UN Department of Public Information, «Setting the Record Straight», julio de 2001, www.un.org/depts/dda/cab/smallarms/facts.htm.

60. Karl Vick, «Small Arms' Global Reach Uproots Tribal Traditions», *Washington Post*, 8 de julio de 2001, p. A1.

4. No hay negocio como el de la droga

1. Entrevista del autor a «don Alfonso», Nuevo Laredo, México, 10 de septiembre de 2004.

2. Chris Kraul y Cecilia Sánchez, «Mexican Border Town Tries to Clean Up Its Image», *Los Angeles Times*, 12 de febrero de 2005, p. A3; Chris Kraul, «Official Says Tijuana, Gulf Cartels Have United», *Los Angeles Times*, 14 de enero de 2005, p. A4.

3. «Drugs in Mexico: War without End», *The Economist*, 4 de marzo de 2004.

4. Las estimaciones totales varían debido al número de programas diferentes implicados, y además son objeto de distintas interpretaciones políticas. El gobierno estadounidense calculaba que en 2004 el gasto federal en política antidroga fue de 12.100 millones de dólares, mientras que los cálculos ex-

traoficiales sitúan la cifra en 20.000 millones. Por otra parte, si se añaden los gastos estatales y locales, el total se podría incrementar hasta en un ciento por ciento, si bien es probable que sea algo menos. Véase, por ejemplo, Office of National Drug Control Policy, *National Drug Control Strategy 2004 Fact Sheet*, p. 3, www.whitehousedrugpolicy.gov/publications/policy/ndcs04/strategy_fs.pdf; Gary E. Johnson, «Take It from a Businessman: The War on Drugs Is Just Money Down the Drain», MotherJones.com, 10 de julio de 2001; National Research Council, National Academy of Sciences, *Informing America's Policy on Illegal* Drugs: *What We Don't Know Keeps Hurting Us*, National Academy Press, Washington, 2001, p. 1.

5. Federal Bureau of Investigation, *Crime in America: FBI Uniform Crime Reports 2003*, U.S. Government Printing Office, Washington, 2004, p. 270, tabla 29.

6. «Washington (DC), Profile of Drug Indicators», Office of National Drug Control Policy, Drug Policy Information Clearinghouse, en la página web de la ONDCP.

7. Véase la página web de la DEA (Drug Enforcement Administration): dea.gov, «DEA State Fact Sheets», «Washington DC 2005», www.dea.gov/pubs/states/washingtondc.html.

8. Entrevista del autor a diversos estudiantes de secundaria del área de Washington, enero-febrero de 2004.

9. Según la Oficina de Narcóticos y Delincuencia de la ONU, *2004 World Drug Report*, UNDCP, Viena, 2004, p. 206; en Afganistán, en 2003 se produjeron 3.600 toneladas métricas de opio a partir de 80.000 hectáreas de tierra, según Tom Shanker, «Pentagon Sees Antidrug Effort in Afghanistan», *New York Times*, 25 de marzo de 2005, p. A1. En 2004, la producción aumentó en un 64 por ciento.

10. «Afghan Poppies Proliferate: As Drug Trade Widens, Labs and Corruption Flourish», *Washington Post*, 10 de julio de 2003, p. A1; «Karzai: Don't Spray Our Poppies», CBSNews.com, 19 de noviembre de 2004, www.cbsnews.com/sto ries/2004/11/18/world/main656576.shtml.

11. Mark S. Steinitz, «The Terrorism and Drug Connection in Latin America's Andean Region», *CSIS Policy Papers on the Americas*, vol. 13, cap. 5; Ángel Rabasa y Peter Chalk, *Colombian Labyrinth: The Synergy of Drugs and Insurgency and Its Implications for Regional Stability*, RAND Project Air Force, Santa Mónica, 2001.

12. Joshua Davis, «The Mystery of the Coca Plant that Wouldn't Die», *Wired*, noviembre de 2004; Andy Webb-Vidal, «It's Super-Coca! Modified

Bush Boosts Narcotics Output», *Financial Times*, 7 de diciembre de 2004, p. 4.

13. Sarah Kershaw, «Violent New Front in Drug War Opens on the Canadian Border: Potent Marijuana at Center of Smuggling Chain», *New York Times*, 5 de marzo de 2005, p. A1.

14. *Global Illicit Drug Trends*, Oficina de Narcóticos y Delincuencia de la ONU, www.unodc.org/unodc/en/global_illicit_drug_trends.html.

15. Kevin Fagan, «Southeast Asia Is Reeling from Combination of Meth, AIDS», *San Francisco Chronicle*, 29 de mayo de 2003, p. A7.

16. «Drugs in Central Asia: Deadly Traffic», *The Economist*, 29 de marzo de 2003, pp. 38-39; véanse también sobre Irán: Molly Moore, «Iran Fighting a Losing Drug War» y «Once Hidden, Drug Addiction in Changing Iran», ambos publicados en el *Washington Post*, 18 de julio de 2001, pp. A1 y A26.

17. «China-Burma: Heroin Is King at Border Crossing», Inter Press Service, 26 de marzo de 2004; «Condom, Needle Distribution Highlights AIDS Issue in S.W. China», *Kyodo News International*, 9 de marzo de 2004.

18. Felix Umoru, «A Tough War», *Financial Times*, 1 de diciembre de 2002; Benjamin Adedeji, «Nigeria; Pains, Gains and Challenges of Certification», *All Africa*, 29 de marzo de 2001; Frank A. Aukofer y Dave Daley, «Heroin Buys Here Help Bust Ring», *Milvaukee Journal Sentinel*, 12 de octubre de 1996, p. 1.

19. National Drug Intelligence Center, U.S. Department of Justice, *Heroin Distribution in Three Cities*, noviembre de 2000.

20. Matthew Brzezinski, «Re-engineering the Drug Business», *New York Times Magazine*, 23 de junio de 2002.

21. Sobre Colombia: Robin Kirk, *More Terrible than Death: Massacres, Drugs and America's War in Colombia*, Public Affairs, Nueva York, 2003.

22. Jorge Luis Sierra Guzmán, «Mexico's Military in the War on Drugs», *WOLA Drug War Monitor*, abril de 2003.

23. Susana Hayward, «Russian Mafia Helping Mexican Cartels Smuggle Drugs into U.S. Officials Say», Knight Ridder News Service, 6 de agosto de 2003; Eric Rosenberg, «Colombia Effort Raises Fears of Another Vietnam», *San Antonio Express-News*, 15 de enero de 2001, p. 1A.

24. Library of Congress Federal Research Division, «Organized Crime and Terrorist Activity in Mexico, 1999-2002», Washington, 2003, p. 8.

25. «Drugs in Mexico: War without End», *The Economist*, 4 de marzo de 2004.

26. Oficina de Narcóticos y Delincuencia de la ONU, *Global Illegal Drug Trends 2003*.

27. Kris Axtman, «Rising Border Traffic, More Drugs», *Christian Science Monitor*, 8 de mayo de 2001, p. 1; Stephen E. Flynn, «The Global Drug Trade versus the Nation-State: Why the Thugs Are Winning», en Maryann Cusimano, ed., *Beyond Sovereignty: Issues for a Global Agenda*, St. Martin's Press, Nueva York, 2002, pp. 44-66; Kal Raustiala, «Law, Liberalization, and International Narcotics Trafficking», *New York University Journal of International Law and Politics*, 32, n.º 1 (otoño de 1999), pp. 89-145, especialmente «Drugs and Liberalization», pp. 114-130.

28. Naciones Unidas, Consejo de Control Internacional de Narcóticos, *Globalization and New Technologies: Challenges To Drug Law Enforcement in the Twenty-First Century*, 2001, E/INCB/2001/1; «High Technology Boosts Dutch Marijuana Trade», *Financial Times*, 23 de agosto de 2001.

29. Entrevista del autor a César Gaviria, presidente de Colombia, 1990-1994, Nueva York, marzo de 2005.

30. Oriana Zill y Lowell Bergman, «The Black Peso Money Laundering System», en la página web de PBS Frontline, «Drug Wars», www.pbs.org/wgbh/pages/frontline/shows/drugs/special/blackpeso.htm.

31. Jerry Seper, «Mexicans, Russian Mob New Partners in Crime», *Washington Times*, 28 de mayo de 2001, p. A1.

32. Jim Cusak, «IRA Unit in Bogotá as Part of "Technology Exchange"», *Irish Times*, 15 de agosto de 2001, p. 7.

33. Mark Bowden, «Witness: Plan Colombia», *Prospect*, julio de 2001, pp. 38-44; «Latin American Poppy Fields Undermine U.S. Drug Battle», *New York Times*, 8 de junio de 2003, p. A1; Ted Galen Carpenter, *Bad Neighbor Policy: Washington's Futile War on Drugs in Latin America*, Palgrave, Nueva York, 2003; William M. LeoGrande y Kenneth Sharpe, «A Plan, But No Clear Objective», *Washington Post*, 1 de abril de 2001, p. B2.

34. Peter Reuter, «Supply-Side Drug Control», *Milken Institute Review*, primer trimestre de 2001, pp. 15-23.

35. Peter Reuter, «A Certifiable Drug Policy...», *Washington Post*, 23 de agosto de 2000, p. A25.

36. Entrevista del autor a un ex funcionario de la DEA, Miami, 5 de marzo de 2004.

37. Véase, por ejemplo, la nota de prensa: U.S. Customs and Border Protection, «CBP Inspectors Find Heroin in Teddy Bear», CBP.gov, 12 de

septiembre de 2003; Kris Axtman, «Rising Border Traffic, More Drugs», *Christian Science Monitor*, 8 de mayo de 2001, p. 1.

38. «The White House, National Drug Control Strategy», febrero de 2005; «More Seek Treatment for Marijuana», *New York Times*, 4 de marzo de 2005.

39. «Bolivian President Has Corrupt Congress, No Political Backing, but Nation's Respect», Knight Ridder/Tribune News Service, 10 de febrero de 2004; Larry Rother, «Bolivian Leader's Ouster Seen as Warning on U.S. Drug Policy», *New York Times*, 23 de octubre de 2003; «Throwing Down the Gauntlet; Turmoil in Bolivia», *The Economist*, 12 de marzo de 2005, p. 61; «A President under Siege; Bolivia», *The Economist*, 19 de marzo de 2005, p. 64.

40. Entrevista del autor a Gonzalo Sánchez de Lozada, Washington, 20 de julio de 2004.

41. James C. McKinley Jr., «Drug Lord, Ruthless and Elusive, Reaches High in Mexico», *New York Times*, 9 de febrero de 2005, p. A3.

42. John Hill, «Korean Diplomats Face Drugs Trafficking Charge», *Jane's Intelligence Review*, enero de 2005, p. 6; Jonathan Mann y Mike Chinoy, «Drugs and Nuclear Weapons in North Korea», *Insight*, CNN, 29 de septiembre de 2004. Véase también U.S. Department of State, Bureau for International Narcotics and Law Enforcement Affairs, «2003 International Narcotics Control Strategy Report», 1 de marzo de 2004.

5. ¿Por qué hay hoy más esclavos que nunca?

1. Greg Torode, «Hong Kong Probe into Death Ship: Survivors Held as U.S. Vows to Stem Flood», *South China Morning Post*, 8 de junio de 1993, p. 1; Sarah Jackson-Han, «Chinese Aliens Sparked Long-Term Immigration Crackdown», agencia France-Presse, 7 de junio de 1996.

2. Zai Liang y Wenzhen Ye, «From Fujian To New York: Understanding the New Chinese Immigration», cap. 7, en David Kyle y Rey Koslowski, *Global Human Smuggling: Comparative Perspectives*, Johns Hopkins University Press, Baltimore, 2001; Ko-Lin Chin, «The Social Organization of Chinese Human Smuggling», cap. 8, en Kyle y Koslowski, *Global Human Smuggling*; Michael Maiello y Susan Kitchens, «Preying on Human Cargo», Forbes.com, 7 de junio de 2004.

3. Entrevista del autor a Doris Meissner, comisaria del Servicio de In-

migración y Naturalización de Estados Unidos, 1993-2000, Washington, febrero de 2002, publicada en *Foreign Policy*, marzo-abril de 2003, p. 31.

4. «Le prince des trafiquants d'êtres humains enfin dans le box», *Courrier International*, 6 de noviembre de 2003, p. 9; David Finkel, «Dreams Dashed on the Rocks», *Washington Post*, 10 de junio de 2001, p. A1.

5. David Kyle y Rey Koslowski, introducción a Kyle y Koslowski, eds., *Global Human Smuggling*, pp. 3-4; Organización Internacional para las Migraciones (OIM), «New IOM Figures on the Global Scale of Trafficking», *Trafficking in Migrants Quarterly Bulletin*, n.º 23, abril de 2001, y online en www.iom.int; Frank Laczko, «Human Trafficking: The Need for Better Data», Migration Information Source, Migration Policy Institute, 1 de noviembre de 2002; Barbara Crossette, «UN Warns That Trafficking in Human Beings Is Growing», *New York Times*, 25 de junio de 2000; Fondo de Población de las Naciones Unidas, Servicio de Información, *State of the World's Cities, 2004/2005: Globalization and Urban Culture*, UN-HABITAT, Londres, 2004; véase también David Feingold, «Think Again: Human Trafficking», *Foreign Policy*, 2005.

6. Óscar Becerra, «Mexican People Smuggling Trade Worth Billions», *Jane's Intelligence Review*, diciembre de 2004, p. 30.

7. «On the Move», *The Economist*, 12 de mayo de 2001; Kirstin Downey Grimsley, «Global Migration Trends Reflect Economic Options», *Washington Post*, 3 de enero de 2002; «Immigration into Germany: More Needed, Fewer Wanted», *The Economist*, 23 de junio de 2001; «Knocking at the Rich Man's Door», *Financial Times*, 25 de mayo de 2002; Alan Cowell, «Migrants Feel Chill in a Testy Europe», *New York Times*, 28 de abril de 2002, p. A14.

8. «Humanity on the Move: The Myths and Realities of International Migration», *Financial Times*, 30 de julio de 2003, p. 11.

9. Sobre el programa de trabajadores invitados: Max Blumenthal, «Immigration Conflagration», *American Prospect*, abril de 2004, p. 14.

10. Kevin Bales, *Disposable People: New Slavery in the Global Economy*, University of California Press, Berkeley/Los Ángeles, 1999.

11. Christopher Sulavik, «Facing Down Traffickers: Europe Takes on Its Fastest-Growing Criminal Enterprise», *Newsweek*, 25 de agosto de 2003; «Preying on Children», *Newsweek*, 17 de noviembre de 2003; «Balkan Traffic in Women and Girls "On Rise"», *Financial Times*, 18 de diciembre de 2003; véase también «Trafficking of People in Kosovo», Immigration and Nationality Directorate, UK Home Office, 25 de junio de 2004.

12. Eric Jannson, «Report: Balkan Traffic in Women and Girls "On the Rise"», *Financial Times*, 18 de diciembre de 2003.

13. «Baby Trade», *The Economist*, 7 de febrero de 2004; Nicholas Wood, «For Albanians, It's Come To This: A Son for a TV», *New York Times*, 13 de noviembre de 2003.

14. «16 Indicted in Mexican Prostitution Ring», United Press International, 23 de abril de 1998.

15. Amy O'Neill Richard, «International Trafficking in Women To the United States: A Contemporary Manifestation of Slavery and Organized Crime», Center for the Study of Intelligence, noviembre de 1999.

16. Peter Landesman, «The Girls Next Door», *New York Times Magazine*, 25 de enero de 2004; Wilson Ring, «Experts: VT Sex Slavery Fits U.S. Pattern», Associated Press, 23 de julio de 2004.

17. Peter Kwong, «Impact of Chinese Human Smuggling on the American Labor Market», cap. 9, en Kyle y Koslowski, eds., *Global Human Smuggling*.

18. «Largest Corporation Immigrant Smuggling Ring Indicted by the INS», NPR News/National Public Radio, 10 de diciembre de 2001.

19. Mathias Blume, carta al director, *The Economist*, 29 de enero de 2005, p. 14.

20. Robert Collier, «Stalemate in Talks on Saipan Workers», *San Francisco Chronicle*, 20 de enero de 1999, p. A1.

21. Devesh Kapur y John McHale, «Migration's New Payoff», *Foreign Policy*, noviembre-diciembre de 2003, pp. 48-57; véase también Fondo Monetario Internacional, *World Economic Outlook: Globalization and External Imbalances*, Washington, abril de 2005, cap. 2, «Workers' Remittances and Economic Development».

22. Howard French, «A Village Grows Rich Off Its Main Export: Its Daughters», *New York Times*, 3 de enero de 2005, p. A4.

23. Somini Sengupta, «Oldest Profession Is Still One of the Oldest Lures for Young Nigerian Women», *New York Times*, 5 de noviembre de 2004, p. A9.

24. Chin, «Social Organization», p. 218.

25. *Ibid.*, p. 217.

26. Frank Viviano, «New Mafias Go Global: High-Tech Trade in Humans, Drugs», *San Francisco Chronicle*, 7 de enero de 2001.

27. Allen Myerson, «4 Indicted on Immigrant Smuggling Scheme», *New York Times*, 27 de febrero de 1998, p. A20.

28. Peter Andreas, «The Transformation of Migrant Smuggling across the U.S.-Mexican Border», cap. 4, en Kyle y Koslowski, eds., *Global Human Smuggling*, Johns Hopkins University Press, Baltimore, 2001.

29. Mary Jordan, «People Smuggling Now Big Business in Mexico», *Washington Post*, 17 de mayo de 2001, p. A1.

30. Óscar Becerra, «Mexican People Smuggling Trade Worth Billions», *Jane's Intelligence Review*, diciembre de 2004, p. 31.

31. Michael Winchester, «The Travel Agents': On the Trail of the Syndicates Smuggling Desperate Middle Easterners through Asia To Australia», *Asiaweek*, 19 de enero de 2001.

32. Entrevista del autor a Doris Meissner, comisaria del Servicio de Inmigración y Naturalización de Estados Unidos, 1993-2000, Washington, febrero de 2002, publicada en *Foreign Policy*, marzo-abril de 2003, p. 31.

33. Entrevista del autor a Miguel Ángel Carranza, San Antonio, Texas, 19 de noviembre de 2004.

34. Melinda Liu, «All Papers in Order: Getting the Documents Needed to Be Smuggled Abroad Is Shockingly Easy», *Newsweek*, 5 de noviembre de 2001; Hugh Williamson, «Smugglers See Afghans as Potential Prey», *Financial Times*, 5 de noviembre de 2001, p. 8.

35. *El País*, 28 de enero de 2005, p. 10.

36. Chin, «Social Organization», pp. 225-229.

37. Entrevista del autor a un diplomático italiano, Atenas, 11 de noviembre de 2004.

38. Mary Jordan, «Smuggling People Is Now Big Business in Mexico», *Washington Post*, 17 de mayo de 2001, p. A1; Sofia Wu, «Cross-Strait Human Smuggling Ring Busted», *Central News Agency* (Taiwan), 14 de enero de 1999; Letta Tayler, «Crossing a "Corridor of Death"», *Newsday*, 17 de junio de 2002, p. A14.

39. Nick Madigan, «160 Migrants Seized at an Upscale Home», *New York Times*, 13 de febrero de 2004.

40. Landesman, «The Girls Next Door»; véase también Graham Johnson y Dominic Hipkins, «Sex Slaves for Sale at £3.000 Each», *Sunday Mirror* (Reino Unido), 28 de diciembre de 2003.

41. Naciones Unidas, «Convención internacional sobre la protección de los derechos de todos los trabajadores emigrantes y los miembros de sus familias», Resolución 45/158 de la Asamblea General de las Naciones Unidas, 18 de diciembre de 1990.

42. Naciones Unidas, «Protocolo para prevenir, reprimir y castigar el tráfico con personas, especialmente mujeres y niños, que complementa la Convención de las Naciones Unidas contra el crimen organizado transnacional», Resolución 55/25 de la Asamblea General de las Naciones Unidas, 15 de noviembre de 2000; Naciones Unidas, «Protocolo contra el contrabando de emigrantes por tierra, mar y aire, que complementa la Convención de las Naciones Unidas contra el crimen organizado transnacional», Resolución 55/25 de la Asamblea General de las Naciones Unidas, 15 de noviembre de 2000.

43. U.S. Department of State, *Trafficking in Persons Report*, informe anual; Gary Haugen, «State's Blind Eye on Sexual Slavery», *Washington Post*, 16 de enero de 2002.

44. «Smuggling of Humans into Europe Is Surging», *Washington Post*, 28 de mayo de 2001.

45. U.S. Sentencing Commission, *Guidelines Manual* (noviembre de 2004), véase www.ussc.gov/2004guid/tabconoy_l.htm.

46. Véase especialmente el Proyecto Polaris, en www.humantrafficking.com; Coalición contra el Tráfico de Mujeres, en www.catwinternational.org.

47. Landesman, «The Girls Next Door»; Nicholas Kristof, «Cambodia, Where Sex Traffickers Are King», *New York Times*, 15 de enero de 2005, p. A15; Kristof, «Leaving the Brothel Behind», *New York Times*, 19 de enero de 2005, p. A19; Kristof, «Back to the Brothel», *New York Times*, 22 de enero de 2005, p. A11; Kristof, «After the Brothel», *New York Times*, 26 de enero de 2005, p. A17; Kristof, «Sex Slaves? Lock Up the Pimps», *New York Times*, 29 de enero de 2005, p. A19.

48. Oded Stark y J. Edward Taylor, «Migration Incentives, Migration Types: The Role of Relative Deprivation», *Economic Journal*, 101, n.° 408, 1991, pp. 1.163-1.178.

49. «Arriesgo la vida de mi hijo porque vivir en Marruecos es como estar muerto», *El País*, 11 de febrero de 2003, p. 43.

6. El comercio global de ideas robadas

1. «Names and Faces», *Washington Post*, 27 de noviembre de 2004, p. C3.

2. John Burton, «Software Pirates Circulate New Microsoft Operating System», *Financial Times*, 12 de diciembre de 2003, p. 9.

3. Richard McGregor, «GM Probes Chery "Piracy"», *Financial Times*, 12 de noviembre de 2003, p. 30.

4. John Ness, «Swords into Vodka», *Newsweek International*, 22 de noviembre de 2004, p. 54; C. J. Chivers, «Who's a Pirate: Russia Points Back at the U.S.», *New York Times*, 26 de julio de 2004, p. A1.

5. Julia Apostle y David Gruber, «City of Phonies», en NYC24.com, n.° 4, 23 de febrero de 2001; Julian E. Barnes, «Fake Goods Are Flowing under the New Radar», *New York Times*, 14 de octubre de 2001, p. C4.

6. «Imitating Property Is Theft», *The Economist*, 15 de mayo de 2003; «The Impact and Scale of Counterfeiting», Interpol, online en www.interpol.com/Public/News/Factsheet51pr21.asp.

7. «Bootleg Billions: The Impact of Counterfeit Goods Trade on New York City», New York State Office of the Comptroller, noviembre de 2004.

8. «Warning as Fake Goods Flood Market», BBC News Online, 8 de agosto de 2003.

9. «Since 2000, the number of seizures of infringing goods at our nation's borders has increased by 100 percent. During the first half of 2004, CBP is setting a record pace with increases in seizures», U.S. Department of Commerce, «Results», StopFakes.gov., online en www.export.gov/stop_fakes_gov/results.asp.

10. «Market Pirates Lose the Taste for Luxury», *Financial Times*, 27-28 de julio de 2002.

11. «Bags of Trouble», Far *Eastern Economic Review*, 21 de marzo de 2002, pp. 52-55.

12. Ted C. Fishman, «Manufaketure», *New York Times Magazine*, 9 de enero de 2005; «People's Republic of Cheats», *Far Eastern Economic Review*, 21 de junio de 2001.

13. «Imitating Property Is Theft», *The Economist*, 15 de mayo de 2003.

14. Tope Akinwade, «Lethal "Cures" Plague Africa», *World Press Review*, 51, n.° 2 (febrero de 2004).

15. Matt Steinglass, «Moctar and Moctar», *Transition 92*, 2002, pp. 38-55.

16. «Imitating Property Is Theft», *The Economist*, 15 de mayo de 2003.

17. Peter Wayner, «Whose Intellectual Property Is It, Anyway? The Open Source War», *New York Times*, 24 de agosto de 2000, p. G8.

18. Entrevista del autor, Nueva York, 14 de marzo de 2004.

19. «Economics Focus: Market for Ideas», *The Economist*, 14 de abril de 2001; Suzanne Scotchmer, *Innovation and Incentives*, MIT Press, Cambridge, 2005.

20. «Retail Raid», *Newsday*, 5 de junio de 2004, p. A8.

21. «Bags of Trouble», *Far Eastern Economic Review*, 21 de marzo de 2002, pp. 52-55; Jo Johnson, Fred Kapner y Richard McGregor, «Back-Street Bonanza for the Counterfeiters», *Financial Times*, 4 de diciembre de 2003, p. 16.

22. Robert Galbraith, «Luxury Groups Battle a Wave of Counterfeit Goods», *International Herald Tribune*, 29 de septiembre de 2001, p. 12; «The Impact and Scale of Counterfeiting», Interpol, 25 de mayo de 2004.

23. Peter S. Goodman, «In China, a Growing Taste for Chic», *Washington Post*, 12 de julio de 2004, p. A1.

24. «Psst! Wanna Buy a Real Rolex?», *The Economist*, 24 de enero de 2004.

25. Entrevista del autor al director general de una fábrica de relojes suiza, Ginebra, septiembre de 2003.

26. «Heavy-Duty Forgers», *Far Eastern Economic Review*, 23 de marzo de 2000, pp. 46-47; Richard McGregor, «GM Probes Chery "Piracy"», *Financial Times*, 12 de noviembre de 2003, p. 30; José Reinoso, «Coches clonados a bajo precio», *El País*, 29 de marzo de 2004; James Kynge, «Nissan May Sue Chinese Rival over Design», *Financial Times*, 28 de noviembre de 2003, p. 21.

27. Frederik Balfour, «Fakes», *Business Week* (edición europea), 7 de febrero de 2005, pp. 54-64.

28. *Ibidem*.

29. Murray Hiebert, «Fake-Parts Fear», *Far Eastern Economic Review*, 4 de marzo de 2004, p. 40.

30. «Fakes Are Blotting the Horizon in Italy's Valley of the Valves», *Financial Times*, 20 de marzo de 2001; «Counterfeit Electrical Products Cause Damage To U.S. Markets», *Today's Facility Manager*, «Online Exclusive», junio de 2002, en www.wireville.com/hots/hots0204.html#10; «Knock-offs Threaten U.S. Firms' Profitability», *Indianapolis Star*, 24 de mayo de 2004; «Chinese Counterfeiting Takes Root in U.S. Marine Industry», *International Boat Industry Magazine*, 27 de mayo de 2004.

31. Fishman, «Manufaketure».

32. Federación Internacional de Industrias Fonográficas, «The Recording Industry Commercial Piracy Report 2004», julio de 2004.

33. Tim Burt, «Music Groups Tackle Russian Piracy», *Financial Times*, 19 de diciembre de 2003, p. 12.

34. «Piracy Slashes Music Sales», *Financial Times*, 11 de abril de 2003; Stan Bernstein, «Burned by CD Burners», *Washington Post*, 24 de septiembre de 2002, p. A21.

35. «Music's Brighter Future», *The Economist*, 28 de octubre de 2004; Scott Morrison, «Apparent Fall in Web Piracy Is Music To Record Company Ears», *Financial Times*, 6 de enero de 2004, p. 10; Ien Cheng y Richard Waters, «Piracy: Overkill Gives Way to Pragmatism», *Financial Times*, 14 de abril de 2004, p. 14; Michael Skapinker, «An Industry Fights for Its Future», *Financial Times*, 12 de octubre de 2004.

36. Federación Internacional de Industrias Fonográficas, «A Round-Up of Anti-Piracy Actions Worldwide», enero de 2004.

37. Bill Werde, «Defiant Downloads Rise from Underground», *New York Times*, 25 de febrero de 2004, p. E3.

38. «Tipping Hollywood the Black Spot», *The Economist*, 30 de agosto de 2003; «Film Industry Warns of Big Losses To Pirate Copying», *Financial Times*, 4 de febrero de 2004, p. 52; «Romancing the Disc», *The Economist*, 7 de febrero de 2004, p. 63; Amanda Ripley, «Hollywood Robbery», *Time*, 26 de enero de 2004, p. 56; John Schwartz, «In Chasing Movie Pirates, Hollywood Treads Lightly», *New York Times*, 25 de diciembre de 2003, p. C1; Chris Buckley, «Helped by Technology, Piracy of DVDs Runs Rampant in China», *New York Times*, 18 de agosto de 2003.

39. «Fast Track: Avenue of the Americas», *Financial Times*, 25 de enero de 2002, p. 13.

40. Elizabeth Rosenthal, «Counterfeiters Turn Magic into Cash», *New York Times*, 25 de noviembre de 2001, p. A1.

41. «Intelligence: Slipped Discs», *Far Eastern Economic Review*, 30 de enero de 1997; «Phonies Galore», *The Economist*, 8 de noviembre de 2001; «U.S. Targets Software Pirates», *Washington Post*, 12 de diciembre de 2001; «Asian Software Pirates Ahead of Microsoft», *Financial Times*, 3 de diciembre de 2003; John Burton, «Microsoft Plans Cheaper Software to Combat Piracy», *Financial Times*, 30 de junio de 2004, p. 18.

42. «Piracy Losses More Than Double», *New York Times*, 8 de julio de 2004 (incluye datos actualizados de la Business Software Alliance: «En 2003, los fabricantes de software perdieron 29.000 millones de dólares por culpa de la piratería, más del doble que el año anterior [...]»; «Alrededor del 36 por ciento del software instalado en todo el mundo partía de copias piratas. Vietnam y China mostraban los índices más elevados, y las versiones piratas representaban allí el 92 por ciento de todo el software informático

instalado en cada uno de los dos países. Luego venía Ucrania, con el 91 por ciento; Indonesia, con el 88 por ciento, y Zimbabwe y Rusia, ambos con el 87 por ciento. Por áreas geográficas, en 2003, alrededor del 53 por ciento de las aplicaciones informáticas instaladas en los ordenadores de la región de Asia/Pacífico eran piratas, frente al 70 por ciento en Europa oriental, el 63 por ciento en América Latina, el 55 por ciento en Oriente Próximo, el 36 por ciento en Europa occidental, y el 23 por ciento en América del Norte»).

43. Trish Saywell y Joan McManus, «What's in That Pill?», *Far Eastern Economic Review*, 21 de febrero de 2002, pp. 34-37; «Medicine: Fighting Back», *ibid.*, pp. 38-40.

44. Peter S. Goodman, «China's Killer Headache: Fake Pharmaceuticals», *Washington Post*, 30 de agosto de 2002, p. A1.

45. Frances Williams, «WHO Launches Drive to Stamp Out Fake Drugs», *Financial Times*, 12 de noviembre de 2003, p. 14.

46. «Five Companies, Seven People Charged with Making, Selling Fake Viagra», Associated Press, 17 de mayo de 2002.

47. Claire Innes, «Regulators and Drug Companies Fight Rising Tide of Counterfeit Products», *World Markets Research Center*, 15 de febrero de 2002.

48. «Major Counterfeiting Ring Broken», Departamento de Policía de Los Ángeles, nota de prensa, 12 de septiembre de 2003.

49. William Glaberson, «6 Are Charged with Selling Millions of Counterfeit Marlboros», *New York Times*, 13 de febrero de 2003, p. B3.

50. «No More Business as Usual», *Asiaweek*, 6 de diciembre de 2000.

51. «Sony Uncovers Piracy of PlayStation Game Consoles in Chinese Prison-Report», *Financial Times*, 22 de diciembre de 2004; Fishman, «Manufaketure».

52. U.S. Congress, House Subcommittee on Courts, the Internet, and Intellectual Property, *International Copyright Piracy: Links To Organized Crime and Terrorism*, testimonio de Jack Valenti, 13 de marzo de 2003.

53. Pedro Farré, «Mafias y piratería cultural», *Foreign Policy* (ed. española), diciembre de 2004-enero de 2005, p. 63.

54. «The Links between Intellectual Property Crime and Terrorist Financing», testimonio de Ronald K. Noble, secretario general de la Interpol, ante el Comité Parlamentario sobre Relaciones Internacionales del Congreso de Estados Unidos, 16 de julio de 2003; «Al-Qa'idah Trading in Fake Branded Goods», *BBC Monitoring Reports*, 11 de septiembre de 2002; «Militants Turn To Crime to Fund Terrorism», Associated Press, 12 de agosto

de 2004; Roslyn A. Mazer, «From T-Shirts To Terrorism», *Washington Post*, 30 de septiembre de 2001.

55. «A Primer on Patents, Trademarks, and Copyrights and Trade Secrets», agencia de prensa Olive and Olive, 2003, online en www.oliveandolive.com/primer.htm; «Twelve Arrested for the Manufacture and Distribution of Counterfeit Microsoft Software», *Microsoft PressPass*, 14 de febrero de 2000, online en www.microsoft.com/presspass/press/2000/Feb00/LosAngRaidsPR.asp.

56. Jonathan C. Spierer, «Intellectual Property in China: Prospectus for New Market Entrants», *Harvard Asia Quarterly*, verano de 1999, online en www.fas.harvard.edu/~asiactr/haq/199903/9903a010.htm.

57. American Malaysian Chamber of Commerce, «Position Papers: Review of Holograms-FMCG Products», online en www.amcham.com.my/action/position/position_hologramFMGCNov'04.htm.

58. «Patent Law: Going Global», *The Economist*, 17 de junio de 2000; Frances Williams, «Copyright Protection Reinforced», *Financial Times*, 7 de marzo de 2002, p. 12; Paul Meller, «Europe Moves to Strengthen Piracy Laws», *New York Times*, 10 de marzo de 2004, p. W3.

59. «China and Japan to Tackle Product Piracy», *Financial Times*, 5 de abril de 2002; «U.S. Imposes CD Piracy Sanctions on Ukraine», *Financial Times*, 21 de diciembre de 2001.

60. «Combatting Counterfeiting», First Global Congress on Counterfeiting, Bruselas, mayo de 2004, online en www.anti-counterfeitcongress.org/wco2004/website.asp?page=home.

61. Stryker McGuire, Richard Ensberger Jr. y Tony Emerson, «Microsoft Cops», *Newsweek*, 9 de abril de 2001, p. 20.

62. «New Frontiers: Indian Companies Are Moving to Shed Their Copycat Image by Investing in Basic Research», *Far Eastern Economic Review*, 20 de julio de 2000.

63. «Beijing Group Prosecuted for Book Piracy», *Financial Times*, 14 de enero de 2005.

7. Los blanqueadores de dinero

1. «Bankrolling bin Laden», *Financial Times*, 29 de noviembre de 2001; «Trail of Terrorist Dollars That Spans the World», *Financial Times*, 29 de noviembre de 2001.

2. Jim Hoagland, «Dry Up the Money Train», *Washington Post*, 30 de septiembre de 2001, p. B7.

3. «The Iceberg beneath the Charity», *The Economist*, 15 de marzo de 2003.

4. «BIS Reporting Banks», «Summary of International Positions», www.bis.org/publ/qcsv/anxl.csv.

5. Saleh M. Nsouli y Andrea Schaechter, «Challenges of the E-Banking Revolution», *Finance & Development*, septiembre de 2002, p. 48.

6. Gabriele Galati y Michael Melvin, «Why Has FX Trading Surged? Explaining the 2004 Triennial Survey», *BIS Quarterly Review*, diciembre de 2004; Tom Abate, «Banking's Soldiers of Fortune», *San Francisco Chronicle*, 7 de diciembre de 2004.

7. International Finance Corporation, *Emerging Stock Markets Factbook*, Washington, IFC, varios años.

8. Conferencia de las Naciones Unidas para el Comercio y el Desarrollo (UNCTAD), *World Investment Report, 2004*, UNCTAD Press Unit, Ginebra, 22 de septiembre de 2004.

9. «Fighting the Dirt», *The Economist*, 23 de junio de 2001; «IRS Says Offshore Tax Evasion Is Widespread», *New York Times*, 26 de marzo de 2002; Nigel Morris-Cotterill, «Think Again: Money Laundering», *Foreign Policy*, mayo-junio de 2001, pp. 16-22; Peter Reuter y Edwin M. Truman, *Chasing Dirty Money: The Fight Against Money Laundering*, Washington, Institute for International Economics, 2004, p. 13. Para estimaciones más elevadas sobre el blanqueo de dinero, véase Friedrich Schneider y Dominik Enste, «Shadow Economies: Size, Causes, and Consequences», *Journal of Economic Literature*, 38, n.° 1 (2000), pp. 77-114. Véase también Vito Tanzi, *Policies, Institutions, and the Dark Side of Economics*, Cheltenham (Reino Unido), Edward Elgar, 2000.

10. «Drug Money for Hezbollah?», CBS News, 1 de septiembre de 2002, online en www.cbsnews.com/stories/2002/09/01/attack/main520457.shtml.

11. John Mintz y Douglas Farah, «Small Scams Probed for Terror Ties», *Washington Post*, 12 de agosto de 2002, p. A1.

12. «Militants Turn To Crime to Fund Terrorism», Associated Press, 12 de agosto de 2004.

13. David S. Hilzenrath, «$200,000,000 Telecom Tycoon Used International Financial Labyrinth», *Washington Post*, 18 de abril de 2005, p. E1.

14. Peter Reuter y Edwin M. Truman, *Chasing Dirty Money: The Fight against Money Laundering*, Institute for International Economics, Washington, 2004, p. 5.

15. William Wechsler, «Follow the Money», *Foreign Affairs*, 80, n.° 4, pp. 40-57; «OECD Attacks Tax Havens over Law Changes», *Financial Times*, 12 de junio de 2001, p. 4; «U.S. Companies File in Bermuda to Slash Tax Bills», *New York Times*, 18 de febrero de 2002.

16. Jack Hitt, «The Billion-Dollar Shack», New *York Times Magazine*, 10 de diciembre de 2000.

17. Nigel Morris-Cottrill, «Think Again: Money Laundering».

18. Wechsler, «Follow the Money».

19. Kerry Lynn Nankivell, «Troubled Waters», *Foreign Policy*, noviembre-diciembre de 2004, pp. 30-31.

20. William W. Mendel, «Paraguay's Ciudad del Este and the New Centers of Gravity», *Military Review*, marzo-abril de 2002; Kevin Gray, «Paraguay Tri-Border Area Is Terror Haven», Associated Press, 3 de octubre de 2004.

21. Saleh M. Nsouli y Andrea Schaechter, «Challenges of the E-Banking Revolution», *Finance & Development*, septiembre de 2002, pp. 48-51.

22. «Money Laundering», UNODC online documents, mayo de 1998, en www.unodc.org/adhoc/gass/ga/20special/featur/launder.htm.

23. «Through the Wringer», *The Economist*, 14 de abril de 2001; «U.S. Banks Admit To Shortfall in Monitoring», *Financial Times*, 2 de marzo de 2001, p. 12.

24. Celestine Bohlen, «Bank Inquiry's Trail Leads To Top Levels of Power in Russia», *New York Times*, 18 de febrero de 2000, p. A1; Thomas A. Fogarty, «Bank Chief Says Workers Used Poor Judgment», *USA Today*, 23 de septiembre de 1999, p. 7A.

25. John Willman, «Trail of Terrorist Dollars That Spans the World», *Financial Times*, 29 de noviembre de 2001, p. 7.

26. Thomas Azzara, *Tax Havens of the World*, 7.ª ed., Nassau (Bahamas), New Providence Press, 1999; Jack Hitt, «The Billion-Dollar Shack»; U.S. Department of State, Bureau for International Narcotics and Law Enforcement Affairs, «International Narcotics Control Strategy Report, 2005», marzo de 2005.

27. Nigel Morris-Cottrill, «Think Again: Money Laundering»; sitio web del GAFI, www.fatf-gafi.org.

28. Ernesto U. Savona, «Obstacles in Company Law To Anti-Money Laundering International Cooperation in European Union Member Sta-

tes», en Mark Pieth, ed., *Financing Terrorism*, Kluwer Academic Publishers, Londres, 2002.

29. «London's Dirty Secret», *Financial Times*, 29 de octubre de 2004, p. 14.

30. «Britain Goes after Abacha Billions», BBC News online, 18 de octubre de 2001.

31. Rod Smith, «Online Betting Growth Called Threat To Nevada», *Las Vegas Review-Journal*, 24 de enero de 2004, p. 1D; Peter Spiegel, «U.S. to Stop Net Becoming an Offshore Tax Haven», *Financial Times*, 11 de julio de 2000, p. 13.

32. Patricia Hurtado, «Drugs and Money at the Crossroads», *Newsday*, 23 de junio de 1997, p. 3.

33. Douglas Frantz, «Ancient Secret System Moves Money Globally», *New York Times*, 3 de octubre de 2001, p. B5.

34. Asamblea General de las Naciones Unidas, sesión especial sobre el problema de la droga en el mundo, «Money Laundering», UN Department of Public Information (DPI/1982), mayo de 1998.

35. Judith Miller y Jeff Gerth, «Honey Trade Said to Provide Funds and Cover To bin Laden», *New York Times*, 11 de octubre de 2001, p. A1.

36. Douglas Farah, *Blood from Stones: The Secret Financial Network of Terror*, Broadway Books, Nueva York, 2004.

37. Jonathan M. Winer y Trifin J. Roule, «The Finance of Illicit Resource Extraction», manuscrito fotocopiado fechado el 13 de enero de 2002; «Gold Shampoo Washed Money», *Washington Post*, 9 de enero de 2004, p. E3; «Infighting Slows Hunt for Hidden al-Qaeda Assets: Funds Put in Untraceable Commodities», *Washington Post*, 18 de junio de 2002.

38. Basel Committee on Banking Supervision, «International Convergence of Capital Measurement and Capital Standards», julio de 1998.

39. Andrew Parker, «Professions Join Hunt for Dirty Cash», *Financial Times*, 1 de marzo de 2004, p. 11.

40. Wechsler, «Follow the Money»; «Panama helps Russia Beat Money Laundering», *Financial Times*, 9 de agosto de 2001; «Tax Haven Tightens Up Its Financial Regulations», *Financial Times*, sección especial, 16 de julio de 2001; Canute James, «Offshore Financial Centers Hit at OECD», *Financial Times*, 21 de noviembre de 2001, p. 5; «Doubts over Israeli "Dirty Money" Unit», *Financial Times*, 16 de noviembre de 2001; «Tough Test in Battle to Beat Tax Evasion», *Financial Times*, 20 de febrero de 2001; «Fighting the Dirt», *The Economist*, 1 de junio de 2001; Michael

Peel, «Bahamas Agrees To Tax Haven Demands», *Financial Times*, 19 de marzo de 2002, p. 6.

41. Jonathan M. Winer y Trifin J. Roule, «Fighting Terrorist Finance», *Survival: The IISS Quarterly*, 44, n.º 3 (otoño de 2002), pp. 87-104; Jonathan M. Winer, «Globalization, Terrorist Finance, and Global Conflict: Time for a White List?», en Pieth, ed., *Financing Terrorism*, pp. 5-40; «Terrorists Are Now Targets in Money-Laundering Fight», *Washington Post*, 25 de julio de 2002, p. E3; «The Dirty Money That Is Hardest to Clean Up», *Financial Times*, 20 de noviembre de 2001; «G7 Countries to Seek Stiffer Controls on Financial Centers», *Financial Times*, 13 de diciembre de 2001; «Banking on Secrecy», *Time*, 22 de octubre de 2001; «Money Laundering Targeted in Europe», *Washington Post*, 2 de octubre de 2001, p. A12, «The Needle in the Haystack», *The Economist*, 14 de diciembre de 2002; Claes Norgren y Jaime Caruana, «Wipe Out the Treasuries of Terror», *Financial Times*, 7 de abril de 2004; «Loopholes Undermine Crackdown on Terror Financing», *Financial Times*, 14 de noviembre de 2003.

42. United States Treasury Department, *National Money Laundering Strategy*, julio de 2002, p. 3, online en www.treas.gov/offices/enforcement/publications/ml2002.pdf.

43. «Task force to Discuss Financial Crackdown», *Financial Times*, 23 de octubre de 2001, p. 4.

44. Arthur Docters van Leeuwen, «Secrets That Block the War on Terror Financing», *Financial Times*, 7 de octubre de 2004.

45. Entrevista del autor a Rudolph Hommes, ex ministro de Hacienda de Colombia, Bogotá, noviembre de 2004.

46. Entrevista del autor a Caio Koch-Weser, subsecretario de Hacienda de Alemania, Davos, enero de 2005.

47. Entrevista del autor a un banquero privado, Zurich, enero de 2005.

8. ¿Qué tienen en común los orangutanes, los riñones humanos, la basura y Van Gogh?

1. Martina Keller, «Operation Niere», *Die Zeit*, 11 de diciembre de 2002.

2. Nancy Scheper-Hughes, «The Global Traffic in Human Organs»,

Current Anthropology, 41, n.° 2 (abril de 2000); Scheper-Hughes, «The New Cannibalism», *New Internationalist*, n.° 300 (abril de 1998).

3. Abraham McLaughlin, Ilene R. Prusher y Andrew Downie, «What Is a Kidney Worth?», *Christian Science Monitor*, 9 de junio de 2004; «The Rise and Fall of the South African Organ-Trafficking Ring», *ibid.*; Larry Rohter, «Tracking the Sale of a Kidney on a Path of Poverty and Hope», *New York Times*, 22 de mayo de 2004; «Poor Sell Organs To Trans-Atlantic Trafficking Ring», IPS (Inter Press Service), 23 de febrero de 2004.

4. Nancy Scheper-Hughes, «Prime Numbers: Organs without Borders», *Foreign Policy*, enero-febrero de 2005, pp. 26-27.

5. McLaughlin, Prusher y Downie, «What Is a Kidney Worth?».

6. Massoud Ansari, «Life on the Line», Newsline (Pakistán), mayo de 2003, online en www.newsline.com.pk/NewsMay2003/newsbeat4may.htm; Scheper-Hughes, «Global Traffic in Human Organs».

7. Scheper Hughes, «Global Traffic in Human Organs».

8. «Azerbaijan Probes Child-Organ Traffickers», BBC News online, 23 de febrero de 2004.

9. «Karzai Seeks Death for Afghan Organ Traffickers», *Financial Times*, 4 de julio de 2004.

10. Scheper-Hughes, «The New Cannibalism»; sobre la anécdota de Hainan: «Evil Trade in Organs», *Sunday Times*, 19 de junio de 1999.

11. Dena Kram, «Illegal Human Organ Trade from Executed Prisoners in China», *Trade and Environment Case Studies* (American University), 11, n.° 2 (junio de 2001); Craig S. Smith, «On Death Row, China's Source of Transplants», *New York Times*, 17 de octubre de 2001, p. A1.

12. Luc-Roger Mbala Bemba, «Vaste trafic d'organes humains et d'armes dans l'Est de la République Démocratique du Congo», *L'Observateur* (Kinshasa), reproducido online en www.nkolo-mboka.com/genocide_56.html.

13. «Du meurtre d'une nonne au trafic d'organes», *Info Mozambique*, 3 de marzo de 2004, reproducido online en www.amigos-de-mocambique.org/info/article.php3?id_article=43.

14. «Q & A: "The Kidney Is Not a Spare Part"», y «Q & A: "It Should Be Made Legal"», *Christian Science Monitor*, 9 de junio de 2004.

15. Convención sobre el Comercio Internacional de Especies Amenazadas (CITES), online en www.cites.org.

16. Mary Jordan y Kevin Sullivan, «Riches Uprooted from Mexican Desert», *Washington Post*, 13 de febrero de 2003, p. A18.

17. Abby Goodnough, «Forget the Gators: Exotic Pets Run Wild in Florida», New *York Times*, 29 de febrero de 2004, p. A1.

18. Marçal Joanilho, «Ivory Sellers Back in Business», *South China Morning Post*, 11 de noviembre de 2002, p. 4.

19. Tom Milliken, «Urgent Need for ASEA to Improve Elephant Ivory Trade Monitoring Perfomance», TRAFFIC.org, 9 de marzo de 2005, online en www.traffic.org/news/elephant_ivory.html.

20. Carolyn Jung, «Saving Sturgeons: Value of Eggs Make Fading Fish a Target of Criminal World», *San Jose Mercury News*, 3 de febrero de 2004, p. 1.

21. James McGregor, «International Trade in Crocodilian Skins», informe de TRAFFIC, diciembre de 2002.

22. «Tiger Smuggling "Out of Control"», BBC News online, 6 de octubre de 2004.

23. «Thailand Seizes 600 Pangolins», Xinhua News Agency, 29 de septiembre de 2004.

24. Ellen Nakashima, «Thais Fight Animal Smuggling», *Washington Post*, 11 de diciembre de 2003.

25. Jay Cheshes, «Cold Blooded Smuggling», *New Times Broward-Palm Beach*, 4 de febrero de 1999; véase también James Reynolds, «Organised Crime Cashes in on Wildlife», *The Scotsman*, 17 de junio de 2002.

26. «Seizures and Prosecutions», *TRAFFIC Bulletin*, 18, n.° 2 (abril de 2000).

27. Antony Barnett y Andrew Wasley, «Revealed: UK Zoos Caught in Rare Wildlife Trade with Dealer», *The Observer*, 28 de marzo de 2004.

28. «Gorillas in the Midst: Trade in Endangered Species», *The Economist*, 6 de noviembre de 2004, p. 82.

29. Marc Kaufman, «U.S. Is Major Market for Illegal Ivory», *Washington Post*, 24 de septiembre de 2004, p. A4.

30. «Australian Film on Indonesian Illegal Logging Causes Outrage», Environmental Investigation Agency (EIA), 31 de julio de 2002; «Police Fail to Prosecute Timber Barons and Plan Auction of Stolen Timber», EIA, 6 de junio de 2002; «Malaysia Still Laundering Illegal Timber», EIA, 13 de mayo de 2004.

31. Roni Rabin, «When Animal Germs Infect Humans», *Newsday*, 24 de junio de 2003, p. A34.

32. Steven Hayward, «NIMBYism and the Garbage Barge from Hell», *Capital Ideas*, 7, n.° 29 (25 de julio de 2002); Shirley Perlman, «Barging

into a Trashy Sea», *Newsday*, s.f., online en www.newsday.com/community/guide/lihistory/ny-history-hs9garb,0,6996774.story?coll=ny—lihistory-navigation.

33. FBI Environmental Crime, www.fbi.gov/hq/cid/fc/gfu/ec/ec.htm; UK Environment Agency, www.environment-agency.gov.uk; Australia Crime Prevention Division, www.lawlink.nsw.gov.au/cpd.nsf/pages/module_8.

34. «Japan Found Dumping Toxic Electronic Waste in New Dumping Zone in China», Basel Action Network, 21 de abril de 2004; John Vidal, «Poisonous Detritus of the Electronic Revolution», *The Guardian*, 21 de septiembre de 2004.

35. Jorge Piña, «"Eco-Mafia" Dumps Radioactive Waste on Poor Countries», Inter Press Service, 7 de mayo de 2001.

36. Prasanna Srinivasan, «Let the Trade in Waste Continue», *Wall Street Journal*, 16 de diciembre de 2002.

37. TED Case Studies: «Toxic Dumping by Formosa Plastics Group in Cambodia (CAMWASTE)-Abbi Tatton», diciembre de 1999, www.american.edu/TED/camwaste.htm.

38. «High-Tech Toxic Trash from USA Found to Be Flooding Asia», Basel Action Network, 25 de febrero de 2002.

39. Secretariado de la Convención de Basilea, Programa Medioambiental de las Naciones Unidas, www.basel.int.

40. Citado en Vidal, «Poisonous Detritus...».

41. Piña, «Eco-Mafia»; «Online Extra: "We Need International Cooperation"», *Business Week* online, 27 de enero de 2003.

42. Texto del Protocolo de Montreal: www.unep.org/ozone/Treaties_and_Ratification/2B_montreal_protocol.asp.

43. «Lost in Transit: Global CFG Smuggling Trends and the Need for a Faster Phase-Out», Environmental Investigation Agency (EIA), noviembre de 2003; «Curbing Illegal Trade at the Source: The Need for Cuts in the Production of CFCs», Environmental Investigation Agency (EIA), noviembre de 2004; exposición de Halvart Koeppen ante el Programa Medioambiental de las Naciones Unidas, grupo de trabajo sobre delitos relacionados con la contaminación ambiental, Lyon, 11-12 de diciembre de 2001.

44. EIA, «Lost in Transit».

45. EIA, «Curbing Illegal Trade at the Source».

46. «Whistle Blown on Illegal CFG Trade», BBC News Online, 31 de enero de 2004.

47. Walter Gibbs y Carol Vogel, «Munch's "Scream" Is Stolen from a Crowded Museum in Oslo», *New York Times*, 23 de agosto de 2004, p. A6.

48. Alexandra Olson, «Stolen Matisse Shocks Venezuela Museum», Associated Press, 1 de febrero de 2003.

49. Anna J. Kisluk, «Stolen Art and the Art Loss Register», Art Crime: Protecting Art, Protecting Artists and Protecting Consumers Conference, Sydney, 2-3 de diciembre de 1999.

50. Edward Dolnick, «Stealing Beauty», *New York Times*, 24 de agosto de 2004, p. A17.

51. Steve Vol, «Art of the Deal», *Philadelphia Weekly*, 1 de septiembre de 2004; Marc Spiegler, «The Crimes They Are A-Changin'», *Slate*, 26 de agosto de 2004, online en slate.msn.com/id/2105632/; Bruce Ford, «The Good, the Bad, and the Ugly», *Australian Art Review*, febrero de 2003.

52. Martha Lufkin, «How Drug Dealers Use Paintings to Launder Money», *Art Newspaper.com*, 8 de abril de 2003. Véase también Larry Lebowitz, «Arrest Made in Convoluted Case of Art, Drugs, Money», *Miami Herald*, 8 de enero de 2003, online en www.aberdeennews.com/mid/aberdeennews/news/nation/4899604.htm.

53. Edek Osser, «London and Paris Markets Flooded with Looted Iranian Antiquities», *Art Newspaper.com*, 8 de enero de 2004.

54. «Spirited Away», *Time Asia*, 20 de octubre de 2003 (sobre las antigüedades originarias de la India, Camboya y China); «Big Business: Asia's Stolen-Art Trade Is Carried Out on an Almost Industrial Scale», *ibid.*; «Art gangs "Looted Iraqi Museums"», BBC News Online, 17 de abril de 2003; «Ancient Art Traffickers Rob History for Millions», *Christian Science Monitor*, 7 de octubre de 1999.

55. «For That Stolen Vermeer, Follow the Art Squad», *Unesco Courier*, abril de 2001, p. 30; Linda Hales, «Art-Theft Cops and the Loot of All Evil», *Washington Post*, 10 de agosto de 2003, p. Nl.

56. Catherine Elton, «Ancient Art Traffickers Rob History for Millions», *Christian Science Monitor*, 7 de octubre de 1999.

57. «The Art of Crime», *Sunday Times* (Sudáfrica), 19 de octubre de 2003; «Le pourfendeur de l'élite plus caustique que jamais», *Artcult*, junio de 2002.

9. ¿Qué hacen los gobiernos?

1. Jason Peckenpaugh, «Under One Roof», *Government Executive*, 1 de mayo de 2003, en GovExec.com, véase www.govexec.com/features/0503/HSs3.htm.

2. Michael Crowley, «Playing Defense», *New Republic*, 15 de marzo de 2004; Jason Peckenpaugh, «Under One Roof», y «The Ties that Bind», *Government Executive*, 15 de noviembre de 2003, en GovExec.com, véase www.govexec.com/features/1103/1103s4.htm; Héctor Gutiérrez, «Shoring Up Borders, and a Reputation», *Rocky Mountain News*, 26 de agosto de 2004, p. 26A; Jerry Seper, «ICE Embraces Role in Homeland Security», *Washington Times*, 13 de septiembre de 2004, p. A3.

3. Peckenpaugh, «Ties that Bind».

4. Crowley, «Playing Defense».

5. «Turner Says Security Gaps along Border Imperil Nation», *Lufkin Daily News*, 9 de septiembre de 2004.

6. Peckenpaugh, «Ties that Bind»; Crowley, «Playing Defense».

7. Crowley, «Playing Defense»; Jason Peckenpaugh, «DHS Agency to Keep Its Name», GovExec.com, 25 de junio de 2004, véase www.govexec.com/dailyfed/0604/062504pl.htm; Michelle Malkin, «Homeland Insecurity Files», 28 de junio de 2004, en MichelleMalkin.com, véase michellemalkin.com/archives/2004_06.htm.

8. Entrevista del autor con un alto funcionario de aduanas, Washington, 6 de abril de 2004.

9. Peckenpaugh, «Ties that Bind».

10. Susan Glasser, «Russian Drug Unit Criticized over Dubious Tactics, Priorities», *Washington Post*, 22 de septiembre de 2004, p. A20.

11. U.S. Department of Justice, Office of the Inspector General, «The Internal Effects of the Federal Bureau of Investigation's Reprioritization», Audit Report 04-39, septiembre de 2004.

12. James McKinley Jr., «Terror Fears Grow over U.S. Borders», *New York Times*, 23 de marzo de 2005.

13. Ted Carlson, «Eye in the Sky», *Flight Journal*, junio de 2004.

14. Entrevista del autor a Robert Hutchings, presidente del Consejo de Inteligencia Nacional de la CIA, Airlie (VA), 1 de octubre de 2004.

15. James Q. Wilson, *Bureaucracy: What Government Agencies Do and Why They Do It*, Basic Books, Nueva York, 1989; Ali Farazmand, ed., *Mo-*

dern Systems of Government: Exploring the Role of Bureaucrats and Politicians, Sage Publications, Nueva York, 1997.

16. Thomas O'Connor, «Police Structure of the United States», online en faculty.ncwc.edu/toconnor/polstruct.htm.

17. Tom Ridge, «Global Security Depends on Joint Action», *Financial Times*, 13 de enero de 2005.

18. Entrevista del autor, Moscú, 16 de septiembre de 2003.

19. «On Guard, America», *New York Times*, 11 de septiembre de 2004, p. A14.

20. Entrevista del autor a Andrés Pastrana, presidente de Colombia en 1998-2002, Santo Domingo, República Dominicana, diciembre de 2004.

21. «On Guard, America», *New York Times*, 15 de febrero de 2005, p. A18.

22. U.S. General Accounting Office Report To Congressional Committees, «Alien Smuggling», mayo de 2000; Karen Gullo, «Federal Drug Charges Rise», Associated Press, 19 de agosto de 2001.

23. David Feslen y Akis Kalaitzidis, «A Historical Overview of Transnational Crime», cap. 1, en Philip Riedel, ed., *Handbook of Transnational Crime and Justice*.

24. Matti Joutsen, «International Instruments on Cooperation in Responding To Transnational Crime», cap. 13, en Riedel, ed., *Handbook of Transnational Crime and Justice*.

25. «Danzingers, The Man from Interpol», online en www.78rpm.co.uk/tvi.htm; Austin Powell, «The Man from Interpol», JazzProfessional.com, online en www.jazzprofessional.com/memorial/Crombie_Interpol.htm.

26. Mathieu Deflem, «"Wild Beasts without Nationality": The Uncertain Origins of Interpol, 1898-1910», cap. 14, en Riedel, ed., *Handbook of Transnational Crime and Justice*.

27. En www.interpol.int, y «The Secret History of Interpol», *Fast Company web exclusive*, 1 de septiembre de 2002, online en www.fastcompany.com/articles/2002/09/interpol.html.

28. En www.interpol.int; Chuck Salter, «Terrorists Strike Fast... Interpol Has to Move Faster... Ron Noble Is on the Case», Fast *Company*, n.° 63, octubre de 2002, p. 96; «The Man from Interpol», entrevista a Peter Nevitt, director de Sistemas de Información de la Interpol, *CIO Magazine*, 15 de junio de 2000, online en www.cio.com/archive/061500/interpol.html; Maggie Paine, «The World's Top Cop», *UNH Magazine* (Universidad

de New Hampshire), invierno de 2002; online en unhmagazine.unh.edu/w02/noblelw02.html.

29. Glasser «Russian Drug Unit...».

30. Richard Boudreaux, «Once Superheroes, Mexico's Elite Police Fall from Grace», *Los Angeles Times*, 17 de diciembre de 2004, p. Al.

31. Buffalo bust: «NAAUSA in Congress: USA Patriot Act, Section 213: Delayed Notice B Rep. Otter Amendment», National Association of Assistant United States Attorneys, online en www.naausa.org/congress/patriot.htm; «Drug Empire Smashed», *Ottawa Sun*, 1 de abril de 2004; informe de la DEA online en www.usdoj.gov/dea/major/candybox.

32. «DEA Disrupts Colombian Drug Ring», sitio web de la DEA, 16 de enero de 2004, en www.usdoj.gov/dea/pubs/states/newsrel/mia011604.html.

33. «Calabrian Mafia Dismantled in Operation "Decollo" (Take-Off)», sitio web de la DEA, 28 de enero de 2004, en www.usdoj.gov/dea/pubs/pressrel/pr012804.html.

34. «Major Cartel Lieutenants Arrested in Mexico», sitio web de la DEA, 7 de junio de 2004, en www.usdoj.gov/dea/major/united_eagles; Robert J. Caldwell, «Winning the Long Battle against the Tijuana Cartel», *San Diego Union-Tribune*, 20 de junio de 2004.

35. «Importante saisie de cocaine au large du Ghana», despacho de la agencia France-Presse, 7 de julio de 2004.

36. John Bolton, «An All-Out War on Proliferation», *Financial Times*, 6 de septiembre de 2004.

37. Wechsler, «Follow the Money»; Edward Aldin y Michael Peel, «U.S. May ease Stance over Money Laundering», *Financial Times*, 1 de junio de 2001, p. 12; David Ignatius, «The Tax Cheats' Friends», *Washington Post*, 29 de abril de 2001, p. B7; George Lardner, «O'Neill Targets Tax Havens», *Washington Post*, 19 de julio de 2001, p. E13; «Banking on Secrecy», *Time*, 22 de octubre de 2001; Doug Cameron y Canute James, «Caribbean Governments Seek Global Forum on Tax Haven Issue», *Financial Times*, 26 de febrero de 2001, p. 8.

38. Entrevista del autor a María Cristina Chirolla, diciembre de 2004; «Wide Angle: An Honest Citizen» (película documental), Thirteen/WV-NET para PBS, estrenada el 16 de septiembre de 2004; Angus MacQueen, «The White Stuff», *The Guardian*, 9 de enero de 2005; María Cristina Chirolla, «Personal Reflections: Relieving Pain and Suffering in Colombia:

One Regulator's Journey», *Innovations in End-of-Life Care*, 5, n.º 1, 27 de enero de 2003 (enero-febrero de 2003).

10. Ciudadanos contra delincuentes

1. Environmental Investigation Agency (EIA) y Telapak, «The Last Frontier: Illegal Logging in Papua and China's Massive Timber Theft», febrero de 2005.

2. «Children for Sale: *Dateline* Goes Undercover with a Human Rights Group to Expose Sex Trafficking in Cambodia», MSNBC.com, 30 de enero de 2004; «Cambodian Police Close Dozens of Child-Sex Brothels», *Independent*, 25 de enero de 2003; «The Skin Trade: High-Profile Investigations into Pedophilia Are Headline News», *Independent*, 22 de enero de 2003; Mark Baker, «A Sick Trade Flourishes», *The Age*, 13 de julio de 2002; «Cambodian Brothels under Threat», BBC News Online, 5 de julio de 2003; Christopher St. John, «Trafficking's Lasting Limbo: Former Sex Workers Face Slow Repatriation, Recovery», *Cambodia Daily*, 13-14 de diciembre de 2003; «Cambodia Shuts Down Red-Light District», BBC News Online, 23 de enero de 2003.

3. Maggie Jones, «Thailand's Brothel Busters», *Mother Jones*, noviembre-diciembre de 2003, p. 19; «Weblog: International Justice Mission Gets Notice and Results», *Christianity Today*, 27 de enero de 2004; Henry Hoenig, «U.S. Group Battles Trade in SE Asia: Christian Organization Gets Federal Funds», *San Francisco Chronicle*, 11 de mayo de 2004, p. A1.

4. Véase, por ejemplo, Margaret Keck y Kathryn Sikkink, *Activists Beyond Borders: Advocacy Network in International Politics*, Cornell University Press, Ithaca (NY), 1998; Thomas Carothers, «Think Again: Civil Society», *Foreign Policy*, invierno de 1999-2000, pp. 18-24; Nicanor Perlas, «Civil Society: The Third Global Power», *INFO 3* (Alemania), abril de 2001.

5. Hoenig, «U.S. Group Battles Trade in SE Asia».

6. «Migration and Trafficking», Solidarity Center, online en www.solidaritycenter.org/our_programs/counter_trafficking.

7. Donna M. Hughes, «Prostitution in Russia», *National Review* online, 21 de noviembre de 2002.

8. *Small Arms Survey 2004: Rights at Risk*, Graduate Institute of International Studies, Ginebra, 2004.

9. «Brazilian Gun Buyback Exceeds Expectations», Associated Press, 23 de diciembre de 2004.

10. «Bill Makes Human Trafficking a Crime», *Moscow Times*, 19 de febrero de 2003; Nabi Abdullaev, «Ministry Bemoans Problems of Fighting the Sex Trade», *Moscow Times*, 28 de agosto de 2002.

11. James A. Inciardi y Lana D. Harrison, eds., *Harm Reduction: National and International Perspectives*, Sage Publications, Nueva York, 2000; y *Harm Reduction Journal*, una publicación que aborda todos los aspectos de la minimización de los afectos adversos de las drogas psicoactivas, en www.harmreductionjournal.com.

12. Jacob Sullum, «Mind Alteration: Drug-Policy Scholar Ethan Nadelmann on Turning People against Drug Prohibition», ReasonOnline, 1994, online en reason.com/Nadelman.shtml.

13. Business Software Alliance (BSA), www.bsa.org; sobre la fundación de la BSA, véase «Amnesty in May Will Let Firms Check for Software Violations», *Business Journal*, 26 de abril de 2002, p. 7.

14. «Piracy Raid on Singapore Computer Firm, Shares Suspended», agencia France-Presse, 13 de agosto de 1997.

15. Peter S. Goodman, «China's Killer Headache», *Washington Post*, 30 de agosto de 2002, p. A1.

16. «Protecting Your Business from Software Piracy and the Trouble It Brings», *Broward Daily Business Review*, 9 de junio de 2004.

17. Bruce Einhorn, «China Learns to Say, "Stop, Thief!"», *Business Week Online*, 11 de febrero de 2003; Phusadee Arunmas, «Software Group Concerned about Thailand's Intellectual Property Law», *Bangkok Post*, 23 de mayo de 2003.

18. «Music Piracy: Serious, Violent, and Organised Crime», informe de la IFPI, enero de 2004; «The Pirates among Us», *CIO*, 15 de abril de 2003; «Hong Kong Court Sentences Disc Pirate Couple To 6 1/2 Years», *Consumer Electronics Daily*, 21 de julio de 2004; «BAS-CAP Operations Plan», Business Action to Stop Counterfeiting and Piracy, 9 de noviembre de 2004, online en www.iccwbo.org/home/BASCAP/BASCAP_Ops.pdf; Lew Kontnik, «Counterfeits: The Cost of Combat», *Pharmaceutical Executive*, 23, n.º 11, 1 de noviembre de 2003.

19. Kevin G. Hall, «Cocaine Wars Neglected Front», *San Jose Mercury News*, 22 de noviembre de 2000, p. 11A.

20. «Pakistan 2000: Country Report», Committee to Protect Journalists, online en www.cpj.org/attacksOO/asiaOO/Pakistan.html.

21. «Ukraine 2000: Country Report», Committee to Protect Journalists, 20 de septiembre de 2002, online en www.cpj.org/attacks00/europe00/Ukraine.html.

22. «Brazil: Police Arrest Suspect in Journalist's Murder», Committee to Protect Journalists, online en www.cpj.org/news/2002/Brazil20sept02na.html.

23. Declaraciones del Committee to Protect Journalists, 27 de marzo de 2001.

24. Tim Gaynor, «Journalists under Fire in Mexico Border Drug War», Agencia Reuter, 14 de febrero de 2005.

25. International Consortium of Investigative Journalists (ICIJ), *Making a Killing: The Business of War*, Washington, Center for Public Integrity, 2003.

26. Jessica Mathews, «Power Shift», *Foreign Affairs*, 76, n.° 1 (enero-febrero de 1997), pp. 50-66. Véase también Keck y Sikkink, *Activists Beyond Borders*; Thomas Homer-Dixon, «The Rise of Complex Terrorism», *Foreign Policy*, enero-febrero de 2002, pp. 52-62; Sebastian Mallaby, «NGOs: Fighting Poverty, Hurting the Poor», *Foreign Policy*, septiembre-octubre de 2004, pp. 50-58.

27. «Body of Brazilian Nun to Be Flown Home», Associated Press, 3 de marzo de 2004; Michael Astor, «Brazilian Senate Commission Finds Wider Conspiracy in Killing of U.S. Nun», Associated Press, 30 de marzo de 2005.

28. Steve Hargreaves, «Cross Purposes: Federally Funded Missionaries Threaten a Southeast Asian Culture», *Village Voice*, 29 de enero-4 de febrero de 2003.

29. Nina Shapiro, «The New Abolitionists», *Seattle Weekly*, 25-31 de agosto de 2004; Jennifer Block, «Sex Trafficking: Why the Faith Trade Is Interested in the Sex Trade», *Conscience*, verano-otoño de 2004; «Odd Coalition Unites on Human Trafficking», Associated Press, 15 de septiembre de 2004.

11. ¿Por qué estamos perdiendo?

1. Anthony Davis, «Thai Drugs Smuggling Networks Reform», *Jane's Intelligence Review*, 16, n.° 12 (diciembre de 2004), p. 22.

2. Ginger Thompson y James C. McKinley Jr., «Mexico's Drug Car-

tels Wage Fierce Battle for Their Turf», *New York Times*, 14 de enero de 2005.

3. Reuter y Truman, *Chasing Dirty Money*, Washington, Institute for International Economics, 2004, p. 192; entrevista del autor a Ted Truman, Washington, 7 de febrero de 2005.

4. Mark Kurlansky, *Salt: A World History*, Penguin, Nueva York, 2003.

5. Phil Williams, «The Nature of Drug Trafficking Networks», *Current History*, abril de 1998, pp. 154-159; Peter Klerks, «The Network Paradigm Applied To Criminal Organisations: Theoretical Nitpicking or a Relevant Doctrine for Investigators? Recent Developments in the Netherlands», *Connections*, 24, n.° 3, 2001, pp. 53-65; Kathleen M. Carley, Ju-Sung Lee y David Krackhardt, «Destabilizing Networks», *Connections*, 24, n.° 3, 2001, pp. 79-92; Barry Wellman, «The Rise (and Possible Fall) of Networked Individualism», *Connections*, 24, n.° 3, 2001, pp. 30-32; Gerben Bruinsma y Wim Bernasco, «Criminal Groups and Transnational Illegal Markets: A More Detailed Examination on the Basis of Social Network Theory», *Crime, Law and Social Change*, n.° 41, 2004, pp. 79-94; Jörg Raab y H. Brinton Milward, «Dark Networks as Problems», *Journal of Public Administration Research and Theory*, 13, n.° 4, 2003, pp. 413-439.

6. John Arquilla y David Ronfeld, eds., *Networks and Netwars: The Future of Terror Crime and Militancy*, Rand, Santa Mónica (CA), 2001, especialmente Phil Williams, «Transnational Criminal Networks», pp. 61 y ss.; y asimismo James Rauch y Alessandra Casella, eds., *Networks and Markets*, Sage Publications, Nueva York, 2001.

7. National Commission on Terrorist Attacks upon the United States, *The 9/11 Commission Report*, Norton, Nueva York, 2004; sobre la burocracia, véase al capítulo 9.

12. ¿Qué hacer?

1. Declaración de la senadora estadounidense Susan Collins, mayo de 2005, online en hsgac.senate.gov/files/OpeningStatement503PM.pdf; Ronald Noble, «The Links Between Intellectual Property Crime and Terrorist Financing», testimonio en la Cámara de Representantes, julio de 2003, online en www.interpol.com/Public/ICPO/speeches/SG2003 0716.asp

2. Susan B. Schor, «RFID Tags May Not Reduce Drug Counterfei-

ting», CRM News, online en www.crmbuyer.com/story/38179.html, 15 de noviembre de 2004; Eric Chabrow, «Homeland Security to Test RFID Tags at U.S. Borders», *Security Pipeline*, 25 de enero de 2005; John Blau, «Prepare for the One-Cent RFID Tag», *Techworld*, 14 de enero de 2005; Stephen D. Nightingale, «State-of-Art Operations: New Technologies for Food Traceability, Package, and Product Markers», *Food Safety Magazine*, agosto-septiembre de 2004; «Mobile Technologies Set to Revolutionise Manufacturing and Retail Sectors», Tech-news, mayo de 2004, online en securitysa.com/news.asp?pklNewsID=14249&pklIssueID=457&pkl CategoryID=1; Manish Bhuptani, Shahram Moradpour, «Emerging Trends in RFID», InformIT.com, online en www.informit.com/articles/printerfriendly.asp?p=367086&r1=1; «Barcelona clubbers get chipped», BBC News Online, 29 de septiembre de 2004.

3. Shane Harris, «Biometrics Need a Measure of Security», GovExec.com, 15 de julio de 2003; Greta Wodele, «Delays in Deploying Biometrics Aggravate Key Lawmakers», GovExec.com, 19 de mayo de 2004; David McGlinchey, «Border Chief Touts Biometrics as Security Tool», GovExec.com, 23 de septiembre de 2004; «EU Biometric IDs on Track», ComputerWeekly.com, 3 de diciembre de 2004; Kevin Poulsen, «EU goes on Biometric LSD Trip», *The Register* (Reino Unido), 3 de febrero de 2005; Sistema de Información de Visados de la Unión Europea, Propuesta de Regulación, versión final: europa.eu.int/eurlex/lex/staging/LexUriSery/LexUriServ.do?uri=CELEX:52004PC0835:EN:HTML. Portal biométrico europeo: www.europeanbiometrics.info/index.php; S. Bacqué, implementaciones biométricas en los estados de la Unión Europea: www.europeanbiometrics.info/images/resources/93 338 file.pdf

4 Ryan Singel, «New Screening Technology Is Nigh», Wired News, online en www.wired.com, 19 de octubre de 2004; Matthew L. Wald, «New High-Tech Passports Raise Snooping Concerns», *New York Times*, 26 de noviembre de 2004; «The Evolution of the Photofit», *The Economist Technology Quarterly*, 4 de diciembre de 2004.

5 Véase Robert O'Harrow Jr., *No Place to Hide: Behind the Scenes of Our Emerging Surveillance Society*, Free Press, Nueva York, 2005; Patrick Radden Keefe, *Chatter: Dispatches from the Secret World of Global Eavesdropping*, Random House, Nueva York, 2005; Jason Ackleson, «Border Security Technologies: Local and Regional Implications», *Review of Policy Research, 22*, n.° 2, 2005, pp. 137 y ss. Véase también Matthew Brzezinski, *Fortress America: On the Frontlines of Homeland Security-An Inside Look at*

the Coming Surveillance State, Bantam Books, Nueva York, 2004; Michael McCahill y Clive Norris «CCTV in London», documento de trabajo, junio de 2002, p. 21. www.urbaneye.net/results/ue_wp6.pdf; sobre Echelon/Jalid Shaij Muhammad, véase *The Guardian*, «How mobile phones and an GBP 18m bride trapped a 9/11 mastermind», 11 de marzo de 2003.

6. Jessica Pallay, «Brokers Will Spend Big on Anti-Money Laundering», Wall Street & Technology Online, www.wallstreetandtech.com, 1 de mayo de 2003; Peggy Bresnick Kendler, «Executive Roundtable: Combating Money-Laundering», *Security Pipeline*, 30 de enero de 2005.

7. David Rowan, «The Personal Microchip Is Being Touted as the Next-Generation Identity Card», *The Times* (Londres), 27 de febrero de 2002.

8. David Finn, «Vaccine Aids Cocaine Addicts», *Financial Times*, 15 de junio de 2004.

9. «Move Over, Big Brother», *The Economist Technology Quarterly*, 4 de diciembre de 2004; Amitai Etzioni, *The Limits of Privacy*, Basic Books, Nueva York, 2000; Supervisor Europeo de Protección de Datos, sondeo sobre el Sistema de Información de Visados, online en: europa.eu.int/eur-lex/lex/LexUriServ/site/en/oj/2005/c_18120050723en00130029.pdf; comisión francesa para la emisión de pasaportes biométricos, online en: www.cnil.fr/index.php?id=1916&news[uid]=300&cHash=8bac29cc3c.

10. Dan Eggen, «Computer Woes Hinder FBI's Work, Report Says», *Washington Post*, 4 de febrero de 2005. El senador estadounidense citado es Patrick J. Leahy (demócrata por Vermont).

11. Nick Davies, «Culture of Muddle Hinders Fight», *The Guardian*, 10 de noviembre de 2003.

12. Robert J. Macoun y Peter Reuter, *Drug War Heresies: Learning from Other Vices, Times, and Places*, Cambridge University Press, Nueva York, 2001; Ethan Nadelmann, «An End to Marijuana Prohibition», *National Review*, 9 de septiembre de 2004, p. 7; Base de Datos Jurídica Europea sobre Drogas «Decriminalisation in Europe» (2001), online en: eldd.emcdda.eu.int/index.cfm?fuseaction=public.Content&nNodeID=5734&sLanguageISO=EN; Base de Datos Jurídica Europea sobre Drogas «Illicit Drug Use in the EU: Legislative Approaches», online en eldd.emcdda.eu.int/index.cfm?fuseaction=public.Content&nNodeID=10079&sLanguageISO=EN.

13. Gary Becker, «The Wise Way to Stem Illegal Immigration», *Business Week*, 26 de abril de 2004; Demetrios Papademetriou, «Responding To

Clandestine Migration: Economic Migrants? Trends in Global Migration», Toronto, Caledon Institute of Social Policy, junio de 2000; Demetrios Papademetriou, «The Shifting Expectations of Free Trade and Migration», *NAFTA's Promise and Reality: Lessons from Mexico for the Hemisphere*, Washington, Carnegie Endowment for International Peace, 2003.

14. «Swedish Message», *The Economist*, 4 de septiembre de 2004.

15. Entrevista del autor, Washington, 28 de agosto de 2004.

13. ¿Hacia dónde va el mundo?

1. El término fue utilizado por primera vez para referirse a los estados fallidos por el editor italiano Lucio Carraciolo y el corresponsal en China de *La Stampa*, Francesco Sisci. Véase Francesco Sisci, «Black Holes and Rogue States», *Asia Times* online, 2 de marzo de 2005.

2. Leslie Crawford, «Hot Money Pays for Boom on Spain's Costa del Crimen», *Financial Times*, 23 de marzo de 2005. Como relato de ficción sobre las actividades delictivas en la Costa del Sol y sus conexiones globales, véase Arturo Pérez Reverte, *La reina del sur*, Alfaguara, Madrid, 2003.

3. *United States v. Artur Solomonyan, Christian Dewet Spies, et al.*, United States Magistrate Judge, Southern District of New York, marzo de 2005, p. 20; Julia Preston, «Arms Network Is Broken Up, Officials Say», *New York Times*, 16 de marzo de 2005.

4. U.S. Department of State, «International Narcotics Control Strategy Report, 2003», Bureau for International Narcotics and Law Enforcement Affairs, marzo de 2004; Suriname Drug Information Network, «Annual National Report, 2002», 30 de diciembre de 2002.

5. Max Weber, «Politik als Beruf ("La política como vocación")», conferencia pronunciada en la Universidad de Munich, Alemania, 1918, trad. ingl. en Max Weber, *From Max Weber: Essays in Sociology*, Oxford University Press, Nueva York, 1946, p. 78 («Un Estado es una comunidad humana que reclama para sí el *monopolio del uso legítimo de la fuerza física* en un territorio dado»).

6. Artículo 1 de la Convención de Montevideo sobre los Derechos y Deberes de los Estados, tratado firmado en la VII Conferencia Internacional de Estados Americanos, el 26 de diciembre de 1933, en Montevideo (Uruguay).

7. James Anderson, «The Shifting Stage of Politics: New Medieval and Postmodern Territorialities», *Environment and Planning: Society and Space*, 14, 1996, pp. 133-153; Stephen J. Kobrin, «Back To the Future: Neomedievalism and the Postmodern Digital World Economy», *Journal of International Affairs*, primavera de 1998; y Bruno Tesche, «Geopolitical Relations in the Middle Ages: History and Theory», *International Organization*, 52, n.° 20, primavera de 1998, pp. 325-358.

8. Condoleezza Rice, «Promoting the National Interest», *Foreign Affairs*, enero-febrero de 2000, pp. 45-62.

9. James Harding y Richard Wolffe», «"We Worry a Good Deal More... September 11 Clarified the Threats You Face in a Post-Cold-War Era": Interview with Condoleezza Rice», *Financial Times*, 23 de septiembre de 2002, p. 21.

10. U.S. Congress, *National Missile Defense Act of 1999*, 106th Cong., 1st Sess., H.R. 4, 6 de enero de 1999; U.S. Department of Defense, Missile Defense Agency, «Historical Funding for MDA, FY85-05», 2005.

11. Department of Homeland Security, Office of the Inspector General, «Review of the Port Security Grant Program», OIG-05-10, enero de 2005.

12. Peter Baker y Walter Pincus, «U.S.-Russia Pact Aimed at Nuclear Terrorism», *Washington Post*, 24 de febrero de 2005, p. A1.

13. John Mearsheimer, *The Tragedy of Great Power Politics*, Nueva York, Norton, 2001; Robert G. Gilpin Jr., «Realism», *Encyclopedia of U.S. Foreign Relations*, Oxford University Press, Nueva York, 1997, pp. 462-464; Fareed Zakaria, *From Wealth To Power. The Unusual Origins of America's World Role*, Princeton University Press, Princeton (NJ), 1998; Michael C. Williams, *The Realist Tradition and the Limits of International Relations*, Cambridge University Press, Cambridge y Nueva York, Cambridge Studies in International Relations, 2005.

14. Henry Kissinger, *Diplomacy*, Simon & Schuster, Nueva York, 1994, p. 121; Otto Pflanze, *Bismarck and the Development of Germany*, Princeton University Press, Princeton (NJ), 1990.

15. Stephen M. Walt, «International Relations: One World, Many Theories», *Foreign Policy*, primavera de 1998, pp. 29-45; Jack Snyder, «One World, Rival Theories», *Foreign Policy*, noviembre-diciembre de 2004, pp. 52-62. Véase también Louis Klarevas, «Political Realism: A Culprit for the 9/11 Attacks», *Harvard International Review*, otoño de 2004, pp. 18-23.

16. Bruce Russett y John R. Oneal, *Triangulating Peace: Democracy, Interdependence, and International Organizations*, Norton, Nueva York, 2001, y

G. John Ikenberry, *After Victory: Institutions, Strategic Restraint, and the Rebuilding of Order after Major Wars*, Princeton University Press, Princeton (NJ), 2001. Véase también Andrew Moravcsik, «Taking Preferences Seriously: A Liberal Theory of International Politics», *International Organization*, otoño de 1997.

17. Alexander Wendt, *Social Theory of International Politics*, Nueva York, Cambridge University Press, 1999; Margaret E. Keck y Kathryn Sikkink, *Activists Beyond Borders: Advocacy Network in International Politics*, Cornell University Press, Ithaca (NY), 1998; Alexander Wendt, «Why a World State Is Inevitable: Teleology and the Logic of Anarchy», *European Journal of International Relations*, 9, n.º 4, pp. 491-542.

18. Max Boot, «Think Again: Neocons», *Foreign Policy*, enero-febrero de 2004, pp. 20-28. Véase también Robert Kagan e Irving Kristol, «A Distinctly American Internationalism», *Weekly Standard*, 29 de noviembre de 1999.

19. Snyder, «One World, Rival Theories».

20. Richard Clarke, *Against All Enemies*, Free Press, Nueva York, 2004, pp. 231-232.

21. Jonathan Watts, «Frozen Frontier Where Illicit Trade with China Offers Lifeline for Isolated North Koreans», *The Guardian*, 9 de enero de 2004.

22. John Ruggie, *Constructing the World Polity: Essays on International Institutionalization*, Routledge, Londres, 1998; Stephen D. Krasner, *Sovereignty: Organized Hypocrisy*, Princeton University Press, Princeton (NJ), 1999; y también dos artículos de Krasner, «Think Again: Sovereignty», *Foreign Policy*, enero-febrero de 2001, pp. 20-29, y «Sharing Sovereignty: New Institutions for Collapsed and Failed States», *International Security*, 29, otoño de 2004, pp. 85-120.

23. Special representative on Combating Trafficking in Human Beings, *Stop Human Trafficking*, OSCE, 11 de marzo de 2005; «Report Says People-Smuggling on Increase in Europe», Reuter, 31 de marzo de 2005.

24. David Unger, «An Immigration Experiment Worth Watching in Spain», *New York Times*, 20 de marzo de 2005.

25. Sylvia Moreno, «Flow of Illegal Immigrants to U.S. Unabated», *Washington Post*, 22 de marzo de 2005.

26. Julia Preston y Craig Pyes, «Mexican Tale: Drugs, Crime, Corruption, and the U.S.», *New York Times*, 18 de agosto de 1997; Procuraduría General de la República, México, Nota de Prensa n.º 510/00, 28 de septiembre

de 2000, online en www.pgr.gob.mx/cmsocial/pressOO/sep/pr510.html.

27. Mark Galeotti, «The Paksas Affair», *Jane's Intelligence Review*, enero de 2005, p. 25.

28. U.S. Department of State, Bureau for International Narcotics and Law Enforcement Affairs, «2003 International Narcotics Control Strategy Report», 1 de marzo de 2004.

29. «New Jail Term for Peru Spy Chief», BBC News Online, 29 de junio de 2004.

30. «No More Business as Ususal», *Asiaweek*, 6 de diciembre de 2000; Ted C. Fishman, «Manufaketure»; «People's Republic of Cheats», *Far Eastern Economic Review*, 21 de junio de 2001.

31. «State Department Spokesman Adam Ereli Has Unequivocally Absolved the Pakistani Leadership of Any Role in Dr. A. Q. Khan Proliferation Network's Operation», *The Nation*, 21 de marzo de 2005; informe diario del Departamento de Estado estadounidense, 17 de marzo de 2005; entrevista del autor al experto paquistaní Husein Haqqani, Washington, 16 de septiembre de 2004.

32. Aleksandar Vasovic, «Ukrainians Sold Missiles To Iran, China, Prosecutors Say», *Washington Post*, 19 de marzo de 2005.

33. Adam Smith, *An Inquiry into the Nature and Causes of the Wealth of Nations* («Investigación sobre la naturaleza y causas de la riqueza de las naciones»), Modern Library, Nueva York, 1994, tomo 5, cap. 2, art. 4.

Bibliografía

Andreas, Peter, y Timothy Snyder, eds., *The Wall around the West: State Borders and Immigration Controls in North America and Europe*, Rowman & Littlefield, Nueva York y Oxford, 2000.

Arquilla, John, y David Ronfeld, eds., *In Athena's Camp: Preparing for Conflict in the Information Age*, Rand, Santa Mónica (CA), 1998.

—, *Networks and Netwars: The Future of Terror, Crime, and Militancy*, Rand, Santa Mónica (CA), 2001 (hay trad. cast.: *Redes y guerras en red: el futuro del terrorismo, el crimen organizado y el activismo político*, Alianza, Madrid, 2003).

Azzara, Thomas, *Tax Havens of the World*, 7.ª ed., New Providence Press, Nassau (Bahamas), 1999.

Bales, Kevin, *Disposable People: New Slavery in the Global Economy*, University of California Press, Berkeley y Los Ángeles, 1999.

Bannon, Ian, y Paul Collier, eds., *Natural Resources and Violent Conflict*, Banco Mundial, Washington, 2003.

Barabasi, Albert-Laszlo, *Linked: The New Science of Networks*, Perseus Publishing, Cambridge (MA), 2002.

Barnett, Michael, y Raymond Duvall, eds., *Power in Global Governance*, Cambridge University Press, Cambridge (Reino Unido), 2005.

Barnett, Thomas P. M., *The Pentagon's New Map: War and Peace in the Twenty-First Century*, G. P. Putnam's Sons, Nueva York, 2004.

Becker, Jasper, *Rogue Regime: Kim Jong Il and the Looming Threat of North Korea*, Oxford University Press, Oxford (Reino Unido), 2005.

Bhagwati, Jagdish, *In Defense of Globalization*, Oxford University Press, Oxford (Reino Unido), 2004 (hay trad. cast.: *En defensa de la globalización*, Debate, Barcelona, 2005).

Bobbitt, Philip, *The Shield of Achilles: War, Peace, and the Course of History*, Anchor Books, Nueva York, 2003.

Brown, Michael E., Owen R. Cote, Sean M. Lynn-Jones, y Steven Miller, eds., *New Global Dangers: Changing Dimensions of International Security*, MIT Press, Cambridge (MA), 2004.

Brzezinski, Matthew, *Fortress America: On the Frontlines of Homeland Security; An Inside Look at the Coming Surveillance State*, Bantam Books, Nueva York, 2004.

Carpenter, Ted Galen, *Bad Neighbor Policy: Washington's Futile War on Drugs in Latin America*, Palgrave, Nueva York, 2003.

Casella, Alessandra, y James Rauch, eds., *Networks and Markets*, Sage Publications, Nueva York, 2001.

Chalk, Peter, y Ángel Rabasa, *Colombian Labyrinth: The Synergy of Drugs and Insurgency and Its Implications for Regional Stability*, RAND Project Air Force, Santa Mónica (CA), 2001.

Clarke, Richard, *Against All Enemies*, Free Press, Nueva York, 2004 (hay trad. cast.: *Contra todos los enemigos*, Taurus, Madrid, 2004).

Cusimano, Maryann, ed., *Beyond Sovereignty: Issues for a Global Agenda*, St. Martin's Press, Nueva York, 2002.

Dahlby, Tracy, *Allah's Torch: A Report from Behind the Scenes in Asia's War on Terror*, William Morrow, Nueva York, 2005.

Dixit, Avinash, *Lawlessness and Economics: Alternative Modes of Governance*, Princeton University Press, Princeton (NJ), 2004.

Encyclopedia of U.S. Foreign Relations, Oxford University Press, Nueva York, 1997.

Environmental Investigation Agency (EIA), *Lost in Transit: Global CFC Smuggling Trends and the Need for a Faster Phase-Out*, EIA, Londres, noviembre de 2003.

Etzioni, Amitai, *The Limits of Privacy*, Basic Books, Nueva York, 2000.

Farah, Douglas, *Blood from Stones: The Secret Financial Network of Terror*, Broadway Books, Nueva York, 2004.

Farazmand, Ali, ed., *Modern Systems of Government: Exploring the Role of Bureaucrats and Politicians*, Sage Publications, Nueva York, 1997.

Federal Bureau of Investigation (FBI), *Crime in America: FBI Uniform Crime Reports*, 2003, U.S. Government Printing Office, Washington, 2004.

Finger, Michael J., y Philip Schuler, eds., *Poor People's Knowledge: Promoting Intellectual Property in Developing Countries*, Banco Mundial, Washington, 2004.

Freeland, Chrystia, *Sale of the Century: Russia's Wild Ride from Communism To Capitalism*, Times Books, Nueva York, 2000.

Friedman, Thomas L., *The Lexus and the Olive Tree: Understanding Globalization*, Farrar, Straus and Giroux, Nueva York, 1999.

—, *The World Is Flat: A Brief History of the Twenty-first Century*, Farrar, Straus and Giroux, Nueva York, 2005.

Friman, Richard R., y Peter Andreas, eds., *The Illicit Global Economy and State Power*, Rowman & Littlefield, Nueva York, 1999.

—, *NarcoDiplomacy: Exporting the U.S. War on Drugs*, Cornell University Press, Ithaca (NY), 1996.

Fukuyama, Francis, *State-Building: Governance and World Order in the Twenty-first Century*, Cornell University Press, Ithaca (NY), 2004 (hay trad. cast.: *La construcción del Estado: hacia un nuevo orden mundial en el siglo XXI*, Ediciones B, Barcelona, 2004).

Hironaka, Ann, *Neverending Wars: The International Community, Weak States, and the Perpetuation of Civil War*, Harvard University Press, Cambridge (MA), 2005.

Ikenberry, G. John, *After Victory: Institutions, Strategic Restraint, and the Rebuilding of Order after Major Wars*, Princeton University Press, Princeton (NJ), 2001.

Inciardi, James A., y Lana D. Harrison, eds., *Harm Reduction: National and International Perspectives*, Sage Publications, Nueva York, 2000.

International Consortium of Investigative Journalists (Consorcio Internacional de Periodistas de Investigación, ICIJ), *Making a Killing: The Business of War*, Center for Public Integrity, Washington, 2003.

International Federation of Phonographic Industries (Federación Internacional de Industrias Fonográficas, IFPI), *The Recording Industry Commercial Piracy Report, 2004*, IFPI, Londres, julio de 2004.

International Monetary Fund (Fondo Monetario Internacional, FMI), *World Economic Outlook: Globalization and External Imbalances*, FMI, Washington, abril de 2005.

Kahin, Brian, y Hal R. Varian, eds., *Internet Publishing and Beyond: The Economics of Digital Information and Intellectual Property*, MIT Press, Cambridge (MA), 2000.

Kaplan, Robert D., *The Coming Anarchy: Shattering the Dreams of the Post Cold War*, Random House, Nueva York, 2000 (hay trad. cast.: *La anarquía que viene: la destrucción de los sueños de la posguerra fría*, Ediciones B, Barcelona, 2000).

Keck, Margaret, y Kathryn Sikkink, *Activists Beyond Borders: Advocacy Networks in International Politics*, Cornell University Press, Ithaca (NY), 1998.

Keefe, Patrick Radden, *Chatter: Dispatches from the Secret World of Global Eavesdropping*, Random House, Nueva York, 2005.

Kirk, Robin, *More Terrible than Death: Massacres, Drugs, and America's War in Colombia*, Public Affairs, Nueva York, 2003 (hay trad. cast.: *Más terrible que la muerte: masacres, drogas y la guerra de Estados Unidos en Colombia*, Paidós, Barcelona, 2005).

Kissinger, Henry, *Diplomacy*, Simon & Schuster, Nueva York, 1994 (hay trad. cast.: *Diplomacia*, Ediciones B, Barcelona, 1995).

Krasner, Stephen D., *Sovereignty: Organized Hypocrisy*, Princeton University Press, Princeton (NJ), 1999.

Kurkchiyan, Marina, y Alena V. Ledeneva, eds., *Economic Crime in Russia*, Kluwer Law International, Nueva York, 2000.

Kurlansky, Mark, *Salt: A World History*, Penguin, Nueva York, 2003.

Kyle, David, y Rey Koslowski, eds., *Global Human Smuggling: Comparative Perspectives*, Johns Hopkins University Press, Baltimore, 2001.

Lal, Deepak, *In Praise of Empires: Globalization and Order*, Palgrave Macmillan, Nueva York, 2004.

Laufer, Peter, *Wetback Nation: The Case for Opening the Mexican-American Border*, Ivan R. Dee, Chicago, 2004.

Lennon, Alexander T. J., ed., *The Battle for* Hearts *and Minds: Using Soft Power to Undermine Terrorist Networks*, MIT Press, Cambridge (MA), 2003.

Library of Congress, Federal Research Division, *Organized Crime and Terrorist Activity in Mexico*, 1999-2002, Library of Congress, Washington, 2003.

Lumpe, Lora, ed., *Running Guns: The Global Black Market in Small Arms*, Zed Books, Londres, 2000 (hay trad. cast.: *Tráfico de armas: el mercado negro mundial de armas ligeras*, Intermón Oxfam, Barcelona, 2004).

Macoun, Robert J., y Peter Reuter, *Drug War Heresies: Learning from Other Vices, Times, and Places*, Cambridge University Press, Nueva York, 2001.

Marez, Curtis, *Drug Wars: The Political Economy of Narcotics*, University of Minnesota Press, Mineápolis, 2004.

Mearsheimer, John, *The Tragedy of Great Power Politics*, Norton, Nueva York, 2001.

Miron, Jeffrey A., *Drug War Crimes: The Consequences of Prohibition*, Independent Institute, Oakland (CA), 2004.

Nadelman, Ethan A., *Cops across Borders: The Internationalization of U.S. Criminal Law*, Pennsylvania State University Press, University Park (PA), 1993.

Napoleoni, Loretta, *Modern Jihad: Tracing the Dollars behind the Terror Networks*, Pluto Press, Londres, 2003 (hay trad. cast.: *Yihad: cómo se financia el terrorismo en la nueva economía*, Urano, Barcelona, 2004).

National Commission on Terrorist Attacks upon the United States, *The 9/11 Commission Report*, Norton, Nueva York, 2004.

National Research Council, National Academy of Sciences, *Informing America's Policy on Illegal Drugs: What We Don't Know Keeps Hurting Us*, National Academy Press, Washington, 2001.

Naylor, R. T., *Wages of Crime: Black Markets, Illegal Finance, and the Underworld Economy*, Cornell University Press, Ithaca (NY), 2002, y ed. rev. 2004.

Nordstrom, Caroline, *Shadows of War: Violence, Power, and International Profiteering in the Twenty-first Century*, University of California Press, Berkeley y Los Ángeles, 2004.

O'Harrow, Robert Jr., *No Place to Hide: Behind the Scenes of Our Emerging Surveillance Society*, Free Press, Nueva York, 2005.

Oneal, John R., y Bruce Russett, *Triangulating Peace: Democracy, Interdependence, and International Organizations*, Norton, Nueva York, 2001.

Organisation for Security and Cooperation in Europe (Organización para la Seguridad y la Cooperación en Europa, OSCE), Special Representative on Combating Trafficking in Human Beings: *Stop Human Trafficking*, OSCE, Viena, 11 de marzo de 2005.

Palan, Ronen, *The Offshore World: Sovereign Markets, Virtual Places, and Nomad Millionaires*, Cornell University Press, Ithaca y Londres, 2003.

Papademetriou, Demetrios, *Responding To Clandestine Migration: Economic Migrants? Trends in Global Migration*, Caledon Institute of Social Policy, Toronto, junio de 2000.

—, *et al.*, *NAFTA's Promise and Reality: Lessons from Mexico for the Hemisphere*, Carnegie Endowment for International Peace, Washington, 2003.

Pérez Reverte, Arturo, *La reina del sur*, Alfaguara, Madrid, 2003.

Pflanze, Otto, *Bismarck and the Development of Germany*, Princeton University Press, Princeton (NJ), 1990.

Pieth, Mark, ed., *Financing Terrorism*, Kluwer Academic Publishers, Boston, 2002.

Rabkin, Jeremy A., *Law without Nations: Why Constitutional Government Requires Sovereign Slates*, Princeton University Press, Princeton (NJ), 2005.

Reuter, Peter, y Edwin M. Truman, *Chasing Dirty Money: The Fight against Money Laundering*, Institute for International Economics, Washington, 2004.

Rheingold, Howard, *Smart Mobs: The Next Social Revolution*, Perseus Books, Nueva York, 2002 (hay trad. cast.: *Multitudes inteligentes: la próxima revolución social*, Gedisa, Barcelona, 2004).

Riedel, Philip, ed., *Handbook of Transnational Crime and Justice*, Sage Publications, Thousand Oaks (CA), 2005.

Robinson, Jeffrey, *The Merger: The Conglomeration of International Organized Crime*, Overlook Press, Woodstock (NY), 2000.

Rotberg, Robert, ed., *When States Fail: Causes and Consequences*, Princeton University Press, Princeton (NJ), 2004.

Ruggie, John, *Constructing the World Polity: Essays on International Institutionalization*, Routledge, Londres, 1998.

Sampson, Anthony, *The Arms Bazaar: From Lebanon To Lockheed*, Viking, Nueva York, 1977 (hay trad. cast.: *El bazar de las armas*, Grijalbo, Barcelona, 1979).

Satter, David, *Darkness at Dawn: Tke Rise of the Russian Criminal State*, Yale University Press, New Haven, 2004.

Schwartz, Peter, *Inevitable Surprises: Thinking Ahead in a Time of Turbulence*, Gotham, Nueva York, 2004.

Scotchmer, Suzanne, *Innovation and Incentives*, MIT Press, Cambridge (MA), 2005.

Slaughter, Anne Marie, *A New World Order*, Princeton University Press, Princeton (NJ), 2004.

Small Arms Survey 2003: Development Denied, Graduate Institute of International Studies, Ginebra, 2003.

Small Arms Survey 2004: Rights at Risk, Graduate Institute of International Studies, Ginebra, 2004.

Smith, Adam, *La riqueza de las naciones*, Alianza, Madrid, 2005.

Stares, Paul B., *Global Habit: The Drug Problem in a Borderless World*, Brookings, Washington, 1996.

Tanzi, Vito, *Policies, Institutions, and the Dark Side of Economics*, Edward Elgar, Cheltenham (Reino Unido), 2000.

United Nations Conference on Trade and Development (Conferencia de las Naciones Unidas para el Comercio y el Desarrollo, UNCTAD), *World Investment Report, 2004*, UNCTAD Press Unit, Ginebra, 22 de septiembre de 2004.

United Nations Office on Drugs and Crime (Oficina de las Naciones Unidas sobre Narcóticos y Delincuencia), *2004 World Drug Report: Executive Summary*, UNODC, Ginebra, 2004.

—, *Global Illicit Drug Trends*, UNODC, Viena, 2003.

United Nations Population Fund and UN Information Service (Fondo de Población de las Naciones Unidas y Servicio de Información), *State of the World's Cities, 2004/2005: Globalization and Urban Culture*, UN-HABITAT, Londres, 2004.

United States Department of Justice, National Drug Intelligence Center, *Heroin Distribution in Three Cities*, Washington, noviembre de 2000.

United States Department of Justice, Office of the Inspector General, *The Internal Effects of the Federal Bureau of Investigation's Reprioritization*, Washington, septiembre de 2004.

United States Department of State, Bureau for International Narcotics and Law Enforcement Affairs, *International Narcotics Control Strategy Report, 2003*, Washington, marzo de 2004.

—, *International Narcotics Control Strategy Report, 2005*, Washington, marzo de 2005.

United States Department of State, Office to Monitor and Combat Trafficking in Persons, *Trafficking in Persons Report*, Washington, 14 de junio de 2004.

United States, Government Accounting Office, *Nonproliferation: Further Improvements Needed to Counter Threats from Man-Portable Air Defense Systems*, Washington, mayo de 2004.

United States Treasury Department, *National Money Laundering Strategy*, Washington, julio de 2002.

Weber, Max, *From Max Weber: Essays in Sociology*, Oxford University Press, Nueva York, 1946.

Wendt, Alexander, *Social Theory of International Politics*, Cambridge University Press, Nueva York, 1999.

Williams, Michael C., *The Realist Tradition and the Limits of International Relations*, Cambridge University Press, Cambridge, 2005.

Williams, Phil, ed., *Russian Organized Crime: The New Threat*, Frank Cass Publishers, Londres, 1997.

Wilson, James Q., *Bureaucracy: What Government Agencies Do and Why They Do It*, Basic Books, Nueva York, 1989.

Wolf, Martin, *Why Globalization Works*, Yale University Press, New Haven, 2004.

Yergin, Daniel, y Stanislaw Joseph, *The Commanding Heights: The Battle between Government and the Marketplace That Is Remaking the Modern World*, Simon & Schuster, Nueva York, 1998.

Zakaria, Fareed, *From Wealth To Power: The Unusual Origins of America's World Role*, Princeton University Press, 1998, Princeton (NJ), 1998 (hay trad. cast.: *De la riqueza al poder: los orígenes del liderazgo mundial de Estados Unidos*, Gedisa, Barcelona, 2000).

Índice alfabético

Esta edición de 4.000 ejemplares
se terminó de imprimir en
Primera Clase Impresores S.H.,
California 1231, Bs. As.,
en el mes de noviembre de 2006.